DEHONGLI BYWYD IESU

MYFYRDODAU AR FYWYD A GWAITH IESU GRIST

GAN
ELFED AP NEFYDD ROBERTS

Testun gwreiddiol: Elfed ap Nefydd Roberts

Dymuna'r cyhoeddwyr gydnabod cymorth
Adran Olygyddol ac Adran Grantiau Cyngor Llyfrau Cymru.

Golygydd Testun: John Pritchard
Golygydd Cyffredinol: Aled Davies

Argraffwyd gan Melita oddi fewn i'r Undeb Ewropeaidd

Cyhoeddwyd gan
Cyhoeddiadau'r Gair, Cyngor Ysgolion Sul Cymru,
Ael y Bryn, Chwilog, Pwllheli, Gwynedd LL53 6SH.
www.ysgolsul.com

CYNNWYS

RHAGAIR

Cais gan y Parchedig Aled Davies, Cyfarwyddwr egnïol a hynaws Cyhoeddiadau'r Gair, a roddodd gychwyn i'r gyfrol hon. Yn dilyn cyhoeddi *Dehongli'r Damhegion*, *Dehongli'r Bregeth ar y Mynydd* a *Dehongli'r Gwyrthiau*, awgrymodd Aled mai da o beth fyddai cael cyfrol a fyddai'n ymdrin â chefndir dysgeidiaeth a gweithredoedd Iesu, sef ei fywyd a'i waith. Wedi'r cyfan, ni fyddai sôn am ddamhegion, am bregeth ar y mynydd nac am wyrthiau heb y person a roes fod i'r cyfan, sef Iesu Grist ei hun, sy'n sefyll yng nghanol y Ffydd Gristnogol.

Ers dwy fil o flynyddoedd, Iesu fu ffigur canolog hanes y ddynoliaeth. Dros y canrifoedd mae'r Ffydd Gristnogol, a seiliwyd ar ei berson a'i fywyd a'i ddysgeidiaeth ef, wedi ymledu ar draws y byd ac wedi ennill i'w chôl filiynau sydd wedi ei dderbyn fel Mab Duw a Gwaredwr, ac sy'n parhau i wneud hynny. Erbyn heddiw mae dros ddwy biliwn o Gristnogion yn y byd – sy'n cyfateb i 30% o boblogaeth y ddaear – ac y mae'r nifer hwnnw'n dal i godi.

Y mae'r ffaith hon ynddi'i hun yn peri inni ofyn pwy oedd Iesu? Beth a wyddom am ei fywyd a'i waith? Sut y bu i werinwr syml, tlawd, o gornel anghysbell o'r Ymerodraeth Rufeinig, a gafodd ei ddienyddio trwy groeshoeliad wedi tair blynedd yn unig o weinidogaeth gyhoeddus, gael y fath ddylanwad ar ei gyfoedion? A beth sy'n gyfrifol am y ffaith fod ei ddylanwad yn dal ar waith heddiw, yn newid bywydau ac yn newid y byd? Cwestiwn ei ddilynwyr yn nyddiau ei gnawd oedd,'Pwy yw hwn?' Gwnaethant sawl ymgais i'w egluro, gan droi at eiriau a thermau cyfarwydd yng ngeirfa grefyddol eu cyfnod – termau fel 'Mab Duw', 'Proffwyd', 'Gwaredwr', 'Arglwydd,' a 'Meseia'. Ond prin fod y teitlau hyn yn disgrifio'n foddhaol aruthredd y person hwn, nac effeithiau chwyldroadol ei ddysgeidiaeth. Erys y cwestiwn i'n herio ninnau fel yr heriodd ei ddilynwyr cyntaf. Pwy yw Iesu i'n ffydd ni heddiw ac i waith a chenhadaeth ei eglwys?

Wrth gloi ei efengyl, meddai Ioan: 'Y mae hefyd lawer o bethau eraill a wnaeth Iesu. Petai pob un o'r rhain yn cael ei gofnodi, ni byddai'r byd, i'm tyb i, yn ddigon mawr i ddal y llyfrau fyddai'n cael eu hysgrifennu' (Ioan 21: 25). Dros y canrifoedd cyhoeddwyd cannoedd o lyfrau yn trafod ystyr ac arwyddocâd bywyd, dysgeidiaeth a gwaith Iesu. Mae llawer ohonynt yn astudiaethau ysgolheigaidd pwysfawr. Ac felly, pa obaith sydd i gyfrol fach fel hon gyfrannu rhywbeth o werth i'r astudiaeth o fywyd Iesu? Yr unig gyfiawnhad y gellir ei gynnig yw mai amcan y gyfrol hon yw helpu aelodau ein heglwysi a'n hysgolion Sul i edrych unwaith eto ar fywyd Iesu trwy wrando ar dystiolaeth y pedair efengyl, ac o drafod gyda'i gilydd gael ambell gipolwg ar ei ogoniant, teimlo atyniad ei berson, a'i ganfod yn Grist byw heddiw.

Nid oes fawr o sôn yn y gyfrol hon am ddysgeidiaeth Iesu yn y Bregeth ar y Mynydd nac am ei ddamhegion a'i wyrthiau, am fod y pynciau hynny wedi eu trafod yn y cyfrolau blaenorol. Ond mae yma ymgais i edrych o'r newydd ar y darluniau a geir yn yr efengylau o'i weithgarwch, ei ddylanwad ar bobl, ei berthynas â'i ddisgyblion, a digwyddiadau tyngedfennol wythnos olaf ei fywyd, o Sul y Palmwydd i Sul y Pasg. A thrwy'r cyfan, gofynnir beth yw ystyr y pethau hyn oll i ni.

Wrth grybwyll mai Aled Davies a roes gychwyn i'r gyfrol trwy f'annog i fynd ati i'w llunio, rhaid dweud hefyd mai ei gefnogaeth a'i hir amynedd a fu'n sbardun imi ddal ati a dod â'r gwaith i ben. Profais rai rhwystrau ar y ffordd, yn enwedig gorfod treulio cyfnod yn yr ysbyty a rhai misoedd wedyn yn gwella. Hefyd, fel y gŵr yn y ddameg, 'mi a briodais wraig,' ac arweiniodd hynny at symud tŷ. Ond nid rhwystr fu hynny ond cysur a chymorth mawr. Bu caredigrwydd ac anogaeth Eiddwen i mi ddal ati a gorffen y gwaith yn enfawr. Rhaid diolch hefyd i Catherine (Jones), fy llysferch-yng-nghyfraith hoff, a fu'n gymorth gyda'r teipio wedi imi lwyddo i golli tair pennod o'r gwaith drwy bwyso botwm anghywir ar fy nghyfrifiadur! Achubodd fi o fwy nag un trychineb cyfrifiadurol trwsgl.

Hyderaf y bydd y llyfryn hwn yn rhywfaint o werth fel adnodd mewn seiadau a dosbarthiadau Beiblaidd, ac yn help i ni oll, yng ngeiriau Sant Richard o Chichester, weld Iesu'n gliriach, ei garu'n anwylach, a'i ddilyn yn agosach ddydd ar ôl dydd.

Elfed ap Nefydd Roberts

CYFLWYNIAD I FYWYD IESU

Pam llyfr ar fywyd Iesu? Onid oes digon o lyfrau wedi eu hysgrifennu am Iesu o Nasareth, heb fod galw am un arall eto? A faint o ddiddordeb sydd mewn gwirionedd, yn yr oes sydd ohoni, ym mywyd a gwaith Iesu? Dywed Marcus Borg yn ei lyfr, *Jesus: Uncovering the life, teachings and relevance of a religious revolutionary* (2006), ein bod erbyn hyn yn perthyn i ddiwylliant sydd ar y naill law yn prysur gefnu ar Iesu, ond sydd ar y llaw arall yn methu ag ymryddhau oddi wrtho: 'A Christ-forgetting and a Christ-haunted culture' – dyna ydi'n diwylliant ni yn y Gorllewin.

Yr Un na ellir dianc rhagddo

Nid oes angen dyfynnu ystadegau i ddangos y cynnydd yn nifer y 'Christ-forgetters'. Mae'r nifer sy'n eu galw eu hunain yn Gristnogion wedi lleihau yn arw. Erbyn hyn, tua 59% o bobl gwledydd Prydain, a thros 80% o bobl America, sy'n arddel y disgrifiad 'Cristion', ond mae'r nifer sy'n mynychu lle o addoliad yn llawer iawn is na'r ffigurau hyn. Ond beth am y 'Christ-haunted'? Mae gan ganran uchel o bobl ddiddordeb yn Iesu. Yn 2004 roedd ffilm Mel Gibson, *The Passion of Christ*, yn denu cannoedd o filoedd o wylwyr, er gwaetha'r golygfeydd graffig o boenydio a dienyddio oedd ynddi. A bu cryn drafod ar y ffilm mewn cylchgronau ac ar raglenni radio a theledu.

Yn yr un flwyddyn cyhoeddwyd nofel Dan Brown, *The Da Vinci Code*, sy'n dal ar restr y 'gwerthwyr gorau'. Iesu yw ffigur canolog y nofel honno. Fe'i seiliwyd ar syniad a gafodd gryn sylw ar y pryd, sef y ddamcaniaeth nad oedd Iesu wedi marw ar y groes ond ei fod wedi llwyddo i ddianc, a'i fod wedi hynny wedi priodi â Mair Magdalen a chenhedlu plant. Esgorodd y syniad hwn ar nifer o lyfrau sy'n hawlio eu bod yn profi gwirionedd y stori am Iesu a Mair Magdalen. Ond pam y fath ddiddordeb mewn stori nad oes iddi unrhyw sail hanesyddol na ffeithiol? Mae'n amlwg nad yw ein cymdeithas seciwlar yn medru ymryddhau'n llwyr oddi wrth Iesu a'r Ffydd Gristnogol.

Ar wahân i ffilmiau a chyhoeddiadau esoterig o'r fath, cafwyd cyfrolau ysgolheigaidd di-rif sy'n ceisio esbonio pwy oedd (a phwy yw) Iesu ac sy'n trafod ei arwyddocâd i'n hoes a'n cenhedlaeth ni. Bwriad rhai ohonynt oedd cyflwyno dehongliadau newydd a gwahanol o natur ei berson a'i genhadaeth. Dehonglwyd Iesu fel chwyldröwr gwleidyddol (S. G. F. Brandon), athro Iddewig carismataidd (Geza Vermes), rabbi Galileaidd (Brunce Chilton), rhyddhäwr tlodion (Gustavo Gutierrez), proffwyd eschatolegol (E. P. Saunders), aelod o sect yr Eseniaid (Harvey Falk), ac enwi ond ychydig ohonynt. Amcan y rhain oedd ceisio canfod y gwir Iesu, sef 'Iesu hanes'. Er enghraifft, teitl cyfrol swmpus Dominic Crossan yw *The Historical Jesus*, ond gyda'r is-deitl arwyddocaol 'The Life of a Mediterranean Jewish Peasant' (1991).

Bu'r ymgais i ddarganfod 'Iesu hanes', y gwir ddyn a rodiodd lonydd Galilea, a'i ddatblethu o'r 'Crist ffydd' a gynrychiolir gan y teitlau diwinyddol a roddwyd iddo gan awduron y Testament Newydd a'r Eglwys Fore, yn faes astudiaeth i ysgolheigion ers canol y bedwaredd ganrif ar bymtheg. Un o'r enwocaf oedd llyfr Albert Schweitzer, *The Quest of the Historical Jesus* (1922). Ond at ei gilydd, ymgais ofer fu hon gan mai trwy lygaid yr Eglwys Fore a'r Cristnogion cynnar y cyflwynir Iesu inni yn yr efengylau.

Darluniau gwahanol

Ceir cryn amrywiaeth yn y portreadau o Iesu yn y Testament Newydd ei hun. Wrth gloi ei efengyl, dywed awdur Efengyl Ioan fod llawer mwy o bethau y gellid eu dweud am fywyd a gwaith Iesu nag y gallai ef eu cofnodi yn ei efengyl: *'Petai pob un o'r rhain yn cael ei gofnodi, ni byddai'r byd ... yn ddigon mawr i ddal y llyfrau fyddai'n cael eu hysgrifennu'* (In. 21: 25). Dywed hefyd mai ei amcan wrth ysgrifennu yw *'i chwi gredu mai Iesu yw'r Meseia, Mab Duw, ac er mwyn i chwi drwy gredu gael bywyd yn ei enw ef'* (20: 31).

Amcanion gwahanol sydd gan Mathew, Marc a Luc. Mae hyd yn oed olwg brysiog ar y pedair efengyl yn dangos nifer o wahaniaethau rhyngddynt – o ran arddull, cynnwys, amcan a dehongliad. Un rheswm am hynny yw fod pob efengyl yn codi o gefndir gwahanol ac yn adlewyrchu traddodiad gwahanol. Maent yn cynnwys rhai elfennau sy'n mynd â ni'n ôl at ffigur hanesyddol Iesu, ac eraill sydd wedi deillio o ffydd a phrofiad y cymunedau Cristnogol cynnar.

Mae Mathew yn ei gyflwyno fel 'Iesu'r Athro', sydd hefyd yn cyflawni proffwydoliaethau'r Hen Destament am y Meseia. Darlunnir Iesu fel ail Moses, a cheir o'i enau bum araith fawr gyda chyfeiriadau cyson at ddigwyddiadau yn hanes Israel – yr alltudiaeth i'r Aifft, lladd y plant, profiadau pen y mynydd a chyffelybiaethau rhwng Iesu a Moses.

'Iesu'r Dyn' a geir yn Efengyl Marc, yr hynaf o'r efengylau. Yn ôl traddodiad a thystiolaeth rhai o'r Tadau Eglwysig cynnar, Ioan Marc oedd ei hawdur, ac fe gafodd ei wybodaeth am Iesu gan Simon Pedr pan oedd y ddau yn Rhufain cyn merthyrdod Pedr. Ychydig iawn o areithiau a geir yn yr efengyl hon, ond ceir pwyslais ar ddirgelwch person Iesu. Yn aml, dywed Iesu wrth y rhai a ddaw i'w adnabod fel y Meseia, 'Peidiwch â dweud wrth neb.'

'Yr Iesu Tosturiol' a gyflwynir inni gan Luc: Iesu'r meddyg da, cyfaill y tlawd a'r gwrthodedig, a'r un sy'n rhoi sylw i ferched a phlant. Luc hefyd yw'r hanesydd sy'n dyddio digwyddiadau'n ofalus ac yn mynd ymlaen wedyn yn Llyfr yr Actau i adrodd hanes yr Eglwys Fore.

'Y Gair yn Gnawd' yw Iesu yn ôl Efengyl Ioan. O'r dechrau cyntaf, cyflwynir i ni'r Gair dwyfol, sef meddwl a bwriad Duw, a ddaeth i'n daear mewn cnawd. Roedd awdur yr efengyl hon yn gyfarwydd â gogwydd meddwl athronwyr Groegaidd y cyfnod, ac y mae'n cyflwyno'r gred fod y dwyfol wedi dod i'n daear ni mewn person – syniad a oedd yn wrthun i rai o ddysgedigion Groegaidd ei gyfnod. Ond trwy ddefnyddio delweddau fel dŵr, bara, goleuni, defaid a gwinwydden mae Iesu yn Efengyl Ioan yn ei gyflwyno'i hun i ni fel un sydd mewn perthynas bersonol, agos â'i Dad nefol, fel un sy'n ymgorfforiad o fywyd dwyfol, ac fel un sy'n dioddef ac yn marw, nid fel dioddefwr diymadferth, ond fel Brenin a Gwaredwr.

Yn yr efengylau fe welwn nid yn unig wahaniaethau ym mhortreadau'r pedair efengyl o Iesu, ond hefyd amrywiaeth barn amdano ymhlith ei wrandawyr a phobl gyffredin Galilea. *'Pwy ynteu yw hwn?'* oedd cwestiwn y disgyblion wedi i Iesu ostegu'r storm ar y môr. Yr un cwestiwn a ofynnwyd dro ar ôl tro gan ei gyfoedion, a'r un cwestiwn a ofynnwn ninnau heddiw amdano.

Barn rhai a'i clywai'n sôn amdano'i hun fel y 'Bugail Da' oedd ei fod yn wallgof: *'Y mae cythraul ynddo, y mae'n wallgof. Pam yr ydych yn gwrando arno?'* meddent (In. 10: 20). I'w wrandawyr ymhlith y Phariseaid, roedd dysgeidiaeth Iesu'n wrthun a'i weithredoedd yn awgrymu bod ysbryd aflan wedi cydio ynddo. Ym marn y byd, bod yn gall yw bod fel pawb arall. Bernard Shaw a ddywedodd pe cymerid Iesu heddiw i lys barn, mai penderfyniad y llys fyddai ei anfon i wallgofdy. Ond go brin y gellir ystyried y ddedfryd hon yn un i'w chymryd o ddifrif.

Dywed Ioan wedyn am achlysur pan aeth Iesu'n ddirgel i ŵyl y Pebyll. Roedd yno lawer o'r Iddewon yn chwilio amdano. Barn rhai amdano oedd mai *'Dyn da yw ef'* (7: 12). Mae'n siŵr mai dyna oedd dyfarniad y werin bobl – dyn da, dim llai, ond dim mwy chwaith. A dyna farn y mwyafrif heddiw hefyd. Mae llawer iawn o bobl, nad oes ganddynt fawr ddim diddordeb ym mywyd a chenadwri'r eglwys, na fawr o grap ar hanfod Cristnogaeth, yn barod er hynny i gydnabod Iesu Grist yn ddyn da. Ond prin fod y farn hon yn gwneud cyfiawnder â chymeriad unigryw Iesu, nac ychwaith yn ddigon i berswadio neb i ymroi o ddifrif i'w ddilyn. Mae Iesu'n gofyn am fwy na pharch ac edmygedd; mae'n gofyn am ymgysegriad.

Barn arall a fynegir yn Efengyl Ioan yw *'Hwn yn wir yw'r Proffwyd'* (7: 40). Dyna farn rhai a fu'n gwrando ar Iesu'n dysgu yn Jerwsalem. Iddynt hwy, Iesu oedd y proffwyd y bu'r genedl yn disgwyl amdano gyhyd. Roedd ei genadwri yn eu hysbrydoli, a'i neges yn amserol a chwyldroadol. Ond prif nodwedd proffwyd yw fod ganddo neges berthnasol i'w oes ei hun; gair oddi wrth Dduw ar gyfer sefyllfa arbennig a chyfnod arbennig. Proffwyd yw Iesu i lawer yn ein hoes ni – gan gynnwys Mwslemiaid sydd â meddwl uchel ohono, ond fel proffwyd yn unig. Maent yn barod i dderbyn ei ddysgeidiaeth foesol, ond yn ymwrthod â'r syniad ei fod yn berson goruwchnaturiol, yn Fab Duw neu'n Feseia. Canlyniad dyfarniad fel hwn yw darostwng yr Efengyl i ddim mwy na system foesegol neu athronyddol. I'r Cristion, mae Iesu'n fwy na phroffwyd.

Daw'r ddedfryd Gristnogol lawn o enau Thomas wedi iddo weld y Crist byw yn yr oruwchystafell ac wedi iddo weld ôl yr hoelion yn ei ddwylo a'i draed: '*Fy Arglwydd a'm Duw!*' (In. 20: 28). Wedi iddo ddod wyneb yn wyneb â'r Crist atgyfodedig, mae Thomas yn ymateb iddo mewn llawenydd a moliant. Yn yr un modd, mae Cristnogion yn gweld ym mhrydferthwch a sancteiddrwydd person Iesu ogoniant Duw ei hun, ac yn ymateb trwy blygu o'i flaen mewn addoliad a'u cysegru eu hunain i'w ddilyn a'i wasanaethu.

Y mae'n arwyddocaol fod awduron yr efengylau yn cynnwys y gwahanol farnau hyn am Iesu yn eu portreadau ohono. Mae fel pe baent yn cydnabod yr amrywiaeth eang a chyfoethog sydd yn y gwahanol ddarluniau ohono ac ym marn pobl amdano, ac yn ein gwahodd ninnau i'w geisio a dod i'n penderfyniad ein hunain amdano. Mae'r dasg o ddehongli Iesu yn wynebu pob Cristion wrth geisio mynd i'r afael â'r person rhyfedd hwn a deall ei arwyddocâd i'w ffydd a'i fywyd ei hun.

Mae hon yn dasg sydd i'w chyflawni gan ysgolheigion ac esbonwyr Beiblaidd. Mae'n dasg sy'n wynebu pob gweinidog ac offeiriad a phregethwr sydd â'r cyfrifoldeb o gyflwyno Crist i bobl heddiw. Ac mae hefyd yn dasg sy'n wynebu pawb sydd ynglŷn â hyfforddiant a gwaith addysgol yr eglwys. Cyfeirio pobl at Iesu yw ein gwaith, a gwahodd pobl i ymuno yn yr ymchwil ddiddarfod i ddirgelwch ei berson a'i waith. Dyma antur fawr yr Eglwys Gristnogol ym mhob oes.

Yn Efengyl Ioan, dywed Iesu amdano'i hun, '*A minnau, os caf fy nyrchafu oddi ar y ddaear, fe dynnaf bawb ataf fy hun*' (12: 32). Cyfeirio'r oedd at y groes. Ond mae grym magnetig ym mherson a gwaith Iesu – yn ei gymeriad, yn ei groes ac yng nghenhadaeth ei Eglwys.

Crist yn ganolbwynt

Un o'n prif gymhellion dros ymdrechu i ddehongli Crist i'n hoes yw ei fod yn gwbl ganolog i bob agwedd ar fywyd. Ef yw canolbwynt ffydd. Ef yw canolbwynt yr Ysgrythur. Ef yw canolbwynt hanes, ac ef hefyd yw canolbwynt moeseg.

Yn gyntaf, *Crist yw canolbwynt ffydd*. Rhaid parhau i geisio deall a dehongli Iesu am ei fod yn gwbl ganolog i'r Ffydd Gristnogol. Gellid dweud mai Cristnogaeth *yw* Iesu Grist. Rhoddir iddo deitlau aruchel yn y Testament Newydd – Mab Duw, Mab y Dyn, Meseia, Arglwydd, Y Gair yn Gnawd, Oen Duw, Goleuni'r Byd, Bara'r Bywyd, Y Ffordd, y Gwirionedd a'r Bywyd, Y Wir Winwydden, Y Bugail da, Yr Archoffeiriad Mawr, a Gwaredwr. Bu'r Tadau Eglwysig cynnar yn brysur yn cynadledda a thrafod er mwyn rhoi mewn geiriau eu hargyhoeddiad ynglŷn â'r Iesu hwn a oedd yn ganolbwynt i'w cred. Yng Nghyngor Nicea, cytunwyd ar ffurf sydd wedi bod yn fynegiant sylfaenol o ffydd yng Nghrist dros y canrifoedd: 'Credwn yn un Arglwydd Iesu Grist, unig Fab Duw, a genhedlwyd gan y Tad cyn yr holl oesoedd, Duw o Dduw, Llewyrch o Lewyrch, Gwir Dduw o wir Dduw, wedi ei genhedlu, nid wedi ei wneuthur, yn un hanfod â'r Tad, a thrwyddo ef y gwnaed pob peth.'

Er na fyddem ni heddiw yn disgrifio Crist yn yr union eiriau â Thadau Nicea, ein tasg yw canfod geiriau sy'n ystyrlon i'n hoes a'n cenhedlaeth ni i gyfleu ein hargyhoeddiad mai Iesu yw'r un sy'n dangos inni sut un yw Duw. Yn wahanol i Iddewon sy'n credu bod Duw wedi ei ddatguddio'i hun drwy'r Torah, a Mwslemiaid sy'n credu ei fod i'w ganfod yn y Quran, mae Cristnogion yn credu bod y datguddiad terfynol o Dduw i'w weld mewn *person*. Ef, fel Mab Duw, sy'n datguddio i ni natur y Tad. Fel Goleuni'r Byd, ef sy'n ein goleuo ynglŷn â bwriad a phwrpas Duw i'n bywydau. Fel Oen Duw, ef yw'r un sy'n ein cymodi â Duw, yn estyn inni ei faddeuant ac yn rhoi bywyd inni.

Nid yw Iesu'r dyn yn datguddio'r 'cyfan' am Dduw. Er enghraifft, ni ellir mynegi ei hollalluogrwydd na'i hollbresenoldeb mewn person dynol. Yr hyn a ddatguddir gan Iesu am Dduw yw ei gariad, ei drugaredd, ei gymeriad a'i fwriadau grasol tuag atom. Yng Nghrist, yn ei fywyd a'i waith, y profir y maddeuant, y cymod a'r bywyd newydd y mae Duw yn ei estyn i'r byd. Gan mai Crist yw canolbwynt ein ffydd a'n profiad, mae rheidrwydd arnom i barhau i dyfu yn ein hadnabyddiaeth ohono.

Yn ail, *Crist yw canolbwynt yr Ysgrythur.* Y mae Cristnogion wedi datgan erioed fod Duw yn ei ddatguddio'i hun trwy'r Beibl; a gelwir y Beibl am hynny yn 'Air Duw'. Ond rhaid deall y cyswllt rhwng y Beibl fel Gair Duw, ac Iesu fel y Gair mewn cnawd. Y Beibl yw Gair Duw mewn *geiriau.* Iesu yw Gair Duw mewn *cnawd.* Pregethu, a thystiolaeth yr Eglwys yw Gair Duw ar lafar. Ond Crist, fel y Gair ymgnawdoledig, yw ffigur canolog y Beibl. Ac felly, rhaid darllen a deall y Beibl yng ngoleuni dysgeidiaeth ac ysbryd Crist. Yn yr Hen Destament ceir y paratoad ar ei gyfer, y proffwydoliaethau amdano, a'r dyhead am ei ddyfodiad. Ar yr un pryd, ceir yn yr Hen Destament adrannau sy'n gwbl groes i ysbryd a dysgeidiaeth Iesu; er enghraifft, yr hanesion am Dduw yn gorchymyn i'r Iddewon ddinistrio'u gelynion, a'r disgrifiadau a geir o'r lladd a'r trais a'r rhyfela yn enw Duw. Bu'r adrannau hynny o'r Ysgrythur yn broblem i Gristnogion erioed. Ond o feddwl am Iesu fel canolbwynt y Beibl gellir rhoi heibio'r adrannau hynny sy'n anghyson â'i ddatguddiad ef o Dduw, neu o leiaf eu hystyried fel elfennau cyntefig yn natblygiad crefyddol dyn.

Gellir meddwl am y Beibl fel darlun. Yn y canol y mae ffigur Iesu. Ei ddillad yw'r efengylau sy'n ei ddisgrifio. Cefndir y darlun yw'r Hen Destament. A'r ffrâm o amgylch y darlun yw Llyfr yr Actau a'r epistolau sy'n ychwanegu at brydferthwch y darlun cyfan. Gan mai Crist yw canolbwynt yr Ysgrythur, rhaid ei ddeall a'i ddehongli yng ngoleuni darluniau a thystiolaeth y Beibl.

Yn drydydd, *Crist yw canolbwynt hanes.* Mae'r ffaith fod amser wedi ei rannu rhwng y cyfnod Cyn Crist a'r cyfnod Oed Crist ynddi'i hun yn tystio i'r gred Gristnogol fod Crist yn ganolbwynt hanes. Yr oedd

Iddewiaeth hefyd yn rhannu amser i ddau gyfnod, sef 'Yr Oes Bresennol' a'r 'Oes i Ddyfod'. Rhwng y ddau gyfnod fe ddeuai 'Dydd yr Arglwydd', sef dydd o farn ac o waredigaeth, pan fyddai holl elynion Israel yn cael eu goresgyn unwaith ac am byth a chyfnod o ffyniant a heddwch yn gwawrio i'r genedl.

Dywed yr efengylau fod Iesu wedi dod i sefydlu teyrnas Dduw, sef teyrnasiad Duw ar fywydau pobl. Ynddo ef y mae'r deyrnas wedi cychwyn. Ond rhaid iddi wedyn dyfu ac ymledu nes y daw'r diwedd pan fydd y deyrnas yn ymddangos yn ei chyflawnder. Gwaith yr Eglwys ym mhob oes yw hybu ac estyn y deyrnas, gan edrych ymlaen at gwblhad pwrpas achubol Duw ar ddiwedd amser.

Er bod y darlun Iddewig o gyfeiriad a nod hanes yn ddieithr i'n hoes ni, mae dylanwad Crist ar hanes y byd yn gwbl amlwg. Ei ddylanwad ef a welir yn nhwf cyfiawnder, tegwch, heddwch, addysg a hawliau dynol. O ddeall Crist fel canolbwynt hanes, cawn ein herio i ymdaflu i'r gwaith o ymestyn y deyrnas a hybu ei gwerthoedd yn y byd, gan edrych ymlaen at y dydd y bydd teyrnas Crist wedi ymledu dros yr holl ddaear. Dyna'r weledigaeth a fynegir yn emyn enwog Isaac Watts:

> Yr Iesu a deyrnasa'n grwn
> o godiad haul hyd fachlud hwn;
> ei deyrnas â o fôr i fôr
> tra byddo llewyrch haul a lloer.
> (cyf. Dafydd Jones, 1711–77)

Yn bedwerydd, *Crist yw canolbwynt moeseg.* Byddai pawb yn cytuno bod Iesu'n athro. Mae'r bobl sy'n ei chael yn anodd derbyn unrhyw ddehongliad goruwchnaturiol o berson Crist yn barod iawn i'w gymeradwyo am ei ddysgeidiaeth foesol. Iddynt hwy, hanfod y Ffydd Gristnogol yw anogaeth Iesu i bawb garu eu cymydog, ymddwyn yn garedig a chymwynasgar, cefnogi achosion da, a byw'n gyfrifol. Ond mae perygl i'r agwedd hon ddarostwng yr Efengyl i fod yn ddim ond cynghorion arwynebol ar sut i fyw yn dda, yn ffeind ac yn barchus. Y broblem gyda phwyslais o'r fath yw ei fod yn anghofio bod a wnelo dysgeidiaeth foesol Iesu â'i ddysgeidiaeth am y deyrnas. Rhaglen i drawsffurfio'r byd yw moeseg Iesu, ac mae'n seiliedig ar ymgysegriad personol iddo fel Arglwydd a Gwaredwr ac ar ymrwymiad i newid y byd trwy weithredu egwyddorion y deyrnas – heddwch, cymod, cyfiawnder a hawliau dynol. Amcan y rhaglen hon yw trawsnewid pobl, a thrawsnewid y byd. Gelwir ar yr Eglwys i hybu cenhadaeth chwyldroadol y deyrnas. I wneud hynny, rhaid darganfod a dehongli bywyd Crist er mwyn deall yn well beth yw ymhlygiadau gweithredu gwerthoedd ei deyrnas ym mywyd y byd heddiw.

Mae'r cyfan a ddywedwyd hyd yma yn rhagdybio darllen y Gair (yn enwedig yr efengylau), myfyrio, dadansoddi, trafod a deall. Mae hyn oll yn broses resymegol, ymenyddol. Ond nid â'r meddwl yn unig y mae dehongli Iesu a thyfu i'w adnabod. Mae adnabod yn deillio o gyfarfod, cwmnïa, siarad a gwrando. Rhaid i bob ymresymu a dehongli fynd law yn llaw â gweddi. Yn nhawelwch ein cymundeb personol ag Iesu y mae ymdeimlo â'i agosrwydd, profi ei gariad yn ein cofleidio, syllu mewn ffydd a dychymyg ar ei wyneb, a chlywed ei lais yn galw arnom i'w ddilyn ac i ymdaflu i waith ei deyrnas.

Y CEFNDIR A'R CYHOEDDI

Eseia 9: 2, 6–7; Jeremeia 23: 5–6; Luc 1: 26–38

Pan glywodd Ioan Fedyddiwr yn y carchar am weithredoedd Iesu, anfonodd rai o'i ddisgyblion i ofyn iddo, 'Ai ti yw'r hwn sydd i ddod, ai am rywun arall yr ydym i ddisgwyl?' (Mth. 11: 3; Lc. 7: 20). Yn nyddiau Iesu a chyn hynny, roedd yr Iddewon, ac Ioan Fedyddiwr yn eu plith, yn disgwyl dyfodiad Meseia. Ystyr y gair Meseia yn yr Hebraeg yw 'yr eneiniog un', sef yr un a ddeuai oddi wrth Dduw i adfer cenedl Israel, i oresgyn ei gelynion, ac i sefydlu ynddi ei deyrnas o heddwch a chyfiawnder. Rhan o neges Iesu oedd mai ef oedd 'eneiniog Duw', y Meseia disgwyliedig – 'yr un oedd i ddod'. Daeth y neges hon yn fwyfwy amlwg yn nysgeidiaeth ei ddisgyblion ac yng nghenhadaeth yr Eglwys Fore. Rhoddwyd iddo'r teitl 'Iesu'r Meseia', neu yn yr iaith Roeg, 'Iesu yr un a eneiniwyd', term a ddaeth mewn amser yn enw priod, 'Iesu Grist'.

Y disgwyl am Feseia

O fewn Iddewiaeth daeth y term 'Meseia' i olygu *ffigur eschatolegol*; hynny yw, un a fyddai'n ymddangos yn y dyfodol pan fyddai Duw yn ymyrryd yn achubol yn y byd. Ystyr eschatoleg yw 'y pethau olaf,' sef diwedd y byd – dyfodiad 'Dydd yr Arglwydd' y sonnir amdano'n aml yn yr Hen Destament. Ym mlynyddoedd cynnar Cristnogaeth, tyfodd yr argyhoeddiad y byddai Iesu, a ddaeth fel Meseia Duw i sefydlu ei deyrnas, yn dychwelyd yn ei ailddyfodiad yn niwedd amser i farnu'r byw a'r meirw, ac i ddwyn ei deyrnas i'w chyflawnder.

Yn yr Hen Destament y gwelai'r Eglwys Fore sail i'w chred mai Iesu oedd y Meseia. Gwelai fod disgwyliad cynyddol am ddyfodiad y Meseia, o'r cychwyn cyntaf wedi i Adda ac Efa bechu yn erbyn Duw yng Ngardd Eden ac i Dduw gyhoeddi ei fwriad i achub y ddynoliaeth a'i hadfer i berthynas ag ef ei hun. O hynny ymlaen, mynegwyd yn gynyddol addewid a bwriad Duw i anfon un a ddeuai â bywyd a dyfodol newydd i'w bobl. Byddai'r Meseia yn broffwyd fel Moses, yn frenin fel Dafydd, ac yn achubydd fel 'Gwas yr Arglwydd' ym mhroffwydoliaeth Eseia.

Y mae'r cyfeiriadau yn yr Hen Destament at 'yr un sydd i ddod' yn niferus ac yn amrywiol.

Yn gyntaf, byddai'r Meseia *yn un o ddisgynyddion Abraham*. Addewid Duw i Abraham oedd, 'Gwnaf di yn genedl fawr a bendithiaf di; mawrygaf dy enw a byddi'n fendith ... ac ynot ti bendithir holl dylwythau'r ddaear' (Gen. 12: 2–3). Mae Duw yn addo bendithio Abraham, a holl deuluoedd y ddaear trwy ei ddisgynyddion. Mae Paul yn dehongli hynny i olygu mai Iesu Grist yw disgynnydd Abraham, a bod pawb a gaiff eu huno â Christ trwy ffydd felly yn hiliogaeth Abraham. 'Gwyddoch, gan hynny, am bobl ffydd, mai hwy yw plant Abraham ... Y bwriad oedd cael bendith Abraham i ymledu i'r Cenhedloedd yng Nghrist Iesu' (Gal. 3: 7, 14).

Yn ail, byddai'r Meseia *yn broffwyd fel Moses.* Wedi i'r genedl gyrraedd Gwlad yr Addewid, cafwyd bod y Cananeaid yn ymarfer swyngyfaredd o bob math i ganfod arweiniad dwyfol. Gwaharddodd Duw ei bobl rhag dilyn yr arfer hwn, a'u gorchymyn yn hytrach i dalu sylw i'w lais ef trwy'r proffwydi. Ac meddai Moses, 'Bydd yr Arglwydd dy Dduw yn codi o blith dy gymrodyr broffwyd fel fi, ac arno ef yr wyt i wrando' (Deut. 18:15). Roedd yr addewid hwn yn cyfeirio'n wreiddiol at yr olyniaeth o broffwydi a roddodd Duw i Israel. Ond wedi i'r llais proffwydol dewi, daeth 'y Proffwyd' yn deitl ar gyfer y Meseia. O ganlyniad, pan ddaeth Iesu, dywedodd y tyrfaoedd, 'Hwn yn wir yw'r Proffwyd sy'n dod i'r byd' (In. 6:14). Ond mae Iesu'n fwy o lawer nag un proffwyd ymhlith llawer. Ef yw cyflawniad pob proffwydoliaeth – yr un a oedd, fel Moses, yn adnabod Duw wyneb yn wyneb, a'r un y mae datguddiad Duw yn cyrraedd ei uchafbwynt trwyddo.

Yn drydydd, byddai'r Meseia *yn frenin fel Dafydd.* Oherwydd i Israel gael profiad o fod dan sawdl brenhinoedd a'i gorthrymai, nid yw'n syndod i'r proffwydi ddechrau breuddwydio am deyrnas ddelfrydol yn y dyfodol a fyddai dan deyrnasiad brenin cyfiawn a heddychlon, sef y Meseia. '"Wele'r dyddiau yn dod," medd yr Arglwydd, "y cyfodaf i

Ddafydd Flaguryn cyfiawn, brenin a fydd yn llywodraethu'n ddoeth, yn gwneud barn a chyfiawnder yn y tir"' (Jer. 23: 5). Rhagwelai Eseia hefyd enedigaeth bachgen a fyddai'n tyfu i fod yn frenin delfrydol: 'Canys bachgen a aned i ni, mab a roed i ni, a bydd yr awdurdod ar ei ysgwydd. Fe'i gelwir, "Cynghorwr rhyfeddol, Duw cadarn, Tad bythol, Tywysog heddychlon" (Es. 9: 6). Byddai teyrnas y brenin Meseianaidd yn fyd-eang. Nid oedd teyrnas Israel yn ymestyn ond 'o Dan hyd Beerseba' (2 Sam. 3: 10), ond byddai teyrnas y Meseia 'o fôr i fôr, o'r Ewffrates hyd derfynau'r ddaear' (Sech. 9: 10). I'r Cristnogion cynnar, roedd proffwydoliaeth Eseia yn amlwg yn cyfeirio at Iesu fel yr un a ddaeth i sefydlu cyfiawnder, heddwch a chariad ar draws y byd.

Gwas yr Arglwydd

O'r holl ddelweddau Meseianaidd yn yr Hen Destament, y mwyaf arwyddocaol a pherthnasol i'r Cristnogion cynnar oedd y caneuon hynny ym mhroffwydoliaeth Eseia a gysylltir â 'Gwas yr Arglwydd'. Bu llawer o drafod ynglŷn â phwy oedd y gwas – rhai yn ei weld fel y proffwyd ei hun, neu Jeremeia; ac eraill yn ei weld fel y genedl, neu'r gweddill ffyddlon o'i mewn. Ceir pedair o Ganeuon y Gwas, a chredai'r Cristnogion cynnar iddynt gael eu cyflawni ym mywyd a dioddefaint yr Arglwydd Iesu. Yn ei bregeth yn Jerwsalem wedi'r Pentecost, ac yn dilyn iacháu'r dyn cloff wrth borth y deml, mae Pedr yn cyfeirio at Iesu fel Gwas Duw, a'r un a gyfodwyd gan Dduw (Act. 3:13, 26). Cyfeiria Paul at Iesu'n cymryd agwedd gwas (Phil. 2:7), a cheir nifer o gyfeiriadau at Eseia 42 – 65 yn nysgeidiaeth Iesu ei hun.

Yn y gân gyntaf (Es. 42:1–4), darlunnir y gwas fel *athro*, wedi ei gymhwyso gan ysbryd Duw i gyhoeddi neges o farn i'r cenhedloedd, a hynny mewn addfwynder a thynerwch. Yn yr ail gân (49:1–6), sonnir am y Gwas fel *cenhadwr* dros Dduw, wedi ei alw o'r groth a'i anfon i adfer cenedl Israel, ond i fod hefyd yn oleuni i'r cenhedloedd fel y byddai iachawdwriaeth Duw yn cyrraedd '*hyd eithaf y ddaear*' (49:6). Yn y drydedd gân (50: 4-9), *disgybl* yw'r Gwas a gaiff ei hyfforddi gan Dduw 'i wybod sut i gynnal y diffygiol â gair' (50: 4). Y mae Duw yn agor ei glustiau i wrando, ac y mae yntau'n derbyn yn eiddgar yr hyn a ddysgir iddo. Ni all yr un athro ddysgu eraill heb iddo'n gyntaf fod yn barod i gael ei ddysgu ei hunan.

Yn y bedwaredd gân (52: 13 – 53: 12) y deuwn agosaf at ddarlun o'r Arglwydd Iesu, gan mai fel *gwaredwr* y darlunnir y gwas yn y gân hon. Mae'n un sy'n cael ei glwyfo am gamweddau ei bobl, ac mae'n dwyn eu pechodau. Mae'n destun dirmyg ac 'yn ŵr clwyfedig, cyfarwydd â dolur ... Eto, ein dolur ni a gymerodd, a'n gwaeledd ni a ddygodd' (53: 3–4). Er ei bod yn anodd deall yr egwyddor o ddioddefaint dirprwyol, ac er bod ynddi elfennau annerbyniol i'r meddwl cyfoes, eto mae disgrifiad byw a theimladwy Eseia o'r Gwas Dioddefus yn ein tywys at droed y Groes ac at ddealltwriaeth o ystyr ac arwyddocâd dioddefaint Iesu. I awduron y Testament Newydd, ac i arweinwyr yr Eglwys Fore, roedd y gân hon yn ddarlun perffaith o ddioddefiadau Crist ac yn ffenestr i ni weld ystyr y Groes drwyddi. Cyfeirir sawl gwaith at y geiriau hyn o eiddo Eseia. Er enghraifft, darllen adnodau 7 i 8 o Eseia 53 oedd yr Ethiopiad ar y ffordd pan ofynnodd i Philip at bwy yr oedd y proffwyd yn cyfeirio.

Mab y Dyn

Darlun a ddefnyddid yn aml gan Iesu i'w ddisgrifio'i hun oedd 'Mab y Dyn'. Mae i'r term hwn wahanol ystyron. Yn yr Hebraeg, mae'r ymadrodd yn dynodi 'aelod o'r ddynoliaeth', ac yn yr ystyr hwnnw y mae Duw'n cyfeirio at Eseciel, er enghraifft: 'Fab dyn, a all yr esgyrn hyn fyw?' (Esec. 37: 3). Ond yn Llyfr Daniel, defnyddir y term 'Mab Dyn' i ddisgrifio ffigur dynol-ddwyfol – un sy'n edrych fel person dynol cyffredin, ond sy'n dod mewn gogoniant ar gymylau'r nef. Yn Daniel 7, ceir disgrifiad o weledigaeth ryfeddol y pedwar bwystfil (yn cynrychioli cenhedloedd gormesol) ac o'r 'Hen Ddihenydd', sef Duw, yn eistedd ar orsedd a oedd yn fflamau o dân. Diddymir y pedwar bwystfil fesul un, ac yna gwelir 'un fel mab dyn yn dyfod ar gymylau'r nef' (Dan. 7: 13), yn cael ei gyflwyno i'r Hen Ddihenydd ac yn derbyn ganddo 'arglwyddiaeth a gogoniant a brenhiniaeth'. Ac meddai Daniel, 'Y mae ei arglwyddiaeth yn dragwyddol a digyfnewid, a'i frenhiniaeth yn un na ddinistrir' (7: 14).

Fwy nag unwaith, mae Iesu'n cymhwyso'r weledigaeth ryfeddol hon ato'i hun. Er enghraifft, pan ofynnir iddo yn llys yr archoffeiriad, 'Ai ti yw'r Meseia, Mab y Bendigedig?' (Mc. 14: 61–62) ateb Iesu yw, 'Myfi yw'. Ac mae'n ychwanegu, 'Fe welwch Fab y Dyn yn eistedd ar ddeheulaw'r Gallu ac yn dyfod gyda chymylau'r nef.' Yn ei ateb y mae'n cyfuno dau ddyfyniad – gorseddu Mab y Dyn (Salm 110: 1), a'i ddyfodiad ar gymylau'r nef (Dan. 7: 13). Y mae felly'n hawlio'r awdurdod terfynol a'r deyrnas dragwyddol. Ond yn rhyfedd iawn, mae'n defnyddio'r un darlun o Fab y Dyn mewn cyd-destun cwbl wahanol. Wedi cyffes Pedr yng Nghesarea Philipi, mae Iesu'n rhybuddio'i ddisgyblion y byddai'n cael ei wrthod gan yr awdurdodau a'i ladd: 'Yna dechreuodd eu dysgu bod yn rhaid i Fab y Dyn ddioddef llawer, a chael ei wrthod gan yr henuriaid a'r prif offeiriaid a'r ysgrifenyddion, a'i ladd' (Mc. 8: 31). Mae Iesu, felly, yn dod â dau ddarlun at ei gilydd: gogoniant Mab y Dyn (o Daniel 7) a dioddefaint Mab y Dyn (o Eseia 53). Y cymal 'rhaid i Fab y Dyn ddioddef' sydd yn eu cyfuno.

Er yr amrywiaeth a geir yn y gwahanol ddarluniau o'r 'un sydd i ddod' yn yr Hen Destament, gwelai'r Eglwys Fore Iesu yn eu cyflawni i gyd. Y mae o hil Abraham ac yn cyflawni'r addewid y bydd holl genhedloedd y ddaear yn rhannu yn ei fendith. Y mae'n cyflawni'r disgwyl am y Proffwyd delfrydol a oedd i ddod. Y mae o gyff Jesse, ac felly'n dod fel Brenin i sefydlu teyrnas o heddwch, cyfiawnder a chariad. Y mae'n cymryd iddo'i hun ddarlun Eseia o'r Gwas Dioddefus, ond hefyd ddarlun Daniel o ogoniant Mab y Dyn, a gaiff, yn y diwedd, ei ddyrchafu mewn gogoniant. Ond fel y cawn weld, Meseia gwahanol iawn a ddisgwylid gan yr Iddewon yn nyddiau Iesu – sef un a fyddai'n dinistrio gelynion Israel unwaith ac am byth ac yn rhyddhau'r genedl o ormes Rhufain.

Cyhoeddi ei ddyfodiad

Wedi tua phedwar can mlynedd o aros disgwylgar, tawel, torrodd Duw drwy'r tawelwch i gyhoeddi y byddai plentyn yn cael ei eni a gâi ei gydnabod fel 'Mab y Goruchaf', a 'Mab Duw,' ac fel un a dderbyniai 'orsedd Dafydd ei dad' (Lc. 2: 32–33, 35). Ond nid trwy broffwyd y cyhoeddwyd ei ddyfodiad, ond trwy angel. Anfonwyd yr angel Gabriel at ferch ifanc o'r enw Mair yn nhref Nasareth. Roedd y neges a gafodd

Mair gan yr angel yn gwbl ysgytiol. Roedd hi wedi cael ffafr gan Dduw, a byddai'n beichiogi ac yn rhoi genedigaeth i blentyn arbennig iawn, er ei bod ar y pryd yn ddi-briod ac yn wyryf. Mewn ateb i'w chwestiwn, 'Sut y digwydd hyn, gan nad wyf yn cael cyfathrach â gŵr?' (1: 34), dywed yr angel y byddai'r Ysbryd Glân yn dod arni ac y byddai nerth y Goruchaf yn ei chysgodi.

Dywedir tri pheth wrth Mair am y mab bychan. Yn gyntaf, yr oedd i'w alw'n *Iesu*. Ffurf ar yr enw Ioswa yw Iesu, sy'n golygu 'Jehofa sydd Waredwr'. Yn ail, byddai'n *fawr*, ac yn cael ei alw'n 'Fab y Goruchaf', sy'n golygu y byddai Iesu'n Feseia, gan fod 'Mab Duw' yn deitl a ddefnyddid i ddisgrifio'r Meseia. Yn drydydd, byddai'n *frenin*, yn llywodraethu dros Israel am byth. Y tri theitl a roddir iddo gan yr angel yw Gwaredwr, Mab a Brenin, sy'n datgan o'r dechrau natur person a gwaith Iesu. Does ryfedd fod Mair wedi ei 'chythryblu drwyddi' (Lc. 1: 29). Er hynny, mae'n ymateb i gyhoeddiad yr angel mewn geiriau sy'n gyfuniad o ryfeddod, ufudd-dod a gostyngeiddrwydd: 'Dyma lawforwyn yr Arglwydd, bydded i mi yn ôl dy air di' (1: 38).

Fel y cyhoeddwyd genedigaeth Iesu i Mair, gwnaed cyhoeddiad tebyg i Joseff. Efengyl Mathew sy'n disgrifio genedigaeth Iesu o safbwynt Joseff, tra bo Luc yn dweud y stori o safbwynt Mair. Yn gyntaf, ceir gan Mathew restr achau (Mth. 1: 1–17) sy'n cychwyn gydag Abraham ac yn dod i lawr trwy linach y Brenin Dafydd hyd at Joseff. Dylid sylwi'n arbennig ar y gair *brenin* o flaen enw Dafydd. Bwriedir dangos bod y frenhiniaeth a sefydlwyd gan Dafydd, ac a gollwyd yn y Gaethglud, wedi ei hadennill gan Iesu, y gwir Frenin. Yn ei efengyl, mae Mathew'n pwysleisio bod Iesu Grist yn frenin. Dylid sylwi hefyd y cynhwysir enwau merched yn y rhestr – Tamar, Rahab, Ruth, a 'gwraig Ureia' (Bathseba) - rhai ohonynt o gefndir ac o gymeriad amheus. Ond trwy eu cynnwys, mae Mathew'n awgrymu bod i'r cenhedloedd ac i bechaduriaid, yn ogystal ag Iddewon, le o fewn y deyrnas.

O gael gwybod gan yr angel bod Mair yn feichiog, roedd un o ddau beth y gallai Joseff – fel gŵr cyfiawn – ei wneud; naill ai cyflwyno Mair i'r llys i'w chosbi, neu roi llythyr ysgar iddi yn ddirgel. Ond yna cafodd

Joseff neges oddi wrth Dduw trwy angel, mewn breuddwyd, a deallodd fod a wnelo Duw â chenhedlu'r plentyn hwn, a bod ei ddyfodiad yn cyflawni addewid y proffwyd Eseia (Es. 7: 14) o wyryf yn beichiogi ac yn rhoi genedigaeth i fab a oedd i'w alw'n 'Immanuel,' sef 'y mae Duw gyda ni'. Wedi iddo ddeffro, gwyddai Joseff yn union beth y dylai ei wneud: 'gwnaeth fel yr oedd angel yr Arglwydd wedi gorchymyn, a chymryd Mair yn wraig iddo' (Mth. 1: 24).

Cwestiynau i'w trafod:

1. I ba raddau y mae'r teitlau a roddir yn yr Hen Destament i'r 'un sydd i ddod' yn ystyrlon a pherthnasol i ni heddiw?

2. Pa un o'r darluniau o'r Meseia yn yr Hen Destament sy'n gweddu orau i Iesu Grist?

3. Beth yn eich barn chi yw rôl arbennig Joseff yn hanes geni Iesu?

Y GENI YM METHLEHEM

Luc 1: 26–55; 2: 1–21; Mathew 2: 1–12

Prin fod yr un digwyddiad arall yn holl hanes y byd wedi ysbrydoli cynifer o arlunwyr ag a wnaeth geni Iesu ym Methlehem. Yn llawer o'r paentiadau, mae Mair yn ferch ifanc brydferth mewn mantell wen a glas, Joseff yn urddasol a phatriarchaidd yr olwg, y tri gŵr doeth mewn gwisgoedd brenhinol rhwysgfawr, ac angylion a cherwbiaid yn edrych i lawr o'r nef mewn rhyfeddod. O'r holl bortreadau hyn, y mae un darlun o'r Forwyn Fair a'r Baban Iesu sy'n gwbl wahanol i'r lleill. Darlun gan Dieric Bouts (1410-1475) o Fflorens yw hwnnw, ac ynddo mae'r arlunydd wedi llwyddo i gyfleu'r cyfuniad o'r dwyfol a'r dynol yn hanes y Geni. Yn y llun hwn, nid yw Mair yn arbennig o brydferth, ond yn ferch ifanc werinol ei phryd a'i gwedd, a dillad plaen amdani. Ac yn y llun, gwelwn yr baban Iesu, fel pob plentyn bach arall, â'i freichiau am wddf ei fam ac yn edrych i'w hwyneb. Nid yw'r arlunydd yn cynnwys sêr na cherwbiaid nac angylion yn ei ddarlun, ac nid yw chwaith yn gosod eurgylch uwchben Mair nac Iesu. Yn hytrach, mae'r dwyfol yn disgleirio trwy'r dynol, y cysegredig trwy'r cyffredin. Ceir yr un cyfuniad yn yr hanesion am eni Iesu yn efengylau Mathew a Luc.

Ar un wedd, mae'r sefyllfa a'r digwyddiadau a ddisgrifir yn syml a chyffredin – merch ifanc, ar ôl taith hir a blinedig, yn rhoi genedigaeth i blentyn mewn stabl, am fod y llety'n llawn, a bugeiliaid yn dod i lawr o'r meysydd i weld y baban ac yn plygu i'w addoli. Ond ar wedd arall, mae'r darlun yn llawn rhyfeddod. Llenwir awyr y nos gan oleuni nefol a chlywir angylion yn cyhoeddi 'gogoniant yn y goruchaf' a 'thangnefedd ar y ddaear' am fod un wedi'i eni yn nhref Dafydd a fydd yn Feseia ac yn Waredwr i'w bobl. Caiff tri gŵr, sêr-ddewiniaid o'r dwyrain, eu harwain gan seren at y preseb, a hwythau eto'n talu eu gwrogaeth i'r plentyn newydd-anedig.

Ei eni o wyryf?

Mater o berthynas y dynol a'r dwyfol yw'r cyfeiriad yn efengylau Mathew a Luc at y ffaith i Iesu gael ei genhedlu trwy'r Ysbryd Glân. Nid problem 'wyddonol' mo hon gan fod rhywfaint o dystiolaeth ar gael sy'n awgrymu y gall hyn ddigwydd mewn rhai rhywogaethau, ac nad yw'n hollol ddieithr yn nheulu dyn. I rai, mae'r syniad o enedigaeth wyrthiol yn gwbl anghredadwy ac yn ddianghenraid. Rhan o'r broblem yw fod y Testament Newydd ei hun mor dawedog ynghylch y mater. Yn Luc 1: 26–27, ac yn Mathew 1: 18 dywedir bod Mair yn wyryf, heb fod wedi cael cyfathrach rywiol â dyn. Distaw iawn yw gweddill y Testament Newydd. Yn wir, yn aml iawn, sonnir am Joseff fel tad Iesu (Lc. 3: 23–38), ac y mae Mathew yn olrhain achau Iesu trwy Joseff. Beth oedd diben gwneud hynny os nad Joseff oedd ei dad naturiol? Gwyddom i'r gred i Iesu gael ei eni o forwyn ddod yn weddol gyffredin ar ôl dyddiau ysgrifennu'r Testament Newydd, ac iddi gael lle ymhlith y credoau. Tybia rhai, ar sail hynny, mai chwedl ddiweddarach yw'r stori a luniwyd gan yr Eglwys Fore ar sail chwedlau am dduwiau paganaidd yn cael eu geni'n wyrthiol. Ond nid yw'n hawdd deall pam y bu iddynt wneud hynny yn y ffordd arbennig hon. Ac os dyna'u hamcan, pam na roddwyd mwy o amlygrwydd i'r syniad? Roedd rhai Iddewon yn ensynio mai plentyn anghyfreithlon i Mair oedd Iesu ac mai milwr Rhufeinig oedd ei dad, a bod Mathew a Luc yn ateb yr ensyniadau hynny yma.

Meddai'r Esgob J. A. T. Robinson, 'Y ffaith gyntaf a'r ffaith fwyaf diymwad am enedigaeth Iesu yw iddi ddigwydd y tu allan i briodas. Y dewis a wrthodir yn llwyr yw fod Iesu wedi ei eni'n fab cyfreithlon i Joseff a Mair. Yr unig ddewis sy'n agored i ni yw hwnnw rhwng yr enedigaeth wyryfol a bod Iesu'n blentyn siawns.' Ond a oes gwahaniaeth? I rai, nid yw credu mai plentyn siawns oedd Iesu yn gwneud unrhyw wahaniaeth i'n dehongliad ohono. I eraill, mae pwysleisio realiti hanesyddol ei enedigaeth wyrthiol yn hanfodol i'w ffydd ynddo fel Mab Duw, gan mai sôn yr ydym am Dduw ei hun yn dod i mewn i fyd amser a lle, a chael ei eni'n ddyn. Dyna yw'r wyrth fawr, ac o dderbyn hynny nid yw derbyn bod Crist wedi ei eni o forwyn yn creu problem o gwbl. Yr hyn sy'n bwysig yw deall yr hyn y mae'r enedigaeth wyrthiol yn ei fynegi.

Y peth cyntaf, a'r pwysicaf, yw fod yr hanes yn tanlinellu cred yr Eglwys fod 'dwy natur' (dwyfol a dynol) ym mherson Iesu ac yn pwysleisio ei wir ddyndod a'i wir dduwdod. Rhaid gwylio nad yw dyndod Iesu'n cael ei anghofio o ganlyniad i bwysleisio'i dduwdod; ac yn yr un modd nad yw ei dduwdod yn mynd yn angof o bwysleisio'i ddyndod. Peth arall a bwysleisir trwy'r gred yn yr enedigaeth wyrthiol yw mai o Dduw, ac o Dduw yn unig, y mae ein hiachawdwriaeth yn tarddu. Wrth i Dduw anfon ei Fab i'w eni o forwyn, Ef sy'n cymryd y cam cyntaf (yr *initiative*) yn y gwaith o achub y byd. Y mae un peth yn sicr; nid yw credu yn y geni gwyrthiol yn hanfodol i ffydd nac achubiaeth neb, ond nid oes unrhyw reswm dilys dros ei wadu chwaith. Mae Mathew a Luc yn bendant mai dyma'r ffordd a ddewisodd Duw i ddod i'n byd yn ei Fab.

Emyn Mawl Mair

Ymateb mewn llawenydd a mawl a wna Mair i gyfarchiad Gabriel ac i'r ffaith fod Duw wedi ei dewis hi i fod yn gyfrwng geni ei Fab Iesu. Cawn fynegiant o'i gorfoledd mewn emyn o fawl, neu'r *Magnificat* a rhoi'r enw cyfarwydd arno – emyn sydd wedi ei gynnwys yn litwrgi'r Eglwys er y chweched ganrif. Y mae geiriau a rhythmau'r gân yn debyg i rai'r Salmau, a cheir ynddi hefyd adlais o Gân Hanna (1 Sam. 2: 1–10). O ran ei chynnwys, mae'n berthnasol i brofiad a ffydd pob crediniwr. Mae'r Duw sydd wedi gwneud pethau rhyfeddol iddi hi wedi tywallt ei ras arnom ninnau hefyd. Mae'r Duw sydd wedi gweithredu'n rymus yn hanes y genedl yn gweithredu hefyd yn ein dyddiau ni trwy ei Fab Iesu Grist.

Mae geiriau'r *Magnificat* ymhlith y mwyaf chwyldroadol a gyfansoddwyd erioed. Yn nyfodiad Iesu mae sawl chwyldro'n digwydd, a'r rheini'n hollol gydnaws â'r Efengyl. Yn gyntaf, *chwyldro cymdeithasol.* Bydd y balch yn cael eu gwasgaru, tywysogion yn cael eu tynnu oddi ar eu gorseddau, a'r distadl yn cael eu dyrchafu (Lc. 1: 51–52). Mae dylanwad yr Efengyl yn dryllio balchder dyn o hyd, yn tynnu'r beilchion i lawr, ac yn codi'r edifeiriol a'r gwan i fywyd newydd. Yn ail, *chwyldro economaidd.* Bydd y cyfoethogion yn cael eu hanfon ymaith yn waglaw, a'r newynog yn cael eu llwytho â rhoddion (Lc. 1: 53–54). Mewn cymdeithas wir Gristnogol ni ellir goddef sefyllfa lle y bydd rhai ar ben eu digon ac yn mwynhau mwy na'u siâr o foethau'r byd, ac eraill yn trengi o eisiau bwyd. Mae'r Efengyl yn ceisio trefn decach. Yn drydydd, *chwyldro cenedlaethol.* Bydd Duw yn nerth ac yn amddiffynfa i'r genedl, fel yr addawodd i Abraham a'i had (Lc. 1: 54–55). Ond er i rai yn oes Iesu, ac wedi hynny, feddwl yn nhermau grym milwrol, nid felly y bydd Duw yn dwyn y genedl i ddyfodol gwell, ond trwy ffordd y groes a'r atgyfodiad.

Yn y Testament Newydd, ceir tyndra parhaus rhwng yr hyn sydd wedi digwydd a'r hyn sydd i ddigwydd. Cynigir bywyd newydd *yn awr* i bawb sy'n credu ond ni welir byd perffaith yn y presennol, ac ni welir byd newydd *yn ei lawnder* tan y diwedd. Ond nid yw hynny'n esgus dros beidio â gweithio i ddwyn bywyd newydd i'r byd hwn. Mae Cân Mair yn rhoi inni weledigaeth o fyd wedi ei drawsnewid gan yr Efengyl, ond mae'r gân hefyd yn her i ni weithio yn y presennol i sylweddoli'r weledigaeth honno.

Y Geni yn ôl Luc

Y mae Luc yn dyddio genedigaeth Iesu – 'pan oedd Cyrenius yn llywodraethu ar Syria' (2: 2) – er mwyn dangos bod i'r geni le pendant mewn hanes: nid hanes yr Iddewon, ond hanes Ymerodraeth Rufain a'r holl fyd y gwyddai Luc amdano. Nid chwedl na stori ddychmygol yw hon, ond digwyddiad ffeithiol. Er hynny, bu cryn ddadlau ynghylch union flwyddyn geni Iesu, gyda rhai yn ei osod mor hwyr ag 8 OC. Gwnaid cyfrifiad yn yr Aifft bob 14 mlynedd, ac mae'n debyg fod yr un peth yn wir yn Jwdea, felly. Yn yr Aifft byddai'n rhaid i'r bobl a oedd oddi cartref fynd yn ôl i'w hardaloedd eu hunain i gael eu cyfrif. Felly, nid oes reswm dros amau gosodiad Luc fod Joseff a Mair wedi gorfod mynd o Nasareth i Fethlehem, taith o ryw 80 milltir, i gofrestru.

Roedd tref Bethlehem yn orlawn o bobl wedi dod o bob man ar gyfer y cyfrifiad, fel nad oedd lle i Joseff a Mair yn y llety. Mae'n siŵr fod Luc yn gweld arwyddocâd symbolaidd yn y geiriau 'am nad oedd lle iddynt yn y gwesty' (2: 7), o gofio'r holl bobl sy'n cael eu dal mor aml yn rhuthr a phrysurdeb bywyd fel nad oes ganddynt le i Iesu yn eu calonnau. Ar yr un pryd byddai Bethlehem yn sicr yn llawn sŵn ac anghydfod, gyda'r holl bobl wedi dod ar gyfer y cyfrifiad. Roedd ymhell iawn o'r 'dawel ddinas Bethlehem' y sonnir amdani mewn ambell garol neu gerdyn Nadolig sentimental. Nid i fyd tawel, di-stŵr y daeth Iesu, ond i'r byd prysur go iawn, byd sy'n gymysgedd o'r da a'r drwg, ac yn llawn problemau a gofidiau. Am fod Iesu wedi'i eni i'r byd hwn, i wynebu ei holl brofiadau cymysg, gall gynnig gobaith am iachawdwriaeth a bywyd newydd i ni fel unigolion ac fel cymdeithas.

Yn ôl Luc, bugeiliaid oedd y bobl gyntaf i glywed am enedigaeth y baban Iesu. Mae hynny'n gwbl nodweddiadol o'r efengyl hon sy'n rhoi lle amlwg i bobl gyffredin a'r rhai a ddirmygid gan gymdeithas. Roedd i fugeiliaid enw amheus iawn. Gan eu bod yn crwydro o le i le, fe'u hystyrid yn anonest ac yn bobl na ellid ymddiried ynddynt. Oherwydd natur eu gwaith nid oedd ganddynt amser i gadw'r Saboth na mân reolau'r Gyfraith, a hynny'n golygu bod yr ysgrifenyddion a'r Phariseaid yn eu hystyried yn israddol. Yna'n sydyn ac annisgwyl, disgleiriodd goleuni nefol ar fyd cyffredin, llwm y bugeiliaid. A hwythau'n gwarchod eu praidd 'liw nos', goleuwyd eu bywydau tywyll gan ogoniant yr Arglwydd pan ymddangosodd angel iddynt a chyhoeddi 'newyddion da am lawenydd mawr a ddaw i'r holl bobl' (2: 10). Y newydd da oedd fod Gwaredwr wedi ei eni iddynt yn nhref Dafydd, sef y Meseia hirddisgwyliedig. Dyma'r newyddion mwyaf rhyfeddol a glywodd y byd erioed. Yr oedd Duw wedi dod i ganol tywyllwch ein byd. Ac eto, fe adroddir yr hanes yn gynnil ond yn effeithiol. Mae rhai esbonwyr wedi amau faint o'r hanes hwn sy'n ddisgrifiad llythrennol a faint sy'n farddonol. Yn y pen draw, ni ellir disgrifio profiadau dyfnaf bywyd heb ddefnyddio iaith farddonol, ond nid yw hynny'n golygu nad yw'r profiadau hynny'n brofiadau real.

Mae'r angel yn disgrifio Iesu fel 'Gwaredwr, yr hwn yw'r Meseia, yr Arglwydd' (2: 11), sef yr union dermau a ddefnyddid gan yr Eglwys Fore i ddisgrifio Iesu. Mae'n amlwg fod Luc yn fwriadol yn rhoi ei esboniad o berson a gwaith Iesu ar y dechrau er mwyn gosod cywair y llyfr i gyd. Ceir cyferbyniad rhwng moliant ac ysblander ymddangosiad y llu nefol ar y naill law, a symlrwydd y geni ei hun ar y llaw arall: 'cewch hyd i'r un bach wedi ei rwymo mewn dillad baban ac yn gorwedd mewn preseb' (2: 12). Yma eto, mae'r dynol a'r dwyfol yn cyffwrdd â'i gilydd. A'r un cyferbyniad a geir rhwng tywyllwch y byd a bywyd dyn ar y naill law a chân yr angylion a'i datganiad o dangnefedd ar y ddaear i'r rhai sydd wrth fodd Duw (2: 14, neu'r 'tangnefedd; ymhlith pobl, ewyllys da' sydd yn nhroednodyn y BCND) ar y llaw arall. Dyna ddymuniad da Duw i'r holl fyd. Ond ni ellir canfod heddwch heb i bobl fyw wrth fodd Duw fel rhai y mae eu bwriadau a'u cymhellion yn dda.

Mae'r bugeiliaid yn teithio i Fethlehem er mwyn cadarnhau'r newyddion drostynt eu hunain. Wedi iddynt gyrraedd a gweld Iesu maent yn rhannu'r newyddion am yr hyn a welsant. Roedd yn amhosibl iddynt gadw'r newyddion da iddynt eu hunain. Roeddent am i bawb wybod.

Ymweliad y Doethion

Yn efengyl Mathew estroniaid sy'n dod at y preseb, sef 'seryddion o'r dwyrain' (Mth. 2: 1). Mae'n ymddangos mai astrolegwyr o Ymerodraeth Persia oeddent – pobl yn ceisio darllen arwyddion yr amserau o symudiadau'r sêr. Awgrymwyd mai un o'u credoau oedd fod gan bob baban a enid seren yn cyfateb iddo yn y ffurfafen. Byddai ymddangosiad seren ddisglair iawn yn awgrymu geni rhywun pwysig, ac aethant i chwilio amdano er mwyn talu gwrogaeth iddo. Yn ddiweddarach, dechreuwyd cyfeirio atynt fel 'brenhinoedd', o bosibl ar sail adnodau fel, 'Fe ddaw'r cenhedloedd at dy oleuni, a brenhinoedd at ddisgleirdeb dy wawr' (Eseia 60: 3). Erbyn y chweched ganrif, rhoddwyd enwau iddynt – Caspar, Melchior a Balthasar. I rai, mae'r stori o'i dechrau yn chwedloniaeth bur, yn enwedig y cyfeiriad at seren yn symud a sefyll. A cheir storïau tebyg am ymddangosiad seren ar adeg geni eraill o arwyr yr hen fyd, megis Awgwstws ac Alecsander Fawr.

Pa un a yw'r hanes yn llythrennol wir ai peidio, mae'n gyfoethog o arwyddocâd ysbrydol. Datguddiwyd Mab Duw i'r Iddew yn gyntaf, ac yna i'r cenhedloedd; i'r isel-radd a'r annysgedig yn gyntaf, ac yna i'r anrhydeddus a'r dysgedig. Ond y mae pawb, beth bynnag eu cefndir, yn un yn eu haddoliad o'r baban. Nid yw Efengyl Crist wedi ei chyfyngu i unrhyw gefndir na dosbarth o bobl. Daw bron i 80% o Gristnogion y byd heddiw o rannau o'r byd heblaw gwledydd y Gorllewin. Nid crefydd i bobl wynion yw Cristnogaeth, ond crefydd i bobl o bedwar ban y byd. Hwy a gynrychiolir gan y seryddion o'r dwyrain.

Cwestiynau i'w trafod:

1. Yn eich barn chi, pa mor bwysig yw'r gred yng ngenedigaeth wyrthiol Iesu?

2. Ym mha ystyr y mae Cân Mair yn ddogfen chwyldroadol?

3. Beth yw arwyddocâd ymweliad y seryddion?

PLENTYNDOD IESU

Mathew 2: 13–23; Luc 2: 22–52

Ychydig iawn o wybodaeth sydd gennym am blentyndod a bywyd cynnar Iesu, ond y mae i'r hanesion yn efengylau Mathew a Luc arwyddocâd ysbrydol dwys, sy'n cyfleu mewn iaith symbolaidd awgrymiadau ynglŷn â pherthynas y bachgen Iesu â'i gefndir a'i fagwraeth Iddewig ac â'i rieni a'i Dad nefol. Yn Efengyl Mathew, cawn hanes y teulu bach – Joseff, Mair ac Iesu – yn ffoi i'r Aifft i osgoi cynddaredd y Brenin Herod (Mth. 2: 13–23). Mae Luc wedyn yn adrodd hanes cyflwyno'r baban Iesu yn y deml, ynghyd â'i ymweliad â'r deml pan oedd yn ddeuddeg oed (Lc. 2: 22–52).

Ffoi i'r Aifft

Oherwydd dichell y Brenin Herod, mae'r olygfa'n newid o Fethlehem i'r Aifft. Twyllwyd Herod gan y seryddion oherwydd iddynt fynd 'yn ôl i'w gwlad ar hyd ffordd arall' (Mth. 2: 12), heb alw heibio i balas y brenin i roi'r adroddiad am y geni yr oedd Herod wedi gorchymyn iddynt ei roi. Ac mewn breuddwyd arall, cafodd Joseff rybudd i ymadael â Bethlehem gan fod y brenin daearol am waed y baban-frenin. Nid oes dim yn annhebygol yn yr hanes hwn. Yr oedd yr Aifft gerllaw, a llawer o'u cydwladwyr yno eisoes, ac felly byddai'r teulu bach yn debygol o gael lloches ganddynt hwy.

Cyfeirir yn aml mewn llenyddiaeth Iddewig at y ffõedigaeth i'r Aifft. Mae traddodiad i Iesu fod yn labrwr cyflogedig yno am gyfnod, ac mai yno y dysgodd y ddawn i gyflawni gwyrthiau. Ond yn ôl Mathew, fe ddychwelodd Iesu a'i rieni o'r Aifft pan oedd ef yn blentyn. Wrth gofnodi'r hanes, gwêl Mathew debygrwydd rhyngddo a hanes yr hen genedl yn yr Aifft. Wrth ddyfynnu geiriau Hosea, 'o'r Aifft y gelwais fy mab' (Hos. 11:1), amcan Mathew yw dangos bod Duw, a alwodd Israel o'r Aifft, yn dechrau hanes Iesu a'i deyrnas trwy alw ei Fab, Iesu, o'r Aifft. Mae hanes y ffoi a'r dychwelyd hefyd wedi'i lunio ar batrwm yr hanes am ddychweliad Moses wedi iddo yntau ffoi o'r Aifft. Mae Herod yn chwarae rhan debyg i'r rhan a chwaraewyd gan Pharo adeg geni Moses. Trwy hyn awgrymir mai Iesu yw'r ail Moses, ond ei fod yn fwy na Moses hefyd.

Yn ei gynddaredd o gael ei dwyllo gan y seryddion rhoes Herod orchymyn i ladd pob un o fechgyn Bethlehem a oedd yn ddwyflwydd oed neu lai, gan dybio y byddai'r baban Iesu, a oedd yn fygythiad i'w safle a'i awdurdod fel brenin, yn eu plith. Yma eto, mae tebygrwydd amlwg i ymgais Pharo i ladd Moses trwy ladd plant yr Hebreaid yn yr Aifft.

Mae'r hanes am ladd plant Bethlehem yn gwbl gyson â'r hyn a wyddom am gymeriad Herod Fawr. Roedd yn ŵr diarhebol o greulon a drwgdybus. Lladdodd ei wraig, Miriam, a dau o'i feibion, am ei fod yn amau eu bod yn cynllwynio i'w ddiorseddu. Carcharodd gannoedd o Iddewon, a gorchymyn iddynt gael eu lladd ar ddydd ei farwolaeth er mwyn sicrhau y byddai galar ar ei ôl yn y wlad. Ni fyddai lladd ugain, neu ddeg ar hugain o blant (a phrin y byddai mwy na hynny o dan ddwyflwydd oed ym Methlehem), yn ddim i ŵr mor ddidostur ag ef.

Yn y weithred farbaraidd hon gwêl Mathew gyflawniad o eiriau'r proffwyd Jeremeia (Jer. 31: 15), a welodd, yn ei ddychymyg, Israeliaid yn cael eu caethgludo o Jerwsalem i Fabilon. Fe'u gwelodd yn mynd heibio i Rama, i'r gogledd o'r ddinas lle'r oedd bedd Rachel, mam Joseff a Benjamin, a Rachel yn wylo o weld ei phlant yn cael eu dwyn i gaethiwed. I Mathew, mae mamau Bethlehem yn wylo'r un modd o weld eu plant hwythau'n cael eu cipio yn aberth i greulondeb gwallgof Herod. Mae Mathew (2:17–18)yn cyffelybu'r ddau ddigwyddiad i'w gilydd ac yn dyfynnu geiriau Jeremeia gan ddatgan eu cyflawniad. Wedi marw Herod Fawr, cafodd Joseff genadwri unwaith eto mewn breuddwyd i ddychwelyd i dir Israel, 'Cod, a chymer y plentyn a'i fam gyda thi, a dos i wlad Israel, oherwydd bu farw'r rhai oedd yn ceisio bywyd y plentyn' (2: 20). Priodolir y dychweliad o'r Aifft, fel y daith yno, i arweiniad dwyfol.

Yn hanes y berthynas rhwng Herod a'r baban Iesu ceir disgrifiad o frwydr oesol. Roedd cyhoeddiad y seryddion mai'r baban newydd oedd 'brenin yr Iddewon' yn gwneud Iesu'n fygythiad i Herod ac yn un yr oedd yn rhaid cael gwared ag ef. O ganlyniad, gwelir gwrthdaro anochel rhwng y deyrnas ddaearol a'r deyrnas ddwyfol, rhwng y byd a'r eglwys – gwrthdaro a ddaw'n amlwg yng ngweddill yr efengyl hon ac yn hanes yr Eglwys Fore.

Mae'r cyfeiriad at y ffaith fod y rhai a geisiau fywyd y plentyn wedi marw yn dangos mai gan y Crist, yn hytrach na chan alluoedd y byd, y mae'r gair olaf. Gall drygioni ymddangos fel petai'n llwyddo, ond yn y diwedd nid oes dim sicrach na buddugoliaeth daioni.

Wedi marw Herod, yr oedd yn ddiogel i'r teulu sanctaidd ddychwelyd o'r Aifft. Ond wedi clywed bod Archelaus yn llywodraethu dros Jwdea yn lle ei dad Herod, penderfynodd Joseff mai'r peth doethaf fyddai ymadael a mynd i barthau Galilea, lle'r oedd Herod Antipas yn llywodraethu. Ac felly y cyrhaeddodd y teulu Nasareth ac ymsefydlu yno. Roedd Mathew yn sylweddoli bod hyd yn oed y lle y câi Iesu ei fagu ynddo yn unol â rhagluniaeth Duw, oherwydd gwelai hyn eto fel cyflawniad o'r gair a lefarwyd trwy'r proffwydi: 'Gelwir ef yn Nasaread' (Mth. 2: 23).

Cyflwyno Iesu yn y deml

Yn ôl Cyfraith Moses, roedd pob bachgen cyntafanedig yn gysegredig i Dduw ac wedi ei neilltuo i'w wasanaeth. Yn achos y Lefiaid, y llwyth offeiriadol, roedd disgwyl i'r rhieni gyflwyno'u mab hynaf i wasanaeth y deml. Ond yr arferiad yn achos llwythau eraill oedd gwneud aberth arbennig i 'brynu'r mab yn ôl, fel petai. Yn yr un modd, yr oedd merch i'w chyfrif yn 'aflan' ar ôl rhoi genedigaeth i blentyn. Wedi'r cyfnod penodedig o buredigaeth, rhaid oedd dod ag oen i'r deml fel poethoffrwm, a chyw colomen neu durtur yn aberth dros bechod. Ond pe byddai'r wraig yn dlawd, fel Mair, gallai gymryd dwy durtur neu ddau gyw colomen. Ond yr hyn a bwysleisid yn bennaf oedd mai rhodd Duw oedd pob plentyn, bod angen eu cyflwyno'n ôl i Dduw, a bod cyfrifoldeb ar rieni i fagu eu plant yn y ffydd.

Y mae'r hanes hefyd yn rhoi pwyslais ar wir ddyndod Iesu. O gael ei enwaedu a'i gyflwyno i Dduw fel pob bachgen bach Iddewig, roedd yn ei uniaethu ei hun â phawb arall. Ac wrth sylwi mai offrwm y fam dlawd a gyflwynwyd gan Mair, cyfeirir at thema sydd wrth wraidd yr Efengyl i gyd, sef mai yn dlawd y daeth Iesu i ganol teulu dyn. Nid fel brenin nac arglwydd na dyn cyfoethog y daeth, ond fel un o'r werin dlawd. Felly y bu iddo, 'ac yntau'n gyfoethog, ddod yn dlawd' drosom ni (2 Cor. 8: 9), er mwyn i ninnau ddod yn gyfoethog yn ysbrydol trwy ei dlodi ef.

Pan gerddodd Mair a Joseff i mewn i'r deml gyda'r plentyn Iesu, aeth hen ŵr duwiol o'r enw Simeon atynt. Roedd y gŵr hwn yn cynrychioli crefydd Israel ar ei gorau – yn disgwyl y Meseia, ac yn disgwyl mewn gweddi, 'ac yr oedd yr Ysbryd Glân arno' (Lc. 2: 25). O dan arweiniad yr Ysbryd a thrwy weledigaeth yr oedd wedi cael gwybod na fyddai'n marw heb weld y Meseia. Roedd gan Simeon y ddirnadaeth ysbrydol i adnabod Iesu. Y mae'n ei gymryd yn ei freichiau, nid er mwyn ei anwesu fel y cyfryw, ond fel arwydd ei fod yn gweld addewid Duw yn cael ei gwireddu yn nyfodiad y plentyn hwn. Mae'n rhoi mynegiant i nifer o wirioneddau pwysig yn ei gân – Cân Simeon, neu'r *Nunc Dimittis* (2: 29-32).

Yn gyntaf, dywed iddo *weld iachawdwriaeth Duw.* Yr hyn a welodd â'i lygaid oedd plentyn Mair. Ond â llygad ffydd a dirnadaeth ysbrydol y mae'n gweld mwy na hynny. Yn y plentyn hwn mae'n gweld Duw ar waith, yn dod at ei bobl i estyn iddynt iachawdwriaeth. Ystyr 'iachawdwriaeth' yn y cyswllt hwn yw rhyddhad oddi wrth bopeth sy'n caethiwo – pechod, dioddefaint, gormes ac angau. Roedd Meseia Duw wedi ei anfon i fod yn waredwr 'yng ngŵydd yr holl bobloedd'; nid i Israel yn unig, ond i holl genhedloedd a phobloedd y ddaear.

Yn ail, dywed Simeon iddo weld Iesu *yn oleuni'r byd.* Byddai'n dwyn goleuni Duw i'r cenhedloedd, a byddai hefyd yn ogoniant i bobl Israel. Mae ei eiriau yn adleisio'r hyn a ddywed Eseia am waith Gwas yr Arglwydd: 'Fe'th wnaf di yn oleuni i'r cenhedloedd, i'm hiachawdwriaeth gyrraedd hyd eithaf y ddaear' (Es. 49: 6). Cyfrifoldeb cenhadol cenedl

Israel, yn ôl y proffwydi, oedd tywys y cenhedloedd i adnabod Duw Israel, ond esgeuluso'r alwad honno fu ei hanes. Ond yn awr, yr oedd un wedi dod i'r byd a fyddai'n gyfrwng i oleuo'r cenhedloedd ac i ddatguddio Duw iddynt.

Yn drydydd, mae'n gweld Iesu *yn achos rhaniad.* Meddai Simeon wrth Mair, 'Wele, gosodwyd hwn er cwymp a chyfodiad llawer yn Israel' (Lc. 2: 34). Y mae barn yn dilyn ei ddyfodiad, ac o ganlyniad bydd yn peri i rai godi ac i eraill gwympo. Hynny yw, bydd rhai yn ei dderbyn ac yn cael eu codi ganddo i fywyd newydd. Bydd eraill yn ei wrthod, a thrwy hynny'n dwyn barn arnynt eu hunain. Daw'r ffaith y bydd llawer yn ei wrthwynebu â thristwch i galon Mair.

Un arall a oedd yng nghyffiniau'r deml ar y pryd ac a gafodd olwg ar natur unigryw y plentyn oedd Anna, hen broffwydes dduwiol a oedd wedi dioddef llawer ac wedi bod yn weddw ers blynyddoedd lawer, ond yn dal i obeithio yn Nuw. Ategodd hi eiriau Simeon trwy foli Duw a thrwy ddweud wrth eraill a oedd yn disgwyl 'rhyddhad Jerwsalem' am y plentyn Iesu. Bu hyn oll yn achos rhyfeddod i Joseff a Mair. Er iddynt dderbyn neges yr angel amdano cyn ei eni, ac i'r bugeiliaid a'r seryddion wedyn ddweud pethau mawr amdano, nid oedd diwedd i'w syndod wrth iddynt ddod i sylweddoli holl ymhlygiadau bod yn rhieni i'r plentyn dwyfol hwn. A rhyfeddod ac addoliad a ddylai nodweddu ein hymateb ninnau iddo.

Yn y deml yn ddeuddeg oed

Ychydig iawn o sôn am fachgendod Iesu a geir yn yr efengylau. Dywedir yn syml iddo gael ei fagu yn Nasareth, ac iddo aeddfedu yn gorfforol ac o ran doethineb a deall. Am un digwyddiad yn unig y sonnir yn fanwl, ond roedd hwnnw'n ddigwyddiad pwysig. Roedd y Gyfraith yn mynnu bod pob oedolyn o blith yr Israeliaid i fynd i Jerwsalem ar y tair prif ŵyl – y Pasg, y Cynhaeaf a'r Cynnull (Ex. 23: 14–17), er y cyfyngid y cyfrifoldeb hwn i'r Pasg yn unig os byddai'r daith yn rhy bell. Hefyd, yn ddeuddeg oed, byddai Iesu fel pob bachgen Iddewig arall ymhen blwyddyn yn dod i'w oed ac yn dod yn un o 'feibion y Gyfraith', gan gymryd arno gyfrifoldebau oedolyn yn y gymuned

Iddewig. Felly, aeth i Jerwsalem gyda'i rieni ar gyfer Gŵyl y Pasg y flwyddyn honno.

Y bwriad oedd aros dros gyfnod yr ŵyl a dychwelyd yng nghwmni'r pererinion eraill o Nasareth a'r cylch. Roedd yn arferiad i'r merched gychwyn ar y daith o flaen y dynion, a chyfarfod ar derfyn dydd yn y man lle'r oeddent i wersylla. Felly, byddai'n ddigon naturiol i Mair feddwl bod Iesu gyda Joseff, ac i Joseff feddwl ei fod gyda'i fam, neu yng nghwmni perthnasau neu gyfeillion. Yn ystod y daith adref gwelsant ei golli, a dychwelodd y ddau i Jerwsalem i chwilio amdano: 'Ymhen tridiau daethant o hyd iddo yn y deml, yn eistedd yng nghanol yr athrawon, yn gwrando arnynt ac yn eu holi' (Lc. 2: 46). Mae'n debyg fod y 'tridiau' yn cynnwys y diwrnod o deithio o Jerwsalem, diwrnod arall i ddod yn ôl, a diwrnod yn chwilio amdano.

Yn y deml y daethant o hyd iddo, yng nghanol athrawon y Gyfraith, yn gwrando, yn holi ac yn trafod pynciau crefyddol pwysig. Dangosai ei gwestiynau ei fod yn ddeallus, ond nid oes unrhyw awgrym ei fod yn ceisio'i roi ei hun o flaen yr athrawon. Roedd ei rieni wedi eu syfrdanu, ond yr oedd nodyn o gerydd yng ngeiriau ei fam, 'Fy mhlentyn, pam y gwnaethost hyn inni? Dyma dy dad a minnau yn llawn pryder wedi bod yn chwilio amdanat' (2: 48). Ond y mae Iesu'n ateb mai 'yn nhŷ fy Nhad,' neu 'ynghylch pethau fy Nhad' yr oedd yn rhaid iddo fod. Mae'r ddau gyfieithiad yn bosibl, ond gan eu bod yn y deml mae'n debyg mai 'yn nhŷ fy Nhad' sydd orau. Dyma'r geiriau cyntaf a gofnodir o enau Iesu yn yr efengylau.

Mae dau beth y dylid sylwi arnynt yn arbennig yn yr hanesyn hwn. Yn gyntaf, *y mae Iesu'n galw Duw yn Dad iddo, a'r deml yn dŷ ei Dad.* Mae'n dechrau sylweddoli ei fod yn rhywun arbennig, neu o leiaf fod ganddo alwad arbennig oddi wrth Dduw, a pherthynas arbennig â Duw. Yn ail, *aeth yn ôl i Nasareth a bod yn ufudd i Mair a Joseff.* Byddai llawer, ar ôl cael profiad tebyg, wedi mynd yn falch ac yn hunanbwysig am eu bod yn credu iddynt dderbyn galwad arbennig oddi wrth Dduw. Pwysleisir yma naturioldeb Iesu, yn cymryd ei le ym mywyd pob dydd y teulu fel pob person ifanc arall ac yn tyfu ac aeddfedu o dan ddylanwad ei aelwyd a'i gymdogaeth.

Mae hanes geni Iesu a'i ymweliad â'r deml yn profi mor sylfaenol oedd bywyd cartref a theulu i Luc. Trwy nodi droeon fod Iesu'n 'tyfu' a 'chynyddu' (2: 40, 52), mae Luc yn pwysleisio bod Mab Duw wedi'i eni yn ddyn go iawn, a'i fod wedi tyfu dan ddylanwad cartref a theulu cyffredin. Lle i dyfu ynddo yw cartref – tyfu'n gorfforol, yn feddyliol, yn grefyddol ac yn gymdeithasol. Mae dylanwad cartref yn ffactor hollbwysig yn ein datblygiad ac yn rym na ellir byth ei fesur na'i brisio.

Cwestiynau i'w trafod:

1. Wrth orfod ffoi i'r Aifft gosodir Iesu ymysg holl ffoaduriaid yr oesau. A yw hynny'n cyfrannu at y darlun o'i wir ddyndod?

2. Trafodwch werth ac arwyddocâd Cân Simeon.

3. O gofio mor bwysig yw bywyd teuluol i Luc, sut y gellir gwarchod a chryfhau bywyd cartrefi a theuluoedd heddiw?

NEGES IOAN FEDYDDIWR A BEDYDD IESU

Mathew 3: 1–17; Marc 1: 1–11; Luc 3: 1–22

Aeth deunaw mlynedd heibio ers i Iesu, yn fachgen deuddeg oed, ymweld â'r deml yn Jerwsalem. Daeth yn ymwybodol yno fod gan Dduw waith arbennig ar ei gyfer, ond roedd yn ddeg ar hugain oed yn gadael Nasareth i gychwyn y gwaith hwnnw. Yn ystod yr holl flynyddoedd o ddistawrwydd, bu'n ymbaratoi. Dywed Luc wrthym iddo gynyddu mewn doethineb a maintioli (Lc. 2: 52). Gwyddom hefyd iddo gael ei hyfforddi fel saer yng ngweithdy ei dad. 'Onid hwn yw'r saer?' gofynnodd pobl Nasareth amdano (Mc. 6: 3). Ond golyga'r gair tectôn fwy na saer cyffredin. Roedd hefyd yn grefftwr ac yn adeiladydd. Gallai adeiladu wal neu dŷ; gallai wneud cwch, neu fwrdd a chadeiriau, neu offer amaethyddol.

Un bwlch amlwg yn ein gwybodaeth am Iesu yw na wyddom sut un ydoedd o ran pryd a gwedd. Ond o gofio bod gwaith saer yn galw am nerth corfforol, gallwn dybio ei fod yn gryf ac yn gelfydd, ond yn addfwyn a thyner yr un pryd. Yn ystod 'blynyddoedd distaw' Nasareth bu'n datblygu ei ddoniau corfforol, meddyliol ac ysbrydol, i'w alluogi i gyflawni holl ofynion ei weinidogaeth gyhoeddus. Dysgodd ddarllen ac ysgrifennu, a thyfodd yn ei fywyd ysbrydol a'i brofiad o Dduw. Droeon yn yr efengylau, ceir cyfeiriadau ato'n ymneilltuo i dreulio amser gyda'i Dad nefol. Ac yn ystod poenau erchyll ei groeshoeliad gweddïodd, 'O Dad, i'th ddwylo di yr wyf yn cyflwyno fy ysbryd' (Lc. 23: 46), sef dyfyniad o Salm 31:5, gyda'r gair 'Tad' wedi'i ychwanegu – sef y weddi gyntaf y byddai pob plentyn Iddewig yn ei dysgu ar lin ei fam, i'w dweud wrth noswylio.

Ymddangosiad Ioan Fedyddiwr

Yn ystod blynyddoedd ei baratoad bu Iesu'n disgwyl am arwydd oddi wrth Dduw fod yr amser wedi dod iddo gychwyn ei waith. Daeth yr arwydd hwnnw pan ymddangosodd Ioan Fedyddiwr ar lannau afon Iorddonen i alw ar bobl i edifarhau a chael eu bedyddio. Roedd Ioan yn gefnder i Iesu, yn fab i Elisabeth, perthynas i Mair, a Sachareias yr offeiriad (Lc. 1: 36). Daeth yn amlwg yn fuan iawn fod gan Dduw fwriadau arbennig ar ei gyfer yntau. Pan ymddangosodd yr angel i Sachareias i gyhoeddi y byddai ei wraig Elisabeth yn esgor ar fab, dywedodd am y plentyn hwnnw, 'mawr fydd ef gerbron yr Arglwydd ... bydd yn cerdded o flaen yr Arglwydd yn ysbryd a nerth Elias, i droi calonnau rhieni at eu plant, ac i droi'r anufudd i feddylfryd y cyfiawn, er mwyn darparu i'r Arglwydd bobl wedi eu paratoi' (Lc. 1: 15, 17).

Ni wyddom ddim am fywyd cynnar Ioan, ond iddo dreulio cyfnod yn unigeddau'r anialwch (Lc. 1: 80). Y mae'r cyfeiriad ato'n byw yn yr anialwch wedi peri i nifer o esbonwyr ei gysylltu â sect Iddewig yr Eseniaid. Math o gymuned fynachaidd, ddisgybledig oedd yr Eseniaid, gyda'u prif ganolfannau yn niffeithwch Engedi ger y Môr Marw. Byddai'r aelodau'n treulio dwy neu dair blynedd ar brawf cyn cael eu derbyn i aelodaeth lawn. Golygai hynny encilio o'r byd, rhoi eu holl eiddo i'r gymuned, ymwrthod ag arfau, a chymryd llw i ymroi i fywyd syml, asetig o weddi a gwaith. Rhoddid pwys ar olchiadau seremonïol beunyddiol, yn enwedig cyn prydau bwyd. Credent mai hwy oedd 'y gweddill ffyddlon', yr unig rai a ddeallai wir ystyr y Gyfraith – dysgeidiaeth a drosglwyddwyd iddynt gan genedlaethau o 'Athrawon Cyfiawnder'. Roeddent hefyd yn edrych ymlaen at ddyfodiad proffwyd a fyddai'n cyhoeddi gwawr oes aur ac ymddangosiad offeiriad a brenin dwyfol.

Er na fyddai'r Eseniaid yn priodi, byddent yn mabwysiadu plant pobl eraill, yn enwedig plant amddifad. Gan fod rhieni Ioan Fedyddiwr mewn gwth o oedran pan aned ef, y mae'n bosibl iddo golli ei rieni pan oedd yn ifanc ac iddo gael ei fagu gan yr Eseniaid. Byddai hynny'n gyson â chyfeiriad Luc ato'n byw yn yr anialwch. Gwelir felly fod mesur o debygrwydd rhwng neges a gweinidogaeth Ioan Fedyddiwr a phwyslais yr Eseniaid, yn enwedig yr alwad i edifeirwch a newid buchedd.

Yn ychwanegol, credai'r Eseniaid iddynt gael eu galw i baratoi 'yn yr anialwch ffordd yr Arglwydd' ac i unioni 'yn y diffeithwch brifffordd i'n Duw ni" (Eseia 40: 3) – yr union eiriau a ddyfynnir gan awduron yr efengylau i ddisgrifio swyddogaeth Ioan Fedyddiwr (Mth. 3:3; Mc. 1:3; Lc. 3: 4). Beth bynnag am hynny, ymddangosiad Ioan oedd yr arwydd i Iesu fod ei awr fawr yntau wedi dod i gychwyn ei weinidogaeth gyhoeddus.

Pregethu Ioan

Yn anad dim arall, herald yr oes newydd oedd Ioan Fedyddiwr – ffigur proffwydol yn olyniaeth yr hen broffwydi gynt. Gan nad oedd proffwyd wedi codi yn Israel ers rhai canrifoedd, roedd ymddangosiad Ioan yn achos cryn gynnwrf ymhlith y bobl. Dyma un a siaradai ag angerdd ac awdurdod fel hen broffwydi'r oes o'r blaen. Oherwydd arwyddocâd arbennig ei ymddangosiad, mae Luc yn ei ddyddio'n ofalus gan gyfeirio at rai o brif ffigurau gwleidyddol a chrefyddol y dydd: Tiberius Cesar, Pontius Pilat, Herod a'i frawd Philip, Lysanias, a'r archoffeiriaid Annas a Caiaffas.

Galwad i bobl edifarhau, a hynny ar fyrder, cyn i farn Duw ddod arnynt, oedd neges Ioan: 'Edifarhewch, oherwydd y mae teyrnas nefoedd wedi dod yn agos' (Mth. 3: 2). Mathew sy'n rhoi inni bortreadau Ioan o'r farn ddwyfol. Roedd y fwyell wedi ei gosod ar wreiddyn y goeden. Roedd ergyd y darlun yn gwbl glir: oni cheir ffrwyth ar y goeden fe'i torrir i lawr a'i llosgi. Y darlun arall yw'r un o wyntyll, teclyn a ddefnyddid i 'nithio', sef gwahanu'r us oddi wrth y grawn. Byddai'r grawn yn cael eu storio yn yr ysgubor a'r us yn cael eu llosgi. Un y byddai ei 'wyntyll yn barod yn ei law' (3: 12) fyddai'r Crist pan ddeuai. Byddai'r rhai a fyddai'n ymateb iddo ac yn ei ddilyn yn canfod bywyd newydd, a'r rhai a fyddai yn ei wrthod yn dwyn barn arnynt eu hunain.

Tuedd yr Iddewon oedd credu na fuasai Duw byth yn eu barnu hwy. Rhywbeth i genhedloedd eraill fyddai hynny. Ond bellach, nid digon oedd bod yn ddisgynyddion i Abraham. Roedd yn rhaid i'r bobl gadarnhau'r cyfamod a fodolai rhyngddynt fel Iddewon a Duw trwy edifarhau, sef troi'n fwriadol oddi wrth bechod ac ymroi i fyw yn ôl gofynion Duw. Mae perygl i bobl sydd wedi eu magu yn yr Eglwys i rieni o Gristnogion feddwl nad oes angen edifeirwch arnynt. Mae hynny'n berygl i lawer ohonom. Ond fel y dywedodd pregethwr Americanaidd adnabyddus ryw dro, 'God has no grandchildren!'

Mae edifeirwch yn gam y mae'n rhaid i bob un ohonom ei gymryd, a'i gymryd yn barhaus. Yn ôl Marc, galwad i edifeirwch oedd gair cyntaf Iesu ar ddechrau ei weinidogaeth yng Ngalilea: 'Y mae'r amser wedi ei gyflawni ac y mae teyrnas Dduw wedi dod yn agos. Edifarhewch a chredwch yr Efengyl' (Mc. 1: 15).

Ystyr edifeirwch yw troi'n ôl, newid cyfeiriad, dychwelyd at y llwybr cywir. Mae'n galw am onestrwydd a gostyngeiddrwydd, ac er bod y syniad o edifeirwch yn ddieithr ac yn ymddangos yn amherthnasol i'n cenhedlaeth ni, y mae'n ddisgyblaeth lesol.

Mae'r gair Saesneg *humility* yn cynnwys y gair Lladin *humus,* sef llysieubridd, sy'n rhoi maeth i'r tir ac yn hybu tyfiant a ffrwythlondeb. Yn yr un modd, mae gostyngeiddrwydd, sy'n amod gwir edifeirwch, yn cyfrannu at aeddfedrwydd a thwf cymeriad.

Y syndod yw fod llawer o Phariseaid a Sadwceaid wedi dod at Ioan i'w bedyddio ganddo. Mae Ioan yn amlwg yn amheus o'u cymhellion. Meddai wrthynt, 'Chwi epil gwiberod, pwy a'ch rhybuddiodd i ffoi rhag y digofaint sydd i ddod?' (Mth. 3: 7). Mathew yw'r unig un o'r efengylwyr sy'n nodi bod gelynion Iesu yno yn y cefndir o'r cychwyn. Mae Ioan Fedyddiwr yn galw arnynt i ddangos yn eu buchedd eu bod yn edifarhau mewn gwirionedd ac i ddangos hynny drwy gael eu bedyddio.

Bedydd edifeirwch

Galw pobl i edifeirwch a bywyd newydd, a rhoi cyfle iddynt fynegi hynny mewn gweithred symbolaidd a wnâi Ioan: 'Aeth ef drwy'r holl wlad oddi amgylch yr Iorddonen gan gyhoeddi bedydd edifeirwch yn foddion maddeuant pechodau' (Lc. 3: 3). Nid oedd bedydd yn ddieithr i'r Iddewon. Roedd yn rhan o'r ddefod pan gâi rhywrai o blith y cenhedloedd eu derbyn i'r ffydd Iddewig. Golygai drochi â dŵr fel bod yr aflendid estronol yn cael ei olchi ymaith. Ond yr hyn a oedd yn wahanol ynglŷn â bedydd Ioan oedd ei fod wedi'i anelu at yr Iddewon. 'Bedydd edifeirwch yn foddion maddeuant pechodau' oedd hwn iddynt hwythau. Ni allai'r Iddew ymguddio dan gochl ei dras fel un o ddisgynyddion Abraham. Roedd pawb fel ei gilydd yn wynebu barn Duw. Wyneb yn wyneb â'i ddyfodiad ef, un ymateb yn unig oedd yn bosibl, sef edifarhau, cefnu ar yr hyn a fu, a chamu i ddyfodol newydd.

Does ryfedd fod y tyrfaoedd wedi gofyn i Ioan, 'Beth a wnawn ni felly?' (Lc. 3: 10). Rhoes Ioan gynghorion cwbl ymarferol iddynt, sef dilladu'r tlawd a bwydo'r anghenus (3: 11) – dwy ddyletswydd y rhoddid pwys arbennig arnynt yn y grefydd Iddewig. Roedd neges Ioan yn cyffwrdd â chydwybod casglwyr trethi a milwyr fel ei gilydd. I'r rhelyw o Iddewon, roedd y casglwyr trethi'n wrthodedig am eu bod yn weision i'r Ymerodraeth Rufeinig, a chanddynt hawl i godi lefel y dreth er mwyn gwneud elw iddynt eu hunain. Gorchymyn Ioan iddynt oedd, Peidiwch â mynnu dim mwy na'r swm a bennwyd i chwi' (3: 13). Yn yr un modd, y gorchymyn i rai mewn gwasanaeth milwrol oedd iddynt beidio â cham-drin pobl na'u hysbeilio.

Wrth alw pobl i edifeirwch, a'u hannog i gael eu bedyddio, yr oedd Ioan yn paratoi'r ffordd ar gyfer dyfodiad Crist, y Meseia. Mae Marc yn disgrifio'i waith fel 'Dechrau Efengyl Iesu Grist, Mab Duw" (Mc. 1: 1). Ioan sy'n cyhoeddi cychwyn oes newydd y deyrnas, a chyda dyfodiad Iesu y mae'r oes honno'n gwawrio. Daeth bwriad Duw yn glir i Ioan, ac aeth allan i gyhoeddi bod Duw ar fin cyflawni pethau mawr yn eu mysg.

Bedydd Iesu

Roedd Ioan yn ddigon gostyngedig i sylweddoli ei fod yn paratoi'r ffordd ar gyfer un cryfach nag ef ei hun. Ond pam aeth Iesu ato i gael ei fedyddio? Yn ôl Mathew (Mth. 3: 13–17) roedd Ioan ei hun ar y dechrau yn synnu ac yn anfodlon bedyddio Iesu. Onid Iesu, yr un dibechod, a ddylai ei fedyddio ef? Pam bedyddio un nad oedd rhaid iddo edifarhau?

Mae mwy nag un peth i'w ddweud fel ateb. Yn y lle cyntaf, rhaid cadw mewn cof fod Iesu'n wir *ddyn.* Efallai nad oedd rhaid iddo edifarhau am ei bechodau fel pawb arall, ond fe'i temtiwyd fel ninnau ac fe deimlai'r angen am nerth a gras Duw i'w gynnal. Felly, byddai'n naturiol iddo ddod i gael ei fedyddio, a dangos trwy hynny hefyd ei fod yn ei uniaethu ei hun yn llwyr â phobl. Roedd hyn yn fynegiant o'i ddarostyngiad. 'Fe'i gwacaodd ei hun, gan gymryd ffurf caethwas a dyfod ar wedd ddynol,' meddai Paul amdano (Phil. 2: 7). Wrth gael ei fedyddio, mae Iesu'r dyn yn ei ddarostwng ei hun i fod yn un â'r holl deulu dynol.

Yn yr ail le, roedd gweinidogaeth Ioan wedi argyhoeddi Iesu *fod ei amser wedi dod*. Hwyrach iddo deimlo'n ansicr ohono'i hun ac o'i alwad, ac iddo ddod i geisio cadarnhad. Ac fe ddaeth y cadarnhad hwnnw. 'Agorwyd y nef, a disgynnodd yr Ysbryd Glân arno mewn ffurf gorfforol fel colomen; a daeth llais o'r nef: "Ti yw fy Mab, yr Anwylyd; ynot ti yr wyf yn ymhyfrydu"' (Lc. 3: 21–22). Cyfuniad o Salm 2: 7 ac Eseia 42: 1 a geir yn y frawddeg hon. Gan fod y geiriau o Eseia yn dod o un o Ganeuon Gwas yr Arglwydd, y mae'r llais o'r nef yn cyhoeddi perthynas unigryw Iesu â'i Dad nefol, ac ar yr un pryd yn datgan mai ef yw'r Gwas Meseianaidd y bu Israel yn disgwyl yn hir amdano.

Pan oedd Iesu'n fachgen deuddeg oed yn y deml, cyfeiriodd at Dduw fel ei Dad (Lc. 2: 49). Yn ei fedydd, daw ochr arall y berthynas i'r amlwg wrth i Dduw ei arddel ef fel ei Fab. Ond yn ogystal â chael cadarnhad o'i safle neilltuol fel Mab, cafodd Iesu hefyd achlust o natur ei weinidogaeth fel Gwas yr Arglwydd – un a fyddai'n barod i ddioddef, a marw hyd yn oed, dros ddynoliaeth bechadurus. Ond i'w alluogi i gyflawni ei weinidogaeth hunanaberthol, addawodd Duw gynnal ei Fab â'i Ysbryd ef ei hun.

Gwireddwyd addewid Eseia 42:1: 'Rhoddais fy ysbryd ynddo, i gyhoeddi barn i'r cenhedloedd'. Mae'n arwyddocaol mai wrth weddïo yn union ar ôl ei fedydd y profodd Iesu'r Ysbryd Glân yn disgyn arno; 'disgynnodd yr Ysbryd Glân arno mewn ffurf gorfforol fel colomen' (Lc. 3: 22). Trwy gynnwys y geiriau 'mewn ffurf gorfforol,' mae Luc am bwysleisio bod yr Ysbryd wedi cyffwrdd ag Iesu'n llythrennol. Nid syniad haniaethol, na phrofiad mewnol, ysbrydol yn unig yw disgyniad yr

Ysbryd arno, ond profiad go iawn a phrofiad a fyddai'n ei arwain a'i nerthu ar hyd ei weinidogaeth.

Digwyddiad unigryw a hollbwysig oedd bedydd Iesu. Mynegodd ei fwriad i'w uniaethu ei hun â phobl yn eu hangen a'u gwendid; clywodd y llais nefol yn cadarnhau ei berthynas arbennig â Duw fel Mab y Tad; rhoddwyd iddo olwg ar y gwaith a'i hwynebai fel Gwas yr Arglwydd; a seliwyd y cyfan â thywalltiad yr Ysbryd arno i'w gynnal a'i arwain. Mynegir grymuster ac arwyddocâd y digwyddiad yn y geiriau 'Agorwyd y nef' (Lc. 3: 21). Codwyd cwr y llen ar ogoniant y nefoedd ei hun, ac amlygwyd perthynas neilltuol y Tad, y Mab a'r Ysbryd Glân â'i gilydd. Ymdeimlo â'r berthynas hon rhyngddo ef a'i Dad, a phrofi'r Ysbryd Glân yn cyffwrdd ag ef wrth iddo weddïo, a roddodd i Iesu'r sicrwydd a'r cadarnhad fod ei awr fawr wedi dod i gychwyn ei waith.

Cwestiynau i'w trafod:

1. Pa mor bwysig, yn eich barn chi, yw'r profiad a'r arfer o edifeirwch?

2. Pam y disgwyliodd Iesu gyhyd cyn cychwyn ar ei weinidogaeth gyhoeddus?

3. Beth oedd arwyddocâd y profiad a gafodd Iesu yn ei fedydd i'w fywyd a'i waith?

TEMTIAD IESU YN YR ANIALWCH

Mathew 4: 1–11; Marc 1: 12–13; Luc 4: 1–13

Yn union ar ôl ei fedydd arweiniwyd Iesu i'r anialwch 'gan yr Ysbryd' (Mth. 4: 1). Wedi iddo gael cadarnhad o'i berthynas agos â Duw ac i Dduw gadarnhau ei alwad, ac yn union wedi i'r Ysbryd Glân ddisgyn arno a chyn iddo gychwyn ei weinidogaeth gyhoeddus, rhaid oedd iddo wynebu un cwestiwn hollbwysig – *sut* y byddai'n cyflawni ei waith? Pa ddulliau a ddylai eu defnyddio i drosglwyddo neges y deyrnas yn effeithiol i'r bobl? Un peth oedd bod yn sicr o'i alwad, peth arall oedd penderfynu sut i ymateb i'r alwad honno. Roedd y cwestiwn yn bwysig oherwydd y syniadau a'r gobeithion poblogaidd am y Meseia fel un a fyddai'n rhyddhau cenedl Israel o ormes Rhufain ac a fyddai'n cael ei gydnabod maes o law yn frenin buddugoliaethus dros yr holl genhedloedd. Wrth iddo encilio i'r anialwch, y dewis a wynebai Iesu oedd naill ai dilyn y llwybr poblogaidd, disgwyliedig a mabwysiadu dulliau gwleidyddol, gwrthryfelgar, neu ddewis ffordd a fyddai'n gydnaws â natur a neges y deyrnas.

Y temtiwr a'r temtiadau

Cyn troi at ddigwyddiadau stori'r temtiad, rhaid tynnu sylw at rai pwyntiau cyffredinol.

Yn gyntaf, rhaid deall ystyr y gair *temtiad.* Tueddwn i feddwl am demtiad, neu demtasiwn, fel ymgais gan rywun arall – dyn neu ddiafol – i ddenu rhywun oddi ar lwybr daioni, a'i hudo i wneud drwg. Ond ystyr y gair *peirazein,* a gyfieithir 'temtio', yw 'gosod rhywun ar brawf'. Dywed awduron yr efengylau i Iesu gael ei arwain i'r anialwch gan yr Ysbryd. Go brin y byddai'r Ysbryd Glân yn cydweithio â'r diafol i ymosod ar ei ddaioni a'i burdeb. Ond gellir derbyn i Iesu gael ei *brofi*, nid er mwyn ei arwain i bechu, ond er mwyn rhoi prawf ar ei ufudd-dod a'i ddoethineb. Dywed awdur y Llythyr at yr Hebreaid (2: 17–18) mai trwy iddo gael ei demtio y gwnaed Iesu'n addas ar gyfer ei weinidogaeth.

Yn ail, rhaid deall yr hyn a olygwn wrth y gair *diafol.* Mae Mathew'n cyfeirio at y diafol fel 'y temtiwr' (Mth. 4: 3) a Marc yn ei enwi'n benodol yn 'Satan' (Mc. 1: 13). Ystyrir y diafol, yma fel mewn mannau eraill yn y Beibl, yn allu personol a goruwchnaturiol. Ei amcan bob amser yw gwrthwynebu dibenion achubol Duw. Ond mae'r syniad o ddiafol fel bod personol, gwrthrychol yn ddiystyr i lawer yn ein hoes fodern, a gwell ganddynt feddwl am y diafol fel greddf ddynol, ddinistriol oddi mewn i bob person. Ond sut bynnag y meddyliwn am y diafol, prin y gellir gwadu bod grym dieflig a dinistriol, y tu allan i ni ac yn gryfach na ni, ar waith yn y byd yn gwrthwynebu bwriadau Duw ac yn ein temtio i gyfeiliorni. Dadleuodd yr esboniwr G. B. Caird fod y gred mewn diafol, naill ai fel bod goruwchnaturiol neu fel grym haniaethol, yn diogelu sawl gwirionedd pwysig: (a) bod drygioni yn real a grymus; (b) bod drygioni yn rym oddi allan inni; (c) mai drygioni yw'r gelyn eithaf, ac (ch) bod drygioni'n gallu ymddangos fel petai'n ddaioni.

I'r Iddew, yr anialwch oedd trigle'r ysbrydion aflan; a gwelwn Iesu felly'n cael ei arwain i diriogaeth demoniaid a phwerau drygioni. Mae'n werth cofio fod Screwtape, yn *The Screwtape Letters* gab C. S. Lewis, yn hawlio mai'r ffordd fwyaf effeithiol o arwain pobl ar gyfeiliorn oedd eu perswadio'n gyntaf nad oedd ef, Satan, yn bod!

Yn drydydd, hanesyn yw hwn *a ddaeth o enau Iesu ei hun.* Yr oedd yn yr anialwch ar ei ben ei hun, a diau ond ganddo ef y gellidbod wedi cael yr hanes.. Ymhen amser, penderfynodd rannu â'i ddisgyblion y frwydr fewnol a fu yn ei galon a'i enaid ei hun. Bu'n rhaid iddo fynd i'r afael â'r gwahanol ddewisiadau a'i hwynebai. A fyddai'n lansio rhaglen economaidd o ddarparu bara i'r tlodion a'r anghenus? Byddai hynny'n sicr yn ei wneud yn boblogaidd. Neu a ddylai gychwyn ymgyrch wleidyddol i gael ei gydnabod fel Meseia trwy gyflawni rhyw orchest gyhoeddus, feiddgar ac yna arwain gwrthryfel yn erbyn Rhufain? Neu a ddylai gyfaddawdu, a defnyddio dulliau'r diafol a thrwy hynny ennill holl deyrnasoedd y byd? Brwydr ysbrydol, galed oedd hon, gan mai cyfrwystra temtasiwn yw cyflwyno drygioni mewn modd sy'n ymddangos yn dda a deniadol.

Wrth fyfyrio ar y stori hon, yr ydym ar dir cysegredig wrth inni wrando ar Iesu'n adrodd hanes ei brofiad ingol ei hun yn ymwrthod â themtasiynau'r diafol yn yr anialwch. Roedd hon yn frwydr a fyddai'n parhau trwy gydol ei weinidogaeth. Er i Iesu lwyddo i ymwrthod â'i ddeniadau, dros dro yn unig y mae'r diafol yn ei adael, 'gan aros ei gyfle' (Lc. 4: 13).

Yn yr anialwch

Roedd y foment dyngedfennol wedi dod pan fyddai'n rhaid i Iesu ddewis ei lwybr. Nid aeth i geisio cyngor gan neb dynol; yn hytrach aeth ar ei ben ei hun i unigeddau'r anialwch i gael llonydd i feddwl, i weddïo ac i ystyried y gwahanol opsiynau a gynigiwyd iddo gan y temtiwr. Yr anialwch oedd Anialwch Jwdea, a ymestynnai o'r tir mynyddig i'r de o Jerwsalem hyd at y Môr Marw. Jeshimon yw enw'r ardal yn yr Hen Destament, a'i ystyr yw 'distryw'. Lle diffaith o dywod, creigiau a thomennydd o lwch, yn eithafol o boeth yn y dydd ac oer yn y nos. Yno y bu Iesu am ddeugain diwrnod (Mth. 4: 2; Mc. 1: 13; Lc. 4: 2). Ni ddylid ystyried y deugain diwrnod fel cyfnod llythrennol gan fod i 'ddeugain diwrnod' arwyddocâd arbennig yn yr Hen Destament. Am ddeugain diwrnod y bu'r glaw yn disgyn cyn y Dilyw (Gen. 7: 12). Am ddeugain diwrnod y bu Moses ar Fynydd Sinai gyda Duw (Ex. 24: 18). A bu Elias ar ffo yn yr anialwch am yr un cyfnod (1 Bren. 19: 8). Mae'r deugain diwrnod yn cynrychioli cyfnod hir ond amhenodol o encilio.

Dywed Marc fod Iesu 'yng nghanol yr anifeiliaid gwylltion, a'r angylion yn gweini arno' (Mc. 1: 13). Mae'n bur debyg mai bwriad Marc yw pwysleisio gerwinder y lle. Ar y llaw arall, mae'n bosibl ei fod yn cyfeirio at y cyfamod newydd y byddai Duw yn ei sefydlu â'r anifeiliaid gwylltion pan fyddai'r cleddyf, y bwa a rhyfel yn cael eu symud o'r tir, a dyn ac anifail yn byw mewn cymod a diogelwch (Hos. 2: 18). Os felly, ni fyddai'r anifeiliaid gwylltion yn fygythiad i Iesu, ond yn gwmni ac yn gysur iddo.

Yn union fel y bu'n rhaid i Moses newynu ar ben Sinai am ddeugain diwrnod, ac i feibion Israel newynu yn yr anialwch, felly hefyd yr oedd Iesu'n newynu ar ôl bod yn ymprydio am ddeugain diwrnod. Mae'r demtasiwn gyntaf yn codi o'r ymprydio hwn. Ystyrid ymprydio yn elfen hollbwysig o unrhyw encilio ysbrydol gan fod yr arferiad yn dwysáu ymwybyddiaeth ysbrydol a chraffter meddyliol dyn.

Nid yw Marc yn rhoi unrhyw fanylion am gynnwys na natur y temtasiynau, ond mae Mathew a Luc yn cyfeirio at dair temtasiwn ond yn eu gosod mewn trefn wahanol. Cyn edrych yn fanwl arnynt, dylid nodi bod dwy wedd i ymosodiad y temtiwr ar Iesu. Yn gyntaf, *y mae'n ymosod ar ei hunaniaeth* – ar bwy yw Iesu. Geiriau Duw yn ei fedydd oedd, 'Hwn yw fy Mab'. Ond heriwyd y llais o'r nef gan lais o uffern: 'Os Mab Duw wyt ti' (Mth. 4: 6). Mae'r diafol yn fwriadol yn ceisio hau hadau amheuaeth ym meddwl Iesu mewn ymgais i danseilio'i hyder a gwanhau ei ymwybyddiaeth o'r berthynas arbennig sydd rhyngddo a'i Dad nefol. Yn ail, *mae'r diafol yn ymosod ar natur ei waith a'i weinidogaeth.* Yn y bedydd roedd y llais o'r nef yn cyhoeddi bod Iesu nid yn unig yn Fab Duw ond hefyd yn Was Duw – yr un a fyddai'n cerdded llwybr dioddefaint a marwolaeth er mwyn ei bobl. Ond mae'r diafol yn cynnig iddo ddewisiadau llai costus. Pam na fuasai'n ennill y bobl drwy ddiwallu eu hangen am fara, neu drwy ryw arwydd trawiadol anghyffredin o rym, neu drwy daro bargen â'r diafol a mabwysiadu rhai o'i ddulliau ef? Byddai pob un o'r llwybrau hyn yn osgoi'r dioddefaint a'r groes. Y canlyniad fyddai poblogrwydd a llwyddiant, hyd yn oed pe byddai'r dulliau'n galw am gyfaddawdu a gwadu gwir natur y deyrnas. Ond mae Iesu'n gwrthod gwrando ar lais y diafol. Mae'n ymwrthod yn syth ac yn bendant â phob temtasiwn, gan ddyfynnu geiriau priodol o'r Ysgrythur, 'Y mae'n ysgrifenedig ...' (Mth. 4: 4, 8, 12).

Y tri themtiad

I ddechrau, cafodd Iesu ei demtio *i droi cerrig yn fara.* O'i gwmpas yn yr anialwch yr oedd cerrig crwn a oedd yn edrych yn hynod debyg i dorthau bychain. I ddyn a fu'n ymprydio am ddyddiau maith, roedd hon yn demtasiwn gref. Gallai ddefnyddio'i allu i ddiben hunanol i leddfu ei newyn ei hun. Ond yr elfen gryfaf yn y demtasiwn hon oedd y syniad y gallai ennill pobl trwy roi pethau materol iddynt. Mae'n rhaid i bobl gael bara, a gwyddai Iesu am y tlodi a'r newyn a fodolai ym mysg y bobl o'i gwmpas. Fwy nag unwaith yn ei weinidogaeth, fe fynegodd ei gonsyrn am anghenion corfforol pobl; er enghraifft, yn yr hanes amdano'n bwydo'r pum mil. Yn ei ddameg am y Farn Fawr, dywed y brenin wrth y rhai ar y dde iddo, 'Bûm yn newynog a rhoesoch fwyd imi, bûm yn sychedig a rhoesoch ddiod imi' (Mth. 25: 35). Hwy – y rhai a ymatebodd i anghenion y tlodion – sydd yn etifeddu'r deyrnas a baratowyd iddynt. Mae bwydo'r newynog yn cael lle canolog ym mywyd a gweinidogaeth Iesu. Roedd yn demtasiwn yn awr iddo ddefnyddio'i alluoedd i leddfu newyn pobl. Yn wir, oni allai ddiddymu newyn y byd i gyd? Credai'r Iddew mai un o nodweddion yr Oes Feseianaidd fyddai digonedd; a darlun cyffredin o'r oes baradwysaidd honno oedd gwledd. Gallai Iesu, gyda gair o'i enau, wireddu'r freuddwyd am y wledd. Ond gwelodd dwyll y demtasiwn hon.

Byddai ceisio denu pobl trwy roddion materol yn ddull arwynebol o'u hennill. Gwyddai Iesu'n dda mai gwan fyddai ymlyniad unrhyw rai a gâi eu denu gan addewid o fanteision materol. Y cyn-brifweinidog Harold Wilson a gyfeiriodd at beryglon 'gwleidyddiaeth y lolipops', sef bod canfasio yn mynd yn fater o bob plaid yn cynnig manteision materol mwy a gwell na phleidiau eraill. Nid trwy ddenu pobl ag addewidion am fara yn unig yr oedd eu cyflwyno i fywyd y deyrnas.

Ar yr un pryd, roedd yn rhaid i bobl wrth fara. 'Nid ar fara *yn unig* y bydd rhywun fyw', meddai Iesu, gan ddyfynnu o Deut. 8: 3. Ond yn ogystal â chael bwyd, bwriadai Duw i ddyn hefyd gael cymundeb ag ef ei hun. Rhaid bwydo'r dyn cyfan. Ofer digoni'r corff heb ddarparu ar gyfer y meddwl a'r enaid. A'r ddarpariaeth orau ar gyfer meddwl ac enaid yw 'pob gair sy'n dod allan o enau Duw' (Mth. 4: 4). Yr unig ffordd o ganfod llawenydd a gwir foddhad yw ymddiried yn llwyr yn Nuw ac agor ein calonnau a'n heneidiau i wirioneddau ac addewidion ei air. Mae hynny mor wir heddiw ag erioed.

Yn yr ail demtasiwn cafodd Iesu ei gymell i ddefnyddio'i alluoedd goruwchnaturiol *i ennill edmygedd y bobl trwy weithred ddramatig a syfrdanol*, sef ei daflu'i hun i lawr o dŵr uchaf y deml. Un arall o ddisgwyliadau'r Iddewon oedd y byddai'r Meseia'n ymddangos yn y deml yn y dyddiau diwethaf (gweler Mal. 3: 2). Awgrymodd y diafol y gallai Iesu wneud hynny mewn modd beiddgar trwy ei fwrw ei hun i lawr o binacl uchaf y deml i waelod dyffryn Cedron islaw – tua 450 troedfedd – fel y gallai'r angylion ddod i'w arbed rhag brifo. Ond ffordd o dynnu sylw ato'i hun ac o borthi ei ego fyddai defnyddio gimic o'r fath. Byddai'n gwbl groes i gymeriad ac amcan Iesu. Mae yma neges i ninnau – rhaid bod ar ein gwyliadwriaeth bob amser rhag tynnu sylw atom ein hunain, rhag ceisio clod a sylw, yn hytrach na chyfeirio pobl at Dduw a'u hennill i'r deyrnas.

Ond yr elfen waethaf yn y temtiad hwn yw'r awgrym y gellid rhoi Duw ar ei brawf. Pe bai Iesu'n ei daflu ei hun o ben tŵr uchaf y deml, oni allai ymddiried yn Nuw i'w achub, a thrwy hynny ddangos mor gryf oedd ei ffydd? Mae'r diafol yn cyfiawnhau ei awgrym trwy feiddio dyfynnu'r ysgrythurau (Salm 91: 11–12). A gorau oll pe gallai Iesu ennill cymeradwyaeth y bobl yr un pryd! Ond gwelai Iesu ar unwaith fod rhoi prawf ar Dduw – a fyddai Duw'n ei achub ai peidio – yn groes i'r alwad i ymddiried ynddo. Dewisodd Iesu weithredu mewn ffydd, ac nid oedd gwir ffydd yn gofyn am brawf nac yn disgwyl gweld arwyddion goruwchnaturiol. Mae Iesu hefyd yn dyfynnu o'r Ysgrythur, o Deut. 6: 16, er mwyn ateb y diafol, 'Paid â gosod yr Arglwydd dy Dduw ar ei brawf' (Mth. 3: 7). Roedd wedi dirnad bod geiriau'r ysgrythur yn rymus, ac o'i roi ei hun dan eu dylanwad fe ddarganfu'r nerth i orchfygu pob drwg a phob temtasiwn.

Yn y trydydd temtiad arweiniwyd Iesu, trwy ddychymyg, i weld 'holl deyrnasoedd y byd a'u gogoniant' (Mth. 4: 8). *Fe'i temtiwyd i ennill y cyfan trwy blygu i Satan.* O wneud hynny, byddai'n osgoi gwrthwynebiad y diafol, byddai'n mabwysiadu dulliau gwleidyddol a milwrol o ymestyn ei awdurdod dros y byd, a byddai'n osgoi'r groes. Os oedd a wnelo'r temtiad cyntaf â mabwysiadu rhaglen economaidd a sicrhâi fod pawb yn cael bara, a'r ail yn ymwneud â'i gyflwyno'i hun fel Meseia poblogaidd a enillai'r bobl trwy ddefnyddio gimics a thriciau rhyfeddol, roedd a wnelo'r trydydd â dewis grym ac awdurdod gwleidyddol a roddai holl deyrnasoedd y byd yn ei law. Dyna'r union fath o Feseia yr oedd llawer yn Israel wedi bod yn disgwyl amdano ar hyd y cenedlaethau – gwaredwr milwrol a fyddai'n dinistrio gelynion Israel ac yn rhyddhau'r genedl o bob caethiwed. Ond gwyddai Iesu fod y pris yn amhosibl o uchel: 'Y rhain i gyd a roddaf i ti, os syrthi i lawr a'm haddoli i' (4: 9). O'r diafol, nid o Dduw, y deuai'r grym a'r awdurdod i ddryllio a malurio. Nid oedd Iesu'n barod i fabwysiadu dulliau'r diafol na syrthio i lawr i'w addoli. Unwaith eto, cafodd ateb i brawf y diafol yn Llyfr Deuteronomium: 'Yr Arglwydd dy Dduw a addoli, ac ef yn unig a wasanaethi' (Mth. 4: 8 a Deut. 6: 13). Hyd y diwedd bu'n deyrngar i Dduw, gan gerdded ffordd tangnefedd a chan ddefnyddio dulliau di-drais efengyl y cymod yn unig.

Cwestiynau i'w trafod:

1. A yw'n wir dweud mai cynnig bara, gwyrthiau ac awdurdod a wna pob unben ym mhob oes?

2. Pwy, neu beth, yn eich barn chi, yw'r diafol?

3. Beth oedd cyfrinach buddugoliaeth Iesu dros y tri themtiad?

CYCHWYN Y GENHADAETH FAWR

Mathew 4: 12–17; Marc 1: 14–15; Luc 4: 14–30

Y mae Mathew, Marc a Luc yn gytûn mai yng Ngalilea y cychwynnodd Iesu ei weinidogaeth gyhoeddus, gyda Mathew a Marc yn datgan mai wedi iddo glywed bod Ioan Fedyddiwr wedi'i garcharu yr aeth yno. Cyfeirir at y digwyddiad wrth fynd heibio, fel ffaith hysbys, ond ni cheir manylion am garcharu a dienyddio Ioan nes i ni gyrraedd pennod 14 yn Efengyl Mathew. Mae Luc ar y llaw arall yn fwy awyddus i'w ddarllenwyr wybod mai 'yn nerth yr Ysbryd Glân' (Lc. 4: 14) yr aeth Iesu i Galilea. Roedd hwn yn bwyslais arbennig gan Luc. Credai fod bywyd Iesu, o'i genhedlu hyd ei atgyfodiad, yn dibynnu ar arweiniad a gweithgarwch yr Ysbryd Glân. Wrth gyflwyno'i weinidogaeth gyhoeddus yn Nasareth, dechreuodd gyda geiriau Eseia, Y mae Ysbryd yr Arglwydd arnaf, oherwydd iddo f'eneinio' (4: 18), gan eu hanelu at ei sefyllfa ei hun, 'sef ei lenwi â'r Ysbryd Glân yn sgil ei fedydd. Ac yntau wedi rhoi heibio'i ogoniant dwyfol a'i gydraddoldeb â Duw, roedd yn dibynnu'n llwyr ar yr Ysbryd Glân i'w arwain a'i nerthu. Ac yn nerth yr Ysbryd yr aeth Iesu'n ôl i Galilea.

Dechrau yng Ngalilea

Ar y cyrion yng Ngalilea, ac nid yn y canol yn Jerwsalem a Jwdea, y dechreuodd Iesu ei weinidogaeth. Tueddai dosbarth canol Jwdea i ddilorni gwerin Galilea gan mai pobl dlawd yn crafu bywoliaeth brin o dir caregog, anial oedd y mwyafrif ohonynt. Dewisodd Iesu rannu'r newyddion da ymhlith y tlawd a'r di-nod, gan eu sicrhau eu bod yn cyfrif yng ngolwg Duw. Doedd ryfedd iddo gael croeso 'gan bawb' ac yntau'n cyhoeddi iddynt neges o obaith ac o fywyd newydd. Mae'n arwyddocaol hefyd nad ymysg arweinwyr crefyddol ei ddydd y dechreuodd gyhoeddi'r Efengyl. Yn Jerwsalem a Jwdea y caed y Phariseaid yn bennaf, ac nid oedd ganddynt hwy fawr o barch at y Galileaid a ystyrient yn gymysgryw ac anuniongred eu crefydd. Roedd rhandir Galilea yn ddihareb yng ngolwg Iddewon Jwdea oherwydd anwybodaeth a thywyllwch ysbrydol y bobl. Ond yno y llewyrchodd goleuni'r Meseia gyntaf. Roedd Galilea yn lle cymwys ar lawer cyfrif i Iesu gychwyn ei waith. Câi yno fwy o bobl i wrando arno, ac roedd y bobl yn fwy agored eu meddyliau na phobl Jwdea. Ac ni ellid cael lle gwell na Chapernaum fel canolfan – un o ddinasoedd mwyaf Galilea, ar lan y môr, ac yn fan cyfarfod i lawer math o bobl. Gerllaw, rhedai'r briffordd fasnach o'r dwyrain, o Ddamascus i'r Aifft.

Gwelai Mathew arwyddocâd arbennig i'r ffaith fod Iesu wedi cilio i Gapernaum gan ei fod drwy hynny'n cyflawni proffwydoliaeth Eseia. Disgrifia'r ddinas fel a ganlyn, 'tref ar lan y môr yng nghyffiniau Sabulon a Nafftali' (Mth. 4: 13). Mae'n mynd ymlaen i ddyfynnu addewid Eseia i'r gororau hyn: "Y bobl oedd yn trigo mewn tywyllwch a welodd oleuni mawr, ac ar drigolion tir cysgod angau y gwawriodd goleuni' (Mth. 4: 15–16; Es. 9: 1–2). Roedd Eseia wedi proffwydo dyddiau gwell i wlad a oedd wedi ei hanrheithio gan Asyria, a gwelai Mathew fod y geiriau'n gymwys fel disgrifiad o'r cyfnod newydd a oedd wedi gwawrio gyda dyfodiad Iesu Grist.

Felly, nid yn Jwdea a Jerwsalem y gwelwyd gyntaf oleuni iachawdwriaeth Duw, ond yn y gogledd – mewn ardal a ystyrid yn fangre tywyllwch a marweidd-dra ysbrydol. Nid yn ninas sanctaidd Jerwsalem y llewyrchodd oes newydd y deyrnas, ond yng Ngalilea a Chapernaum. Ac os carchariad Ioan a barodd i Iesu gilio o Jwdea i Galilea, ac os gadawodd Nasareth am Gapernaum oherwydd gwrthwynebiad y bobl yno, fe welai Mathew yn y symudiadau hyn law rhagluniaeth a chyflawniad proffwydoliaeth.

Neges Iesu

Wedi i Iesu ymsefydlu yng Nghapernaum a dechrau ei weinidogaeth, yr agwedd gyntaf ar ei waith i gael sylw oedd ei *bregethu*. Cawn gan Mathew a Marc sylwedd y bregeth mewn ychydig eiriau: 'Edifarhewch, oherwydd y mae teyrnas nefoedd wedi dod yn agos' (Mth. 4: 17; gweler Mc. 1: 14–15). Gwelir bod dau beth yn y bregeth – cyhoeddiad pendant *fod teyrnas Dduw wedi cyrraedd*, a galwad ar bobl i ymateb trwy *edifarhau.* Diddorol yw sylwi ar berthynas yr edifarhau â dyfodiad y deyrnas. I arweinwyr Iddewiaeth y cyfnod, roedd edifeirwch yn amod dyfodiad y deyrnas. Roedd yn rhaid edifarhau er mwyn sylweddoli teyrnas Dduw. Ond yn ôl pregeth Iesu, roedd dyfodiad y deyrnas eisoes yn ffaith. P'un ai fyddai pobl yn edifarhau ai peidio, roedd teyrnasiad Duw wedi dechrau. Am fod y deyrnas yn ffaith y galwai Iesu ar y bobl i edifarhau.

Mae Marc a Luc yn sôn bob amser am *deyrnas Dduw*, ond gwell gan Mathew fel rheol y ffurf *teyrnas nefoedd*, gan ei fod ef, fel llawer iawn o Iddewon ei gyfnod, yn gyndyn o ddefnyddio enw sanctaidd Duw. Ond yr un yw ystyr yr ymadrodd yn y ddwy ffurf. Nid yw Iesu'n egluro'r hyn a olygai wrth 'deyrnas Dduw'. Er mwyn deall ei ystyr, rhaid sylweddoli nad 'tiriogaeth' Duw a olygir wrth y 'deyrnas' ond 'teyrnasiad' Duw dros fywyd, yn enwedig dros genedl Israel. Problem i saint yr Hen Destament oedd fod pobl ddrygionus y tu mewn i Israel, a gelynion y tu allan iddi, fel pe baent yn ymosod ar bobl etholedig Duw. Oherwydd hyn, edrychai pobl dduwiol y genedl ymlaen at y dydd pan fyddai Duw yn ymyrryd ac yn dangos ei lywodraeth trwy ddwyn gwaredigaeth i'w bobl. Dysgai'r proffwydi nad cylch yn ei ailadrodd ei hun yn ddiderfyn yw hanes, ond bod iddo ystyr a chynllun a nod. Roedd Duw ar waith yn hanes ei bobl, yn dwyn ei fwriadau i ben. Deuai ôl ei law yn eglurach mewn rhai cyfnodau a digwyddiadau na'i gilydd, a dysgid y bobl i edrych ymlaen yn ffyddiog at y datguddiad llawn o'r cynllun dwyfol yn hanes y genedl.

Gan nad oedd cynllun Duw i'w weld yn amlwg bob amser, rhannai'r Iddewon hanes yn ddau gyfnod – yr Oes Bresennol a'r Oes i Ddyfod. Pechod, gormes ac anghyfiawnder a nodweddai'r Oes Bresennol. Byddai'r Oes i Ddyfod yn wahanol, gyda gogoniant a chyfiawnder Duw yn amlwg, gelynion Israel yn cael eu trechu, a phobl etholedig yr Arglwydd yn cael mwynhau bywyd o lewyrch a digonedd. Byddai llywodraeth Duw yn amlwg i'r byd i gyd, a phobl Dduw yn cael eu dyrchafu uwchlaw'r holl genhedloedd eraill. Ni allai dyn wneud dim i ddwyn yr Oes i Ddyfod i ben yn y presennol; dim ond ymyrraeth uniongyrchol Duw a allai wneud hynny. A'r term a ddefnyddid i ddisgrifio'r ymyrraeth ddwyfol oedd 'Dydd yr Arglwydd'. Deuai'r dydd hwnnw'n sydyn ac annisgwyl gydag arwyddion goruwchnaturiol, cosmig. Byddai'n ddydd o farn a dychryn, ond allan o'r anhrefn a'r chwalfa byddai oes newydd teyrnas Dduw yn ei hamlygu ei hun, a Meseia Duw yn dod i dywys y bobl at holl freintiau a bendithion y deyrnas.

Roedd rhai Iddewon, ar y llaw arall, yn credu y deuai teyrnasiad Duw i'r amlwg yn araf, fel proses, wrth i'r bobl eu hildio'u hunain i iau'r Gyfraith a phlygu mewn ffydd ac ufudd-dod i sofraniaeth Duw dros eu bywydau. Ond yr un oedd y disgwyliad, sef y deuai amser pan fyddai teyrnasiad Duw yn dod yn amlwg drwy'r byd cyfan. Ond beth oedd teyrnas Dduw ym meddwl a dysgeidiaeth Iesu?

Yn yr efengylau cyfeirir at y deyrnas fel rhywbeth sydd eisoes yn ffaith, ond sydd eto i ddod yn ei lawnder. Mae wedi dod yn yr ystyr fod Duw wedi ymyrryd yn rymus yn nyfodiad Iesu Grist. Dyna pam yr oedd Iesu'n galw ar y bobl i edifarhau: am fod 'teyrnas Dduw wedi dod yn agos' (Mc. 1: 15). 'Y mae'r amser wedi ei gyflawni,' meddai. Hynny yw, y mae'r oes bresennol yn dirwyn i ben ac oes newydd y deyrnas ar ymddangos. Yng ngwaith a gweinidogaeth Iesu ceir cyfeiriadau ato'n *pregethu'r deyrnas* (Mth. 4: 23; 9: 35; 24: 14; Lc. 9: 2) ac yn *cyhoeddi'r newyddion da am y deyrnas* (Lc. 8: 1). Sonia am deyrnas Dduw fel rhywbeth i'w *dderbyn* (Mc. 10: 15; Lc. 18: 17); fel rhywbeth i fynd i *mewn* iddo (Mth. 5: 20; 18: 3; 19: 23; Mc. 10: 23–25); ac fel rhywbeth y gall dyn fod yn *agos ato* (Mc. 12:34). Mae'r holl gyfeiriadau hyn yn rhagdybio bod y deyrnas eisoes wedi dod, a'i bod yn realiti yn y presennol.

Ar yr un pryd, ceir cyfeiriadau at y deyrnas fel rhywbeth sydd eto i ddod yn ei lawnder.

Disgrifir Joseff o Arimathea fel un a oedd yn 'disgwyl am deyrnas Dduw' (Mc. 15: 43; Lc. 23: 51). Dysgodd Iesu ei ddilynwyr i weddïo am ddyfodiad y deyrnas: 'deled dy deyrnas, gwneler dy ewyllys ar y ddaear fel yn y nef' (Mth. 6: 10; Lc. 11: 2). Ar yr un pryd, mae'r deyrnas yn ffaith ym mywyd a phrofiad dilynwyr Iesu. Ateb Iesu i'r rhai a ddaeth i holi pa bryd y deuai'r deyrnas oedd, 'Nid rhywbeth i wylio amdano yw dyfodiad teyrnas Dduw ... y mae teyrnas Dduw yn eich plith chwi' (neu 'y mae teyrnas Dduw o'ch mewn', neu 'o fewn eich cyrraedd' (gweler Lc. 17: 21 a'r troednodyn).

Gallwn grynhoi, felly, drwy ddweud bod y deyrnas, sef teyrnasiad Duw drosom, wedi cychwyn neu wedi dod yn agos yn nyfodiad Iesu Grist, ond ei bod eto i ddod yn ei llawnder wrth i bobl agor eu calonnau i'r Arglwydd Iesu ac ymroi i fyw yn ôl egwyddorion y deyrnas.

Yr ymateb priodol i ddyfodiad y deyrnas yw 'edifeirwch'. Golyga'r gair Groeg am edifarhau 'gyfnewid meddwl', neu 'newid cyfeiriad' neu 'droi'n ôl'. Mae dyfodiad y deyrnas yn golygu dod wyneb yn wyneb â Duw – dyfodiad Duw at bobl mewn barn a gwaredigaeth. Ac felly, rhaid troi'n ôl ato – troi oddi wrth fywyd hunanganolog at fywyd Duw-ganolog; troi oddi wrth bechodau a throseddau at faddeuant Duw; troi oddi wrth fwriadau ac amcanion materol at fwriadau ysbrydol a thragwyddol; troi oddi wrth bleserau bydol at ganfod gwir lawenydd yn Nuw.

Mae'r cenedl-ddynion sy'n 'troi at Dduw' (Act. 15: 19) i'w derbyn yn ddiymdroi i'r Eglwys. Comisiwn yr Apostol Paul yw i 'droi' pobl o dywyllwch i oleuni (Act. 26: 18). Comisiwn Paul yw'r comisiwn i'r Eglwys ym mhob oes, sef galw pobl i droi mewn edifeirwch at Dduw ac i brofi llawenydd bywyd newydd y deyrnas.

Yn synagog Nasareth

Ar y dechrau roedd Iesu 'yn cael clod gan bawb' (Lc. 4:15). Âi o gwmpas Galilea i ddysgu yn y synagogau, ac roedd pobl yn tyrru i wrando arno a'i gymeradwyo. Ond dengys yr hanes amdano yn Nasareth, tref ei febyd, nad oedd yr un mor boblogaidd ym mhobman. O holl drefi Galilea, Nasareth oedd un o'r rhai mwyaf di-nod. Ni cheir unrhyw gyfeiriad ati yn yr Hen Destament. Doedd dim syndod i Nathanael holi Philip, 'A all dim da ddod o Nasareth?' (In. 1: 46). Ac eto, yn y lle dibwys hwn y magwyd Mab Duw. Unwaith eto, gwelir Duw ar waith yn rhoi pwys ar y dibwys ac enwogrwydd i'r di-nod. Trwy ddychwelyd i Nasareth, dangosodd Iesu barch at fro ei febyd. Er iddo gael clod ar hyd a lled Galilea nid anghofiodd am ei gartref.

Penderfynodd mai yn y synagog yn Nasareth, lle y cafodd ei fagu, y dylai gyhoeddi maniffesto ei genhadaeth. Dywed Luc iddo fynd i'r synagog ar y Saboth 'yn ôl ei arfer' (Lc. 4: 16).

Yr oedd gan bob synagog arweinydd a fyddai'n dewis rhai i ddarllen, i offrymu gweddïau ac i bregethu. Yr arweinydd a estynnodd i Iesu sgrôl y proffwyd. Fel y cyflwynwyd gweinidogaeth Ioan Fedyddiwr gyda dyfyniad o broffwydoliaeth Eseia (Lc. 3: 4–6), rhoes Luc fraslun o genhadaeth Iesu trwy ddethol adnodau o'r un broffwydoliaeth a ddisgrifiai brif nodweddion ei genhadaeth. Yn gyntaf, mae Iesu'n hawlio bod Ysbryd yr Arglwydd arno, a bod yr Ysbryd wedi ei eneinio ar gyfer ei waith. Roedd neges lem Ioan Fedyddiwr wedi atgoffa'r bobl eu bod yn bechaduriaid a bod angen iddynt edifarhau. Ond y mae gan Iesu newyddion da iddynt: 'newydd da i dlodion' (Lc. 4: 18), ac nid i dlodion yn unig ond i garcharorion, deillion a'r gorthrymedig. Y mae addewidion y deyrnas ar gyfer pobl anghenus pob oes, er y byddai ffyddloniaid Iddewig yn eu dehongli fel addewidion i 'weddill ffyddlon' Israel, yn unol â neges wreiddiol Eseia.

Trwy ddyfynnu'r geiriau hyn a'u cymhwyso ato'i hun, roedd Iesu'n ei uniaethu ei hun â Gwas yr Arglwydd; a byddai ei gynulleidfa'n deall ei fod yn honni mai proffwyd ydoedd, a mwy na phroffwyd, gan fod i'r geiriau hefyd gysylltiadau Meseianaidd. Ar y dechrau, roedd y bobl wrth eu bodd, yn falch fod Iesu, 'mab Joseff' (Lc. 4: 22) yn pregethu gyda'r fath arddeliad ac yn cynnig neges mor obeithiol i'r bobl. Ond gwyddai Iesu mai ceisio arwydd i foddhau eu chwilfrydedd a wnâi'r bobl mewn gwirionedd, yn hytrach na rhoi ystyriaeth i hanfod ei neges. Yna ychwanegodd, 'Yn wir, rwy'n dweud wrthych nad oes dim croeso i'r un proffwyd ym mro ei febyd' (Lc. 4: 24). Gwyddai Iesu pe bai'n barod i gyflawni rhyfeddodau y byddai'r bobl yn ei arddel a'i gefnogi fel un o'u bechgyn hwy eu hunain. Ond nid dyna oedd dymuniad Iesu, a gwyddai'n iawn nad oedd fawr o ymateb i'w wir genadwri.

Trodd y gynulleidfa yn ei erbyn, a 'llanwyd pawb yn y synagog â dicter' (Lc. 4: 28). Yn aml, bydd teimladau cryfion yn newid mewn tyrfa ac yn ymledu'n gyflym. Aethant ati i'w fwrw o'r dref gan fwriadu ei ladd, ond llwyddodd Iesu i ddianc. Ai arwydd o wyrth oedd hynny, gan nad oedd ei amser wedi dod eto? Mae un peth yn sicr, cafodd Iesu ragflas o'r math o wrthwynebiad y byddai'n ei brofi yn nes ymlaen.

Cwestiynau i'w trafod:

1. Beth, yn eich barn chi, yw ystyr yr ymadrodd 'teyrnas Dduw,' a beth a olygai Iesu wrth ddweud bod y deyrnas wedi cyrraedd?

2. Sut y mae sicrhau bod gwasanaethu'r tlodion, yr anghenus a'r gorthrymedig yn cael blaenoriaeth yng ngwaith yr Eglwys heddiw?

3. Sut y dylem ni heddiw ymateb i feirniadaeth a gwrthwynebiad?

DEWIS DISGYBLION

Mathew 4: 18–22; 9: 9–13; 10: 1–4; Marc 1: 16–20; 2: 13–17; 3: 13–19; Luc 5: 1–11, 27–32; 6: 12–16; Ioan 1: 35–44

Yn ei lyfr *The Mind of Jesus* y mae William Barclay yn dyfynnu stori am Gerddorfa'r Hallé, o dan arweiniad Syr John Barbirolli, yn cynnal cyngerdd yn neuadd genhadol Champness Hall yn Rochdale. Roedd y neuadd dan ei sang, ac meddai un o'r swyddogion wrth y gweinidog, 'Pam na chawn ni'r lle yma mor llawn â hyn ar ddydd Sul?' Atebodd y gweinidog, 'Fe allwn i lenwi'r lle pe bai gen i, fel Syr John Barbirolli, dîm o bedwar ugain o bobl ddisgybledig ac ymroddedig'. Rhaid i bob arweinydd, pa mor alluog bynnag y bo, wrth gydweithwyr i'w gefnogi a'i gynorthwyo yn ei waith.

Yn fuan yn ei weinidogaeth gyhoeddus, penderfynodd Iesu ddewis tîm o ddisgyblion. Ceir rhestr o'u henwau yn Mth. 10: 2–2; Mc. 3: 13–19 a Lc. 6: 14–16. Ond Marc yn unig sy'n nodi rhesymau Iesu dros eu galw: 'Penododd ddeuddeg er mwyn iddynt fod gydag ef, ac er mwyn eu hanfon hwy i bregethu ac i feddu awdurdod i fwrw allan gythreuliaid' (Mc. 3: 14). Mewn pregeth a draddodwyd yng Nghynhadledd Cyngor Eglwysi'r Byd yn niwedd y chwedegau, dywedodd Ysgrifennydd Cyffredinol y Cyngor, W. A. Visser 't Hooft, fod yr adnod hon yn diffinio galwad a gwaith Cristnogion ym mhob oes, sef galwad i *fod, dweud* a *gwneud.*

Galw deuddeg

Yr un rhesymau oedd gan Iesu pan alwodd ddeuddeg disgybl. Yn gyntaf, fe'u dewisodd *i fod gydag ef.* Fel pob person dynol, roedd ar Iesu angen cwmni a chefnogaeth ffrindiau – rhai y medrai rannu ei obeithion a'i weledigaeth, yn ogystal â'i bryderon a'i ofidiau, â hwy. Os oedd ei waith i lwyddo, gwyddai mor bwysig oedd cynnull o'i amgylch nifer o bobl y gallai ef eu hyfforddi a'u tywys i'w adnabod, ac a fyddai'n dod yn gyfeillion agos iddo. Yn Efengyl Ioan, mae Iesu'n ei gyffelybu ei hun i winwydden a'i ddisgyblion i'w changhennau, gan bwysleisio na allai'r winwydden ddwyn ffrwyth heb i'r canghennau aros ynddi. Yna meddai Iesu, 'Yr ydych chwi'n gyfeillion i mi os gwnewch yr hyn yr wyf fi'n ei orchymyn ichwi' (In. 15: 14). Gwaith a chyfrifoldeb cyntaf y disgyblion oedd bod yn gyfeillion i Iesu. Bod yn yr un berthynas agos â'n Harglwydd trwy weddi, defosiwn ac addoliad yw amod cyntaf bod yn ddisgybl heddiw.

Yn ail, dewisodd Iesu ddisgyblion i *ddweud:* 'er mwyn eu hanfon hwy i bregethu' (Mc. 3: 14). Pwysigrwydd hyfforddi'r disgyblion ym mywyd a dysgeidiaeth y deyrnas oedd eu cymhwyso i fod yn dystion ac yn genhadon iddo yn y byd. Ni fedrai Iesu fod ym mhob man, ac ni allai gyrraedd ond nifer cyfyng o bobl. Nid oedd dulliau cyfathrebu byd-eang i'w cael. Perthyn i'n hoes ni y mae radio, teledu, lloeren a'r we. Mewn un ffordd yn unig y gellid rhannu newyddion, sef trwy *ddweud.* Ac felly roedd yn rhaid i Iesu wrth ddilynwyr a fyddai'n enau iddo, rhai y gallai eu hanfon allan i'r byd i gyhoeddi newyddion da'r deyrnas. Gwaith y Cristion o hyd yw dweud wrth eraill am Iesu, ac nid oes cyfrwng mwy effeithiol, hyd yn oed yn yr oes fodern hon, na'r gair llafar o enau un sy'n adnabod ac yn caru'r Arglwydd Iesu.

Yn drydydd, dewisodd Iesu ddisgyblion i *wneud,* sef i barhau'r gwaith o 'fwrw allan gythreuliaid'. Yn fersiwn Mathew o'r hanes ychwanegir 'ac i iacháu pob afiechyd a phob llesgedd' (Mth. 10: 1). Roedd iacháu cyrff a meddyliau pobl yn rhan amlwg o weinidogaeth Iesu o'r dechrau. Mae'r Eglwys wedi parhau i ddysgu a phregethu, ond nid yw wedi rhoi'r un sylw i iacháu. Er hynny, y mae i'r weinidogaeth iacháu le amlycach nag a fu, ac y mae cydnabyddiaeth gyffredinol o bwysigrwydd gweddi ac arddodiad dwylo ochr yn ochr â thriniaethau meddygol. Mewn llawer gwlad, yr Eglwys sy'n cynnal ysbytai a chlinigau i dlodion nad oes ganddynt adnoddau i dalu am driniaethau. Mynegiant yw hyn o gariad a thosturi Duw ar waith ac o'r ffaith fod a wnelo'r Efengyl ag anghenion y dyn cyfan.

Galwodd Iesu *ddeuddeg* disgybl, a hynny'n cyfateb i ddeuddeg llwyth Israel. Yn ôl proffwydi'r Hen Destament, byddai'r Meseia'n creu cymdeithas o waredigion ar y ddaear – 'saint y Goruchaf' (Dan. 7: 18). Yn ôl Eseia, y gweddill ffyddlon, cnewyllyn ysbrydol y genedl, fyddai cymdeithas y Meseia (Es. 10: 22). Ond i Iesu, roedd ei gymdeithas ef i gynnwys yr holl genhedloedd o fewn yr 'Israel newydd', a'r deuddeg disgybl, fel deuddeg llwyth yr hen Israel, yn arweinwyr iddi.

Daw'r alwad i'r arweinwyr newydd o ben mynydd: 'aeth allan i'r mynydd i weddïo, a bu ar hyd y nos yn gweddïo ar Dduw. Pan ddaeth hi'n ddydd galwodd ei ddisgyblion ato' (Lc. 6: 12–13). Fel y daeth yr alwad i Moses ar fynydd Sinai i sefydlu'r hen Israel, yn ei gymundeb â Duw ar y mynydd y cafodd Iesu'r arweiniad i ddewis ei ddisgyblion.

Cawn restr o'u henwau gan Mathew, Marc a Luc. *Simon* sydd ar ben y rhestr bob tro. Rhoddir iddo'r enw Pedr, sef Ceffas, neu 'craig' yn yr Aramaeg, yn dilyn ei gyffes yng Nghesarea Philipi. Nid ar sail ei gymeriad y cafodd yr enw, ond am mai ef oedd sylfaen y gymdeithas Gristnogol yn nes ymlaen. Gelwir *Iago* ac *Ioan,* dau fab Sebedeus, yn Boanerges, gair a ddehonglir gan Marc fel 'meibion y daran', efallai oherwydd natur eu personoliaeth neu eu dull o bregethu. Awgrym arall yw fod y gair yn dynodi eu bod yn efeilliaid.

Cyfeirir at *Andreas* fel brawd Simon Pedr, a chysylltir ef yn Efengyl Ioan â *Philip*, a dywedir bod y ddau o Fethsaida. Mae enwau Groegaidd y ddau yn adlewyrchu cymdeithas gymysg, ddwyieithog Galilea. Gyda'r blynyddoedd, aethpwyd i ystyried Andreas fel nawddsant y Genhadaeth Gristnogol gan fod pob sôn amdano yn cyfeirio ato'n arwain rhywrai at Iesu. Ystyr *Bartholomeus* yw 'mab Talmai', ac felly nid yw ei briod enw yn adnabyddus. Mae rhai wedi tybio mai ef yw Nathanael.

Yr un yw *Mathew*'r casglwr trethi a Lefi, y cawn hanes ei alw gan Mathew, Marc a Luc. 'Gefell' yw ystyr *Thomas* ac y mae'n bosibl ei fod yn frawd i *Iago fab Alffeus.* Yn ôl traddodiad yr Eglwys Ddwyreiniol, roedd Thomas ac Iago'n efeilliaid, ac ef yw prif sant yr eglwys honno. Lebeus yw'r ffurf ar enw *Thadeus* gan Mathew. Ystyr yr enw yw 'dyn y galon' neu 'dyn y teimlad'. Gelwir y Simon arall yn *Simon y Selot* neu'r

Cananead, oherwydd ei sêl wleidyddol, er na ddaeth plaid y Selotiaid i fod fel y cyfryw tan ar ôl dyddiau Iesu. Eu nod oedd gyrru'r Rhufeiniaid allan o wlad Israel.

Yn olaf, ceir *Jwdas Iscariot.* Ystyr Iscariot yw naill ai 'gŵr o Cerioth' neu 'lofrudd', sef *sicarius*, gair Lladin yn golygu 'gŵr y gyllell', ac felly enw arall am garfan o wrthryfelwyr efallai. Nodir bob amser mai ef a fradychodd Iesu. Nid oes gennym fawr o wybodaeth am y rhan fwyaf o'r rhai a enwyd, ond y mae'n amlwg eu bod yn griw cymysg iawn. Roedd gan rai ohonynt dueddiadau gwrthryfelgar, gwladgarol. Ochr yn ochr â hwy cawn gyn-gasglwr trethi a fu'n swyddog i'r Rhufeiniaid.

Ymateb i'r alwad

Y prif bwynt a wneir gan y tair efengyl gyntaf wrth adrodd hanes galw'r disgyblion yw fod y sawl y mae Iesu'n ei alw yn ymateb ar unwaith. Ar gychwyn ei weinidogaeth, mae'n galw pedwar disgybl ac y maent hwy'n ymateb yn ddiymdroi. Ceir rhywfaint o amrywiaeth rhwng fersiynau'r gwahanol efengylau wrth iddynt adrodd hanes galw'r disgyblion. Mae fersiynau Mathew a Marc yn cyfateb bron air am air. Dywedir mai wrth rodio ger y môr y gwelodd Iesu ddau bysgotwr: 'Wrth gerdded ar lan Môr Galilea gwelodd Iesu Simon a'i frawd Andreas yn bwrw rhwyd i'r môr; pysgotwyr oeddent' (Mc. 1: 16; Mth. 4: 18). Y môr oedd canolbwynt bywyd Galilea, er ei fod yn fychan o ran maint: 13 milltir o'r gogledd i'r de ac 8 milltir ar draws. Mae Luc, y cenedl-ddyn a wyddai fwy am y byd, bob amser yn cyfeirio ato fel *llyn.* Eto, roedd bywyd prysur ar ei lannau a dinasoedd fel Capernaum yn ganolfannau'r fasnach bysgota.

Geilw Iesu ar y ddau frawd i'w ddilyn, a heb oedi dim y mae'r ddau'n ufuddhau iddo. Yn nes ymlaen, gwêl ddau frawd arall: 'gwelodd Iago fab Sebedeus ac Ioan ei frawd; yr oeddent wrthi'n cyweirio'r rhwydau yn y cwch' (Mc. 1: 19). Geilw arnynt hwythau hefyd, ac ufuddhânt fel y ddau arall. Sylwch ar y geiriau 'ar unwaith': dywed Marc fod Iesu wedi eu galw 'ar unwaith'; dywed Mathew fod y ddau frawd wedi ymateb a gadael y cwch a'u tad 'ar unwaith' i ganlyn Iesu (Mth. 4: 22). Mae Mathew'n pwysleisio na fu unrhyw oedi ar eu rhan, a hefyd fod ymateb i alwad Iesu'n golygu aberth – y maent yn gadael eu moddion cynhaliaeth (y cwch a'r rhwydau), ac yn gadael eu rhwymau teuluol (eu tad).

Ni ellir gwybod a oedd Iesu wedi cyfarfod â'r un o'r pedwar cyn hynny ai peidio. Mae Luc yn disgrifio Iesu'n mynd i mewn i un o gychod Simon 'a dechrau dysgu'r tyrfaoedd o'r cwch' (Lc. 5: 3), sy'n awgrymu ei fod eisoes yn adnabod Simon. Yn ychwanegol, mae'r hanes am Iesu'n iacháu mam-yng-nghyfraith Simon (Lc. 4: 38–39) yn dystiolaeth eu bod yn gyfeillion. Go brin y byddai Simon, na neb o'r lleill hyd y gwyddom, yn gadael y cwbl ar ôl clywed galwad Iesu y tro cyntaf iddynt ei weld. Y mae'n fwy tebygol eu bod ymhlith 'disgyblion' ehangach Iesu, sef y rhai a fyddai'n gwrando arno'n dysgu ac yn ei ganlyn o fan i fan. Mae'n bwysig cofio bod yr efengylau yn sôn am lawer iawn o ddilynwyr ar wahân i gylch mewnol y Deuddeg. Os bu'r pedwar disgybl cyntaf am gyfnod ymhlith y cylch ehangach o ddilynwyr, byddent wedi ei gyfarfod lawer gwaith cyn cael eu galw ganddo i adael popeth a'i ddilyn. Wedi dweud hynny, mae Mathew a Marc yn pwysleisio eu hufudd-dod llwyr i'r alwad a'u parodrwydd i ymwrthod â phob uchelgais gyrfa a phob ymrwymiad teuluol er mwyn dilyn Iesu. Yn achos y rhan fwyaf o rabbiniaid, eu disgyblion fyddai'n dewis eu dilyn fel athro. Yma, Iesu sy'n dewis ei ddisgyblion. Dyma batrwm galwad Duw i'r proffwydi yn yr Hen Destament.

O sylwi ar y pedwar disgybl cyntaf, gwelwn mai dynion cyffredin oeddent, yn amrywio llawer o ran natur a chyraeddiadau. Yr unig arbenigrwydd a berthynai iddynt oedd i Iesu eu galw. Efallai iddo weld ynddynt, er eu gwendidau, ryw alluoedd cudd y gellid eu defnyddio yng ngwaith y deyrnas. Gwelai hwy, nid fel yr oeddent ar y pryd, ond fel y gallent fod o gael eu dysgu a'u dylanwadu ganddo ef. Fe'u galwodd hwy, nid fel disgyblion i eistedd wrth draed athro yn unig, ond fel prentisiaid i rannu ym mywyd y deyrnas ac i fod yn gyfryngau i ennill ac i ddysgu eraill. Eu gwaith fyddai pysgota am ddynion: Dewch ar fy ôl i, ac fe'ch gwnaf yn bysgotwyr dynion' (Mth. 4: 19; Mc. 1: 17).

Gallwn ddychmygu'r pysgotwyr hyn yn teimlo'n ddiffygiol ac yn anghymwys ar gyfer y gwaith oedd gan Iesu ar eu cyfer. Efallai mai dyna'r rheswm i Luc osod hanes eu galwad yn erbyn cefndir eu siom a'u digalondid o fod wedi treulio'r nos heb ddal dim. Dywed Iesu wrthynt am fynd allan eto. Er bod Simon yn amheus, maent yn ufuddhau gyda'r canlyniad iddynt ddal 'nifer enfawr o bysgod, nes bod eu rhwydau bron â rhwygo' (Lc. 5: 6). Ni ddywedir yn bendant ai gwyrth oedd y digwyddiad hwn ai peidio, ond yr oedd Iesu'n amlwg yn dysgu gwers bwysig iddynt. Nid yw digalonni a llaesu dwylo yn dda i ddim. Nid felly y mae llwyddo i ddal pysgod, ac nid felly y mae ennill dynion i fod yn ddilynwyr i Iesu chwaith. Ond fel y mae Iesu gyda hwy yn eu hangen a'u gwendid, bydd gyda hwy hefyd yn eu gwaith drosto yn y dyfodol.

A sylwer fel y mae Iesu'n apelio at eu medr a'u profiad fel pysgotwyr wrth sôn am ddal dynion. Daw Iesu atom bob un gan ofyn inni gysegru ein doniau a'n profiad iddo.

Nid yr un yw doniau pawb, ond y mae gan bob un ei gyfraniad unigryw ei hun i'w wneud i genhadaeth Iesu. Felly, daw'r alwad mewn ffyrdd gwahanol, ond yr un alwad sylfaenol ydyw i bawb.

Stori wahanol

Y mae'r adroddiad a geir yn Efengyl Ioan am alw'r disgyblion cyntaf yn wahanol iawn i'r hyn a groniclir yn y tair efengyl arall. Y mae dau o ddisgyblion Ioan Fedyddiwr yn dilyn Iesu oherwydd i Ioan ddatgan wrth i Iesu fynd heibio, 'Dyma Oen Duw!' (In. 1: 36). Andreas oedd un ohonynt, ond ni chawn wybod enw'r llall. Cwestiwn Iesu i'r ddau oedd, 'Beth yr ydych yn ei geisio?' (1: 38). Gwahoddir hwy gan Iesu i dreulio'r dydd yn ei gwmni, 'a'r diwrnod hwnnw arosasant gydag ef' (1: 39). Y mae ystyr dwfn i'r gair 'aros' yn Efengyl Ioan. Mae'n golygu nid yn unig rannu cwmni Iesu a gwrando arno, ond bod gydag ef mewn meddwl ac ysbryd. Mae Andreas yn ddiymdroi yn hysbysu ei frawd, Simon Pedr, iddynt ddarganfod y Meseia hirddisgwyliedig, ac yna fe gyflwyna ei frawd i Iesu. Yr hyn y mae Ioan yn awyddus i'w ddangos yw fod yr alwad i fod yn ddisgybl o reidrwydd yn arwain at rannu'r newyddion da ag eraill. Er bod stori Ioan yn wahanol, nid yw'n gwrthddweud yr hanes a geir gan Marc. Y mae'n fwy na phosibl fod y pedwar disgybl cyntaf wedi adnabod Iesu cyn iddo'u galw, ac mai Ioan, felly, sy'n egluro sut y daeth Andreas a Pedr i gyfarfod ag Iesu yn y lle cyntaf.

Wedi dychwelyd i Galilea, mae Iesu'n galw Philip i fod yn ddisgybl. Y mae ei orchymyn, 'Canlyn fi' (In. 1: 43) yn ein hatgoffa o'r alwad i'r pedwar pysgotwr, ac o alwad Lefi yn Mc. 2: 14. Wedi i Iesu ei alw, ymateb cyntaf Philip, fel Andreas, yw rhannu ei brofiad ag eraill trwy gyflwyno Nathanael i Iesu.

Cwestiynau i'w trafod:

1. Beth a barodd i'r disgyblion cyntaf ymateb mor barod i alwad Iesu?

2. Ystyriwch berthynas y tair agwedd ar waith y disgyblion – bod gydag Iesu, pregethu'r newyddion da, ac iacháu a bwrw allan gythreuliaid. A ydynt yn crynhoi gwaith a chenhadaeth yr eglwys heddiw?

3. Pam y dewisodd Iesu Jwdas Iscariot yn un o'r Deuddeg?

IACHÁU LLAWER

Mathew 4: 23–25; Marc 1: 21–34, 40–45; Luc 4: 31–41

Cyflwynodd Iesu ei faniffesto yn synagog Nasareth gan ddatgan ei fod wedi ei anfon 'i bregethu'r newydd da i dlodion ... i gyhoeddi rhyddhad i garcharorion, ac adferiad golwg i ddeillion, i beri i'r gorthrymedig gerdded yn rhydd, i gyhoeddi blwyddyn ffafr yr Arglwydd' (Lc. 4: 18). Roedd hon yn rhaglen gwbl ymarferol gyda phwyslais ar leddfu dioddefiadau a gofidiau, ac ar weithredu yn ogystal â dysgu.

Ni ellir darllen yr efengylau heb ddod wyneb yn wyneb â gwyrthiau Iesu. Mewn gwirionedd, maent yn gwbl ganolog i hanes ei fywyd a'i weinidogaeth. Byddai unrhyw ymgais i ddileu'r elfennau gwyrthiol yn ein gadael â darlun pitw a disylwedd. O gofio mai Efengyl Marc yw'r hynaf o'r pedair efengyl, mae'n arwyddocaol fod 209 o'r 661 adnod a geir ynddi, sef traean o'r efengyl, yn adrodd hanesion am wyrthiau. Ym mhennod gyntaf Marc yn unig, ceir chwe enghraifft o Iesu'n iacháu. Yn y synagog yng Nghapernaum mae'n iacháu dyn ag ysbryd aflan ynddo (Mc. 1: 21–28). Mae'n iacháu mam-yng-nghyfraith Simon Pedr yn ei chartref (1: 29–31). Gyda'r nos yr un diwrnod, daw tyrfa o bobl ato gan ddwyn cleifion yn dioddef o amrywiol afiechydon i'w hiacháu ganddo, yn cynnwys llawer a oedd wedi eu meddiannu gan gythreuliaid (Mc. 1: 32–33). Glanhaodd ddyn gwahanglwyfus (1: 40–44), a daw'r bennod i ben gyda darlun o dyrfaoedd 'yn dod ato o bob cyfeiriad' (1:45).

Ar ddechrau ei efengyl, mae Marc yn cyflwyno inni ddarlun o Iesu'r iachawr. Dro ar ôl tro yn yr efengylau gwelwn Iesu yng nghanol tyrfa o gleifion, ac yntau'n eu derbyn a'u hiacháu. Fwy nag unwaith, darllenwn y geiriau canlynol, 'dygasant ato yr holl gleifion oedd yn dioddef dan amrywiol afiechydon, y rhai oedd yn cael eu llethu gan boenau, y rhai oedd wedi eu meddiannu gan gythreuliaid, y rhai'n dioddef o ffitiau, a'r rhai oedd wedi eu parlysu; ac fe iachaodd ef hwy' (Mth. 4: 24; 8: 16; 12: 15; 14: 14; 15: 30; 19: 2; Mc. 1: 34; 3: 10; Lc. 4: 40; 6: 18; 7: 21).

Yn gynnar yn ei efengyl yntau mae Mathew, fel Marc, yn cyflwyno inni batrwm o waith a gweinidogaeth Iesu: 'Yr oedd yn mynd o amgylch Galilea gyfan, dan ddysgu yn eu synagogau hwy a phregethu efengyl y deyrnas, ac iacháu pob afiechyd a phob llesgedd ymhlith y bobl' (Mth. 4: 23). Dysgu, pregethu, iacháu – dyna oedd patrwm triphlyg gweinidogaeth Iesu. A'r un patrwm a osododd Iesu i'w ddisgyblion wrth eu hanfon allan i'w cenhadaeth. Rhoddodd iddynt awdurdod i fwrw allan ysbrydion aflan ac i iacháu pob afiechyd a phob llesgedd (Mth. 10: 35), yn ogystal ag i bregethu newyddion da'r deyrnas. Roedd iacháu i fod yn elfen hollbwysig yng ngweinidogaeth y disgyblion ac ym mywyd yr Eglwys.

Gwyrthiau iacháu

Y cwestiwn sy'n blino pobl yn yr oes wyddonol hon yw, a ellir credu mewn gwyrthiau? A ddigwyddodd gwyrthiau Iesu yn union fel y disgrifir hwy yn yr efengylau? Ond y cwestiwn y dylid ei ofyn yw, beth oedd pwrpas awduron yr efengylau wrth eu croniclo? Iddynt hwy, roedd i'r gwyrthiau bwrpas addysgol gan fod pob un yn dangos rhyw agwedd ar gymeriad a gweinidogaeth Iesu. Neges y gwyrthiau iacháu yw fod Iesu'n tosturio wrth gleifion a phobl anabl, a bod Duw hefyd felly yn tosturio ac yn dymuno i bawb fyw bywyd iach, yn rhydd o ormes, dioddefaint a thrallod. Neges y gwyrthiau am Iesu'n agor llygaid y deillion yw fod Iesu nid yn unig yn adfer golwg i'r deillion, ond hefyd yn agor llygaid pawb i weld cariad Duw ar waith yn eu bywydau. Amcan gwyrth porthi'r pum mil yw dangos mai Iesu yw Bara'r Bywyd. Trwy droi dŵr yn win yn y briodas yng Nghana, mae'n dangos bod gwin newydd yr Efengyl yn rhagori ar hen win Iddewiaeth. Pwrpas y gwyrthiau natur – gostegu'r storm, cerdded ar y dŵr, a'r ddalfa fawr o bysgod – yw dangos awdurdod Iesu dros fyd natur a'r cread. Ac amcan yr hanesion am Iesu'n atgyfodi'r meirw – merch Jairus, mab y weddw yn Nain, a Lasarus – yw dangos ei fod yn Arglwydd bywyd a marwolaeth a'i fod yn cyfodi'r sawl sy'n credu ynddo o afael pechod, ofn, dioddefaint ac angau.

Prif bwrpas astudio'r gwyrthiau yw canfod yr hyn a ddysgant am berson a gwaith yr Arglwydd Iesu. Nid profion o'i natur ddwyfol mohonynt, ond rhan o'r dystiolaeth amdano – ffenestri i weld drwyddynt ystyr ac arwyddocâd ei weinidogaeth a'i berthynas unigryw â Duw.

Yn Iesu, gwelir Duw ar waith, yn bresennol ymysg ei bobl yn dwyn iachâd, adferiad, maddeuant a bywyd newydd i bawb sy'n ymddiried ynddo. Yn y bennod gyntaf o'i efengyl, mae Marc yn rhoi enghreifftiau inni o'r math o wyrthiau a gyflawnodd Iesu yn ystod ei weinidogaeth, sef bwrw allan gythreuliaid, iachau afiechydon a glanhau dynion gwahanglwyfus.

Y wyrth gyntaf yw bwrw ysbryd aflan allan o'r dyn yn y synagog yng Nghapernaum (Mc. 1: 21-28). Dywed Marc fod Iesu wedi mynd i mewn i'r synagog a dechrau dysgu 'fel un ag awdurdod ganddo'. Yn wahanol i athrawon eraill, roedd ganddo *garisma,* neu awdurdod hollol unigryw, 'nid fel yr ysgrifenyddion' (1: 22). Daw ei awdurdod dwyfol i'r amlwg mewn dwy ffordd – trwy ei *ddysgeidiaeth,* a thrwy ei *weithred o fwrw allan ysbryd aflan;* – mae'r wyrth fel petai'n cadarnhau dilysrwydd ei ddysgeidiaeth ac yn dangos bod i'w ddysgeidiaeth rym ymarferol yn ogystal â rhagoriaeth addysgol. Mae'n air llafar ac yn air gweithredol ar yr un pryd.

Dysgeidiaeth Iesu sy'n cynhyrfu'r ysbryd aflan ac yn peri iddo weiddi allan ei fod yn adnabod Iesu: 'Mi wn pwy wyt ti – Sanct Duw' (1: 24). Mae'n gwybod hefyd fod Iesu wedi dod i'w orchfygu. Meddai Iesu, gan wahaniaethu rhwng yr ysbryd a'r dioddefwr ei hun, 'Taw, a dos allan ohono' (1: 25). Wrth ddod allan, mae'r ysbryd yn dirdynnu'r dyn ac yn rhoi bloedd uchel. Brawychwyd y bobl gan y digwyddiad, a chan awdurdod Iesu yn bwrw allan ysbrydion aflan ac yn peri iddynt ei gyffesu'n Feseia. Bu effaith y wyrth yn ysgubol ac aeth y sôn am Iesu ar led trwy holl gymdogaeth Galilea.

Beth a wnawn ni mewn oes seciwlar o hanesion am ysbrydion aflan? Yn nyddiau Iesu, priodolid nifer o afiechydon i ddylanwad ysbrydion drwg a fyddai'n llwyddo ryw sut neu'i gilydd i fynd i mewn i gorff a meddwl person. Fel dyn ei oes, byddai Iesu wedi derbyn y gred mewn demoniaid. Ein tuedd ni yw ystyried cred o'r fath yn ofergoeliaeth, a byddai meddygon yn cynnig diagnosis gwahanol, megis sgitsoffrenia neu epilepsi. Ond os oedd diagnosis Iesu a'i gyfoedion yn wahanol ac yn nodweddiadol o'u hoes, rhaid cofio bod meddygaeth seicosomatig fodern yn gweld perthynas agos rhwng afiechydon corfforol ac anhwylderau meddyliol. Roedd yn amlwg fod gan Iesu allu i dawelu meddyliau cythryblus a dryslyd ac i iachâu afiechydon corfforol. A bwriad Marc, wrth adrodd yr hanes hwn, yw dangos yn eglur fod Iesu, a gyffeswyd yn Sanct Duw neu Feseia Duw, wedi dod i ymladd brwydr yn erbyn holl bwerau drygioni a bod ganddo rym i orchfygu nid yn unig ddemoniaid, ond hefyd afiechyd, twyll, pechod, anghyfiawnder ac angau.

Wedi dangos awdurdod Iesu dros ysbrydion aflan, mae Marc yn mynd ymlaen i ddangos bod ganddo'r un gallu i iachâu afiechydon corfforol cyffredin trwy adrodd hanes ei gyfarfyddiad â mam-yng-nghyfraith Pedr. Mae'n debyg mai rhyw fath o falaria oedd y 'dwymyn' a ddioddefai, gan fod hwnnw'n gyffredin iawn yn nyffryn Iorddonen. Mae ei hiachâd yn cydymffurfio â phatrwm cyffredin y gwyrthiau a fyddai'n dilyn – disgrifiad o'r symptomau, gweithred Iesu (yn yr achos hwn, cyffwrdd â'r claf), a phrawf fod yr iachâd yn ddilys. Ond nid yw Iesu yn ei gyfyngu ei hun i un dull o iacháu. Fe all gyffwrdd â chlaf, neu fe all gair yn unig fod yn ddigon. Gweithred symbolaidd yw iddo afael yn llaw mam-yng-nghyfraith Pedr, yn amlygu cyfeillgarwch a chefnogaeth, ond hefyd awdurdod Iesu. Y mae'n gafael yn ei llaw 'a'i chodi' (Mc. 1: 31) – nid yn unig ei chodi ar ei heistedd, ond ei chodi o afael ei hafiechyd a'i gwendid i fywyd iach.

Marc yn unig sy'n cyfeirio at 'yr holl gleifion a'r rhai oedd wedi eu meddiannu gan gythreuliaid' (1: 32) yn dod ato ar derfyn dydd wedi i'r haul fachlud. Dengys yr hanes fod gan Iesu'r ddawn i ddelio ag 'amrywiol afiechydon' (1: 34) ac nad oedd unrhyw afiechyd y tu hwnt i'w allu i'w wella, yn cynnwys bwrw allan gythreuliaid. Y mae'n siarsio'r cythreuliaid i beidio â dweud gair amdano 'oherwydd eu bod yn ei adnabod'.

Gan ei fod am osgoi cyhoeddusrwydd, nid yw Iesu am i gyfrinach ei berson a'i waith Meseianaidd fynd ar led ac nid yw am i bobl ei ddilyn am fod ganddo'r gallu i iacháu. Er mor bwysig yw'r wedd hon ar ei waith yr oedd ei weinidogaeth yn cynnwys mwy nag iacháu yn unig.

Iacháu dyn gwahanglwyfus

Wrth roi enghreifftiau inni o allu Iesu i iacháu pob math o afiechydon, mae Marc yn mynd ymlaen i nodi enghraifft arall o'i allu mewn hanesyn amdano'n glanhau dyn gwahanglwyfus (Mc. 1: 40–45). Adroddir yr un hanes gan Mathew a Luc. Luc yn unig sy'n rhoi i ni hanes glanhau deg o wahangleifion. Y prif wahaniaeth rhwng y ddau hanes yw fod Iesu yn stori Marc yn estyn ei law ac yn *cyffwrdd* â'r claf. Mae ei gyffyrddiad nid yn unig yn gyfrwng i iacháu'r dyn ond hefyd yn arwydd o dosturi di-ofn Iesu ac ohono'n pontio'r agendor enfawr a oedd rhwng gwahangleifion a gweddill y gymdeithas. Nid aflendid corfforol yn unig oedd y gwahanglwyf; roedd yn aflendid moesol ac ysbrydol hefyd. Ystyrid afiechyd y gwahanglwyf yn fath o gosb ddwyfol, a chredid bod dioddefwr islaw sylw dyn a Duw. Yn nyddiau'r Beibl, nid oedd iachâd o unrhyw fath i'w gael i'r gwahanglwyf. Ni ellid gwneud dim ond ceisio'i reoli trwy wahanu dioddefwyr oddi wrth weddill y boblogaeth. Byddai'n rhaid i ddioddefwr adael ei deulu, ei gyfeillion a'i gymdogaeth a gwneud ei drigfan yn ddigon pell i ffwrdd, gyda gwahangleifion eraill, yn y diffeithwch neu rywle anghysbell arall.

Dywed Marc fod Iesu wedi 'tosturio' wrth y dyn gwahanglwyfus. Gwelai'r olwg druenus oedd arno – ei ddillad yn garpiog, ei wallt yn aflêr, ei groen yn grachau a'i lais yn gryg. Ond nid mater o deimlad yn unig yw ei dosturi. Rhaid mynegi'r tosturi hwnnw mewn modd ymarferol. Mae Iesu'n estyn llaw 'a chyffwrdd ag ef' (1: 41). Mae'n torri'r ddeddf wrth gyffwrdd â hwn, ond mae angen truenus y dyn yn bwysicach iddo na mân reolau cyfreithiol. Ond nid dangos ei gydymdeimlad yn unig a wna Iesu ond ei iacháu. Ac nid ei iacháu yn unig chwaith, ond ei *lanhau.* Mae Luc yn pwysleisio hyn trwy ddefnyddio'r gair 'glanhau' dair gwaith yn ei adroddiad ef. Nid yw'r dyn bellach yn halogedig, nid yw'n heintus, nid yw'n wrthodedig gan Dduw, nid yw mwyach yn berson ar wahân. Y mae wedi'i lanhau'n gorfforol, yn gymdeithasol ac yn ysbrydol.

I Iesu, mae iacháu'n golygu mwy nag adferiad iechyd yn unig. Mae'n golygu dwyn person i gyflawnder bywyd – i iawn berthynas ag ef ei hun, â'i amgylchfyd, â'i amgylchiadau, â'i gyd-ddyn ac â Duw. Un wedd yn unig ar iachâd yw iachâd corfforol. Un o eiriau mawr yr Hen Destament yw *shalom,* sy'n golygu bywyd o undod a harmoni â'r hunan, â phobl eraill, ac â Duw. Gan fod Iesu wedi rhoi comisiwn i'w ddisgyblion i barhau ei genhadaeth o bregethu'r Efengyl, bwrw allan gythreuliaid ac iachau'r cleifion, y mae'r un dasg yn ein hwynebu yn yr Eglwys heddiw, sef tywys pobl i gyflawnder a chreu *shalom* ynom ac o'n hamgylch.

Deall y gwyrthiau heddiw

Beth ddylai ein hagwedd ni fod at y gwyrthiau heddiw? I lythrenolwyr, rhaid derbyn y gwyrthiau'n ddigwestiwn gan fod y Beibl yn air anffaeledig Duw na ddylid ei amau o gwbl. Gan fod y gwyrthiau yn y Beibl, y mae'r hanesion amdanynt yn wir bob gair. Ar y pegwn arall, ceir anffyddwyr sy'n gwrthod yn llwyr bob elfen wyrthiol a goruwchnaturiol. Mae eu safbwynt hwy'n seiliedig ar egwyddorion gwyddonol, nid ar ffydd nac ar y Beibl. Iddynt hwy, nid oes lle i ddigwyddiadau anghyffredin sy'n ymyrryd â threfn natur a symudiadau'r cread. Ond y mae llwybr canol i'w gael. Nid yw Duw yn gaeth i'r deddfau natur a greodd ef ei hun. Y mae'n Dduw byw, sy'n fwy na'i greadac sy'n ei ddatguddio'i hun yn ei gread ac yn hanes a phrofiadau ei bobl, ac mewn modd arbennig yn Iesu Grist. Y wyrth fwyaf oll yw dyfodiad Duw i'r byd yn ei Fab Iesu Grist. Yng ngeiriau Pantycelyn:

> Ymhlith holl ryfeddodau'r nef
> hwn yw y mwyaf un –
> gweld yr anfeidrol, ddwyfol Fod
> yn gwisgo natur dyn.

Ar y naill law, felly, o dderbyn bod Iesu'n Fab Duw mae'r posibilrwydd o wyrthiau a gweithredoedd nerthol yn dilyn. Ar y llaw arall, mae rheswm yn peri ini gwestiynu dilysrwydd rhai gwyrthiau, yn enwedig y gwyrthiau natur: cerdded ar y dŵr, gostegu'r storm, melltithio'r ffigysbren, troi dŵr yn win, y ddalfa fawr o bysgod, ac o bosibl yr hanesion am Iesu'n atgyfodi'r meirw. Gellir rhoi eglurhad naturiol i nifer o'r hanesion hyn. Ffydd od a simsan iawn yw'r ffydd sy'n gwrthod defnyddio rheswm a synnwyr cyffredin wrth ddehongli'r elfennau gwyrthiol yn hanes a bywyd Iesu. Y mae i wyrth, fel i ddameg, ddwy ystyr: yr ystyr sydd ar yr wyneb fel stori neu ddisgrifiad o ddigwyddiad, a'r ystyr sydd o dan yr wyneb, sef y weledigaeth a'r neges ysbrydol. Chwilio am yr ail ystyr hon sy'n bwysig wrth geisio deall a dehongli'r gwyrthiau.

Cwestiynau i'w trafod:

1. A yw'r pwyslais heddiw ar feddygaeth seicosomatig, sef perthynas corff a meddwl, yn ei gwneud yn haws i ni ddeall a derbyn gwyrthiau iacháu Iesu?

2. Beth yw arwyddocâd cyffyrddiad Iesu yn yr hanes amdano'n glanhau'r dyn gwahanglwyfus?

3. A oes lle i gredu heddiw ym modolaeth ysbrydion aflan?

YR ATHRO MAWR

Mathew 5: 1–12; 7: 28–29; Luc 15: 1–7; Ioan 2: 23–25

Yr argraff gyntaf a wnaeth Iesu ar bobl Galilea oedd ei fod yn athro dawnus, a bod cynnwys ei ddysgeidiaeth a'i ddull o ddysgu yn destun syndod iddynt: 'yr oedd yn eu dysgu fel un ag awdurdod ganddo, ac nid fel eu hysgrifenyddion' (Mth. 7: 28–29). Ond rhaid peidio â chamddeall yr hyn a olygir wrth 'awdurdod' yn nyfarniad y bobl. Ni olygai ei fod yn ddogmatig yn ei ddatganiadau, tra bod yr ysgrifenyddion yn arwynebol ac anwadal. I'r gwrthwyneb. Yr ysgrifenyddion oedd yr athrawon dogmatig, yn fanwl uniongred, yn gwarchod traddodiad ac yn ystyried y Gyfraith, neu eu dehongliad hwy ohoni, yn gwbl anffaeledig. Ond nid apelio at draddodiad nac arferion y gorffennol a wnâi Iesu, ond tynnu ar ei brofiad ei hun a'i sicrwydd mewnol o'r gwirionedd. Roedd ei ddysgeidiaeth yn ffrwyth ei weledigaeth personol a'i berthynas agos â Duw ei Dad nefol.

Ar yr un pryd, apeliai am ymateb gan ei wrandawyr: 'y sawl sydd â chlustiau ganddo, gwrandawed' (Mth. 11: 15). Yr oedd hyd yn oed ei wrthwynebwyr yn barod i gydnabod ei allu fel athro; ac wrth iddynt roi prawf ar ei ddysgeidiaeth byddent yn ei gyfarch yn barchus, 'Athro, gwyddom dy fod yn gwbl eirwir, ac yn dysgu ffordd Duw yn unol â'r gwirionedd' (Mth. 22: 16; Mc. 12: 14; Lc. 20: 21).

Athro, Meistr, Rabbi

Pan gyfeirir at Iesu yn yr efengylau fel *athro,* defnyddir un o dri gair. Y mwyaf cyffredin yw *didaskalos,* a ddefnyddir bron i ddeugain o weithiau; mae'n golygu *athro,* ond athro a oedd yn feistr ar ei bwnc ac fel hyfforddwr. O ganlyniad, mewn perthynas ag Iesu, *fe'i cyfieithir yn aml fel meistr.* Hoff air Luc yw *epistates* (Lc. 5: 5; 8: 24, 45; 9: 33, 49; 17: 13), sydd yn llythrennol yn golygu *prifathro.* Gair sy'n gyffredin i awduron yr efengylau yw *rabbi* (Mth. 26: 49; Mc. 9: 5; 10: 51; 11: 21; 14: 45), sef y teitl a ddefnyddid i gyfarch athro Iddewig cydnabyddedig.

Ei ystyr yn llythrennol yw *fy nghynghorwr* neu *fy arwr,* a hwn yw'r gair a ddefnyddir amlaf yn yr efengylau i ddisgrifio Iesu. O roi'r tri gair at ei gilydd – *didaskalos, epistates* a *rabbi* - fe'u defnyddir fwy na hanner cant o weithiau yn yr efengylau. O flaen popeth arall ystyrid Iesu yn athro *par excellence.*

Dechreuodd Iesu ddysgu yn y synagogau yng Ngalilea (Mth. 4: 23; Lc. 4: 15), ac fe'i ceir ymhen y rhawg yn dysgu yn y deml yn Jerwsalem (Mc. 14: 49; Mth. 26: 55; Lc. 20: 1). Fe'i ceir hefyd yn mynd i'r afael â chwestiynau dwfn a dyrys gyda dysgedigion ei ddydd (Mth. 22: 23–46; Mc. 12: 13–44; Lc. 20: 19–44). Ond fel y cynyddai gwrthwynebiad yr awdurdodau uniongred i'w ddysgeidiaeth, a'u heiddigedd o'i boblogrwydd ymysg y bobl, caewyd drysau'r synagogau yn ei erbyn a gorfodwyd ef i draethu yn yr awyr agored, ar lan y môr ac ar lethrau'r mynydd. Yn wahanol i bregethu o bulpud, neu i ddysgu mewn ystafell ddosbarth mewn coleg neu ysgol, mae llefaru yn yr awyr agored yn gofyn sgiliau cyfathrebu arbennig. Rhaid i gynnwys yr hyn a ddysgir hawlio sylw pobl. Rhaid iddo fod yn apelgar, yn heriol, yn berthnasol, ac yn ddealladwy i bobl gyffredin. Dywedir am Iesu fod 'y dyrfa fawr yn gwrando arno yn llawen' (Mc. 12: 37). Fel hyn y mae William Barclay yn crynhoi doniau unigryw Iesu fel athro: 'There have been very few teachers who were equally at home and equally effective with any kind of audience – but Jesus was. As a teacher he had in a unique degree the quality of universal appeal.'

Sut y llwyddodd Iesu i ddal a chadw sylw ei wrandawyr? Yn y lle cyntaf, defnyddiodd yr *epigram gafaelgar* – ymadrodd a fyddai'n cydio yn y cof a'r dychymyg ar unwaith. Er enghraifft, 'Darostyngir pwy bynnag fydd yn ei ddyrchafu ei hun, a dyrchefir pwy bynnag fydd yn ei ddarostwng ei hun' (Mth. 23:12); 'Nid yw bywyd neb yn dibynnu ar ei feddiannau' (Lc. 12: 15); 'Nid yw'r sawl a osododd ei law ar yr aradr, ac sy'n edrych yn ôl, yn addas i deyrnas Dduw' (Lc. 9: 62); 'Pwy bynnag a fyn gadw ei fywyd, fe'i cyll, ond pwy bynnag a gyll ei fywyd er fy mwyn i, fe'i caiff' (Mth. 16: 25). Gellir deall sut y byddai dywediadau o'r fath yn gafael yng ngwrandawyr Iesu, yn troi a throsi yn y meddwl ac yn aflonyddu hefyd ar y gydwybod.

Yn ail, defnyddiodd Iesu'r *paradocs pryfoclyd,* – a fyddai'n ysgogi'r meddwl ac yn herio'i wrandawyr i ystyried yn ddwys yr hyn a olygai. Roedd hyn yn arbennig o wir am y Gwynfydau (Mth. 5: 1–16; Lc. 6: 20–26). Roedd datgan bod y tlawd, yr addfwyn, y newynog, y galarus a'r rhai a erlidir yn wynfydedig yn gwbl groes i syniadau'r byd. Dyma droi doethineb confensiynol wyneb i waered. A'r un modd, roedd dweud bod yn rhaid i ddyn gymryd ei droi a'i wneud fel plentyn er mwyn mynd i mewn i deyrnas nefoedd (Mth. 18: 3) yn newid yn llwyr holl syniad y byd am fawredd a phwysigrwydd. Mae'r dywediadau hyn a'u tebyg yn aflonyddu, yn dwysbigo ac yn chwyldroi gwerthoedd a syniadau cydnabyddedig pobl, nid yn unig yn nyddiau Iesu, ond yn ein hoes hunangar, faterol ninnau hefyd.

Yn drydydd, defnyddiodd Iesu *ormodiaith fwriadol.* Roedd yna adegau pan deimlai fod angen ysgwyd ei wrandawyr o'u syrthni a'u cysgadrwydd; drwy achosi braw a sioc: 'Os yw dy lygad de yn achos cwymp iti,' meddai Iesu, 'tyn ef allan a'i daflu oddi wrthyt ... Ac os yw dy law dde yn achos cwymp iti, tor hi ymaith a'i thaflu oddi wrthyt' (Mth. 5: 29–30); 'Os daw rhywun ataf fi heb gasáu ei dad ei hun, a'i fam a'i wraig a'i blant a'i frodyr a'i chwiorydd, a hyd yn oed ei fywyd ei hun, ni all fod yn ddisgybl imi' (Lc. 14: 26). Trwy ddarluniau o'r fath y dywed synnwyr cyffredin wrthym na ddylid eu derbyn yn llythrennol, cawn Iesu'n defnyddio gormodiaith i gyflwyno i'w wrandawyr ddifrifoldeb yr alwad i'w ddilyn. Nid oes neb na dim i gael blaenoriaeth ar ofynion enbyd teyrnas Dduw.

Yn bedwerydd, defnyddiodd Iesu, yn achlysurol, *ddigrifwch crafog,* yn enwedig wrth ddinoethi rhwysg, rhagfarn a ffug-barchusrwydd. Wrth feirniadu'r rhai a oedd yn rhy barod i weld bai ar eraill, defnyddiai ddarlun o ddyn â thrawst yn ei lygad yn edrych ar frycheuyn yn llygad ei gyfaill (Mth. 7:1–5). Mae ei rybudd i gyfoethogion, sef ei bod yn 'haws i gamel fynd trwy grau nodwydd nag i rywun cyfoethog fynd i mewn i deyrnas Dduw' (Mth. 19: 24), yn ddarlun digrif a fyddai wedi llonni'r rhan fwyaf o'i wrandawyr ond wedi styrbio'r rhai bydol – er bod mwy nag un esboniad o'r adnod yn bosibl. Gwyddai Iesu y gellid cyrraedd calonnau ac eneidiau pobl trwy air ysgafn a doniolwch a gwên.

Y damhegion

Does ddwywaith mai'r ddameg yw prif gyfrwng dysgu'r Arglwydd Iesu. Trwy'r damhegion y deuwn agosaf at deithi ei feddwl a hanfodion ei ddysgeidiaeth. Y rheswm pennaf am hynny yw mai geiriau Iesu ei hun a glywn ynddynt. Er bod ôl dwylo awduron yr efengylau i'w weld ar ffurf a chynnwys rhai o'r damhegion wrth iddynt eu golygu a'u haddasu yng ngoleuni ffydd a phrofiad yr Eglwys Fore, gallwn er hynny fod yn sicrach o ddilysrwydd y damhegion nag o unrhyw eiriau eraill a briodolir i Iesu. Yn fwy na hynny, yr hyn a ddaw'n fyw i ni yn y damhegion yw agosrwydd a realiti Iesu ei hun. Meddai'r Pab Bened XVI am y damhegion yn ei lyfr *Jesus of Nazareth:* 'Here we have a very immediate sense – partly because of the originality of the language, in which the Aramaic text shines through – of closeness to Jesus as he lived and taught.'

Defnyddiodd Iesu ddamhegion mor aml nes bod Marc yn datgan, wedi iddo gofnodi nifer ohonynt , 'Ar lawer o'r fath ddamhegion yr oedd ef yn llefaru'r gair wrthynt ... heb ddameg ni fyddai'n llefaru dim wrthynt. Ond o'r neilltu byddai'n egluro popeth i'w ddisgyblion ei hun' (Mc. 4: 33–34). Yr oedd sawl rheswm dros ddefnyddio damhegion fel cyfrwng addysgu. Yn gyntaf, roedd traddodiad hir o ddefnyddio damhegion yn yr Hen Destament ac ymhlith dysgawdwyr Israel; er enghraifft, y ddameg a ddefnyddiodd Nathan i geryddu'r Brenin Dafydd (2 Sam. 12: 1–7), a dameg y winllan ym mhroffwydoliaeth Eseia (Es. 5: 1–7). Yn ail, defnyddiodd Iesu ddamhegion oherwydd eu pwyslais ymarferol. Yn wahanol i'r Groegiaid, a hoffai drafod syniadau haniaethol ac athronyddol, roedd gan yr Iddewon fwy o ddiddordeb mewn syniadau a arweiniai at weithredu. Roeddent yn arbennig o hoff o ddamhegion am eu bod yn codi o sefyllfaoedd pob dydd ac yn arwain at weithredu ymarferol. Yn drydydd, gwelai Iesu werth mewn defnyddio'r cyfarwydd i esbonio'r anghyfarwydd. Y diffiniad traddodiadol o ddameg yw 'stori ddaearol ac iddi ystyr nefol'. Defnyddiodd Iesu bethau a oedd yn rhan o fywyd beunyddiol a chylch profiad ei wrandawyr i'w dysgu am bethau nefol. Gwelai ddarlun o waith achubol Duw mewn bugail yn chwilio am ddafad golledig. Gwelai ddarlun o faddeuant Duw ym mharodrwydd tad i groesawu ei fab afradlon adref. Gwelai eglureb o dwf y deyrnas mewn amaethwr yn hau ei had ac mewn hedyn mwstard yn tyfu'n goeden. Mae byd natur, ei dymhorau a'i waith, a digwyddiadau a chymeriadau real yn amlwg ymhlith y delweddau a ddefnyddir gan Iesu. O sefyllfaoedd dynol, cyfarwydd tywysodd ei wrandawyr i weld sut un yw Duw, i sylweddoli eu cyflwr a'u hangen, ac i ddeall gofynion byw yn nheyrnas Dduw.

Y mae her ac ergyd ym mhob dameg. Nid oedd Iesu am i'w wrandawyr fwynhau dameg fel stori yn unig, heb ddeall ei neges a'i hystyr iddynt yn bersonol. Ar rai adegau, mae'r bys yn pwyntio at Phariseaid ac ysgrifenyddion hunangyfiawn. Ar adegau eraill, mae'n pwyntio at ddisgyblion diddeall sydd am wybod pam nad yw'r deyrnas yn tyfu'n gyflymach. Ac ar adegau eraill, cyfoethogion sydd o dan y lach am eu bod yn anwybyddu angen y tlawd a'r anghenus. Yn ddieithriad, mae'r damhegion yn barnu, yn aflonyddu, yn codi cywilydd ac yn cythruddo. Yn achos y Phariseaid a'r arweinwyr crefyddol, arweiniodd hyn at benderfyniad i roi taw am byth ar yr athro trafferthus hwn a oedd yn bygwth tanseilio'u safle a'u hawdurdod ymhlith y bobl. Nid moeswersi neis, neis yw'r damhegion, ond saethau miniog sy'n hoelio rhagrith, bydolrwydd, balchder a diffyg tosturi. Fel y dywed yr esboniwr C. W. F. Smith, 'No one would crucify a teacher who simply told pleasant stories to enforce prudential morality'.

Cynnwys dysgeidiaeth Iesu

Thema ganolog dysgeidiaeth Iesu, ac yn enwedig y damhegion, yw teyrnas Dduw. Ni feddyliodd Iesu erioed am y deyrnas yn nhermau tiriogaeth neu ymerodraeth ddaearol, ond yn nhermau teyrnasiad Duw yng nghalonnau ac ewyllys pobl, a'r hyn a olygai hynny ym mherthynas pobl â'i gilydd ac o ran ansawdd cymdeithas a bywyd y byd.

Ond ceir mwy nag un paradocs yn nysgeidiaeth Iesu am y deyrnas. Er enghraifft, dywed fod i'r deyrnas wedd bersonol a gwedd gymdeithasol; yn ei hanfod mae'n ysbrydol, ond mae iddi hefyd oblygiadau ymarferol; mae'n realiti yn y presennol ond mae hefyd i ddod yn ei llawnder yn y dyfodol. Sut y mae modd i'r deyrnas fodoli yn y *presennol* a bod yr un pryd yn *obaith i'r dyfodol?* Meddai Iesu yn Lc.

11: 20 wrth sôn am arwyddocâd ei wyrthiau, 'Ond os trwy fys Duw yr wyf fi'n bwrw allan gythreuliaid, yna y mae teyrnas Dduw wedi cyrraedd atoch'. Ond yna fe ddywed yn Lc. 12: 32, 'Peidiwch ag ofni, fy mhraidd bychan, oherwydd gwelodd eich Tad yn dda roi i chwi'r deyrnas' – hynny yw, ei rhoi yn y dyfodol. Sut y mae cysoni'r ddwy agwedd i'r deyrnas? Yr un a aeth i'r afael â'r broblem oedd yr ysgolhaig C. H. Dodd, yn ei lyfr pwysig *The Parables of the Kingdom.*

Mynnodd Dodd mai byrdwn neges y damhegion oedd fod teyrnas Dduw wedi dod yn nyfodiad Iesu Grist – yr hyn a alwodd yn *eschatoleg gyflawnedig.* Ond gan fod Iesu'n sôn hefyd am y deyrnas fel rhywbeth oedd eto i ddod – *eschatoleg eto i'w chyflawni* – mae'r deyrnas a ddaeth i fod yn Iesu i barhau i dyfu ac ymledu nes iddi ddod i'w chyflawnder yn niwedd amser. Gan mai hanfod y deyrnas yw teyrnasiad Duw, mynegir hynny mewn ufudd-dod perffaith i ewyllys Duw. Iesu'n unig a lwyddodd i gyflawni ewyllys Duw yn llawn ac yn berffaith ar y ddaear. Oherwydd hynny, ynddo ef y daeth y deyrnas i'r amlwg, a'i fwriad a'i bwrpas ef yw tywys pobl i fywyd tebyg o ufudd-dod perffaith i ewyllys Duw. Iesu yw'r un a ddaeth i sefydlu'r deyrnas. Ef yw'r un sydd ym mhob oes yn galw pobl i mewn i fywyd y deyrnas. Ac ef yw'r un a ddaw eto yn niwedd amser i ddwyn y deyrnas i'w llawnder. Ond teyrnas *Dduw* yw'r deyrnas hon sy'n ganolog i ddysgeidiaeth Iesu. Yn gefndir iddi, mae ei ddysgeidiaeth am natur a bwriadau Duw.

Y mae dyfodiad Iesu yn arwydd clir mai Duw sy'n *ei ddatguddio'i hun* ydyw; nid Duw cuddiedig mohono, yn ddealladwy i ddiwinyddion, athronwyr a dysgedigion yn unig. Daw atom yn Iesu Grist: 'Y mae'r sawl sydd wedi fy ngweld i wedi gweld y Tad' (In. 14: 9). Ac o weld Duw yn Iesu, gwelir ef fel Duw sy'n *ei uniaethu ei hun* â'r sefyllfa ddynol. Yn wahanol i'r pwyslais Iddewig ar arwahanrwydd Duw, a syniad y Groegiaid na allai Duw sanctaidd a chwbl bur fod mewn cysylltiad â'r ddynoliaeth aflan a phechadurus, dengys Iesu ei fod yn Dduw sy'n un â'i bobl, yn enwedig y tlawd, yr anghenus a'r gwrthodedig. Aeth Iesu i blith publicanod, pechaduriaid a'r rhai a ystyrid gan grefyddwyr ei ddydd yn wrthodedig gan Dduw. Dyna pam y cafodd ei alw'n 'gyfaill i gasglwyr trethi a phechaduriaid' (Mth. 11: 19; Lc. 7: 34). A bu'n cyfeillachu â rhai o'r fath er mwyn dangos bod gan Dduw gonsyrn am bob un o'i blant. Yn fwy na hynny, dangosodd fod Duw yn *ceisio* ac yn chwilio am ei blant colledig. Mae ei ddarluniau o'r wraig yn chwilio am ei darn arian colledig, a'r bugail yn chwilio am ei ddafad, yn newydd ac yn gwbl wahanol i bob syniad Iddewig am ymwneud Duw â phobl. A'r gair sy'n crynhoi ac yn mynegi'r cyfan a ddysgodd Iesu am Dduw yw *Tad.* Nid Tad yn yr ystyr ffurfiol o Dad y genedl, ond *Abba, Dad* (Mc. 14: 36) – term nad oes debyg iddo yn holl lenyddiaeth Iddewiaeth – sef y gair a ddefnyddid gan blentyn bach wrth gyfarch ei dad daearol. Dyma air na ddefnyddiwyd mohono erioed o'r blaen am Dduw – gair sy'n cynnwys popeth a ddysgai Iesu am Dduw ac am ei berthynas â'i blant.

Cwestiynau i'w trafod:

1. Beth yw'r prif elfennau yn nysgeidiaeth Iesu am deyrnas Dduw?

2. Yng ngoleuni dysgeidiaeth Iesu, sut dylai Cristnogion wrthsefyll drygioni?

3. Beth sydd yn unigryw yn nysgeidiaeth Iesu am Dduw?

CROESI FFINIAU

Luc 7: 1–10, 36–50; Ioan 4: 1–30

Yr awdures Saesneg Dorothy Sayers a ddywedodd ryw dro, 'Y mae digon o le ar y ddaear i holl bobl y byd, ond does dim digon o le i'r ffiniau sy'n eu gwahanu'. Ac nid oedd le i ffiniau chwaith ym mywyd a gweinidogaeth Iesu. Dro ar ôl tro yn yr efengylau fe'i gwelwn yn torri ar draws y defodau crefyddol, y gwaharddiadau hiliol a'r arferion cymdeithasol a gadwai Iddewon, y rhai 'cyfiawn,' ar wahân i'r rhai gâi eu labelu'n 'bechaduriaid'. Y prif gyhuddiad yn ei erbyn oedd ei fod yn cyfeillachu â chasglwyr trethi a phechaduriaid. Casglwr trethi oedd Mathew – un a ystyrid yn fradwr i'w gyd-Iddewon am ei fod yn casglu trethi ar ran yr awdurdodau Rhufeinig ac yn gofalu ei fod yn cadw cyfran hael o'r arian iddo'i hun. Eto, penderfynodd Iesu ei alw i fod yn ddisgybl iddo (Mth. 9: 9–12). Roedd deddfau glendid defodol hefyd yn creu rhaniadau, a chododd Iesu arswyd ar rai am iddo gyffwrdd â gŵr gwahanglwyfus a gwella menyw a chanddi waedlif. Ni allai gwragedd o'r fath byth fod yn ddefodol lân. Yr oedd i Iesu gyffwrdd â gwraig a ystyrid yn 'aflan', neu gael ei gyffwrdd ganddi, yn ei wneud yntau yn 'aflan'. Ond ymateb iddi'n dosturiol a'i hiacháu a wnaeth Iesu (Mc. 5: 24–34).

Yn y bennod hon, rhown sylw i dair esiampl o Iesu'n croesi ffiniau – y ffin rhwng Iddewon a chenedl-ddynion (hanes Iesu'n iacháu gwas canwriad Rhufeinig); y ffin rhwng y 'cyfiawn' a'r pechadurus (hanes gwraig bechadurus yn eneinio traed Iesu); a'r ffin rhwng dynion a merched (hanes Iesu a'r wraig o Samaria). Enghreifftiau yn unig yw'r rhain. Ceir stori ar ôl stori yn disgrifio Iesu'n troi ymhlith rhai a ystyriwyd yn bobl amheus eu buchedd a'u duwioldeb ac yn cyffwrdd â rhai na ddylai eu cyffwrdd. A'r bobl a'i beirniadai oedd pobl grefyddol, dduwiol ei ddydd, ac yn bennaf felly'r Phariseaid.

Mae Mathew'n portreadu'r Phariseaid fel pobl sy'n pryderu mwy am eu parchusrwydd a'u hymddygiad crefyddol eu hunain nag am gynorthwyo pobl mewn angen. Ond wrth i Iesu ehangu ei weinidogaeth i dderbyn yr estron a'r anghenus, y casglwyr trethi a'r pechaduriaid, y gwragedd a'r plant, a'r aflan a'r gwahanglwyfus, daw'n fwyfwy amlwg nad oedd lle i ffiniau o unrhyw fath o fewn cymdeithas ei ddilynwyr ef. Y syndod mwyaf yw canfod bod lle yng nghymdeithas hon i genedl-ddynion.

Canwriad Rhufeinig a'i was

Ar ddechrau ei weinidogaeth, yn y synagog yn Nasareth, atgoffodd Iesu ei wrandawyr fod Duw yn y gorffennol wedi ymwneud â phobl a oedd y tu allan i genedl Israel. Cyfeiriodd at Elias yn cael ei anfon at weddw yn Sarepta yng ngwlad Sidon, ac at Naaman y Syriad yn dod i gael ei iacháu gan Eliseus (Lc. 4: 24–30). Mae'r efengylau, yn enwedig Efengyl Luc, yn dangos yn glir fod cenhadaeth Iesu ar gyfer cylch ehangach na'i genedl ei hun.

Cyflwynir y canwriad yn y stori hon (Lc 7: 1–10) fel enghraifft o ddylanwad Iesu ar genedl-ddyn. Pan gyrhaeddodd Iesu Gapernaum, cafodd gyfle i groesi ffiniau cenedl ac i ddangos trugaredd tuag at un oedd y tu allan i gorlan cenedl Israel. Swyddog milwrol yng ngwasanaeth Herod Antipas oedd y canwriad hwn. Disgrifir ef fel un yr oedd undduwiaeth a safon foesol uchel y grefydd Iddewig yn apelio ato. Roedd eraill tebyg iddo – rhai yn mynychu'r synagogau, a rhai wedi adeiladu synagogau at wasanaeth Iddewon eu cylch.

Gwaeledd ei was, a oedd yn glaf ac ar fin marw, a barodd i hwn geisio cymorth Iesu. Nid dod ei hun at Iesu a wnaeth ond anfon dwy ddirprwyaeth ato. 'Henuriaid o Iddewon' oedd y ddirprwyaeth gyntaf, sef rhai o brif ddinasyddion tref Capernaum. Hwyrach fod y canwriad yn ofni na fyddai Iesu'n barod i iacháu un a oedd y tu allan i derfynau Israel, ac y byddai'n barotach i wrando apêl ar ei ran gan yr henuriaid. Wrth gyflwyno'u hapêl, maent yn awyddus i bwysleisio bod dwy ragoriaeth eithriadol yn perthyn i'r canwriad hwn: 'y mae'n caru ein cenedl, ac ef a adeiladodd ein synagog i ni' (7: 5).

Fel llawer o genedl-ddynion deallus eraill, roedd gan y canwriad hwn ddiddordeb yn y syniad Iddewig o Dduw. Yn wahanol i'r math o grefydda cul, anoddefgar sy'n meithrin casineb ac yn codi ffiniau rhwng pobl, nodweddir y rhai sy'n chwilio'n onest ac agored am Dduw gan ysbryd eangfrydig. Gwelwn hynny nid yn unig yn y ffaith fod gan y canwriad gydymdeimlad ag Iddewiaeth, ond hefyd yn ei garedigrwydd a'i ofal mawr am ei was a oedd 'yn werthfawr yn ei olwg' (7: 2). Ystyr gwas yn y cyswllt hwn yw 'caethwas'. Peth anarferol oedd i swyddog Rhufeinig barchu caethwas, gan yr ystyrid caethweision yn eiddo i'w meistri, ar yr un lefel â'u hanifeiliaid, ac yr oedd gan y meistri hawl i'w cam-drin a hyd yn oed eu lladd, heb fod yn atebol i neb am wneud hynny. Ond yr oedd agwedd y canwriad hwn yn gwbl wahanol. Arwydd arall o'i ysbryd gostyngedig oedd ei fod yn anfon ail ddirprwyaeth i ddweud wrth Iesu am beidio â thrafferthu dod i'w dŷ gan nad oedd yn deilwng i'w dderbyn. Y mae'n gofyn i Iesu ddweud gair, gan y byddai hynny'n ddigon i iacháu ei was. Roedd yn barod i ymddiried yn llwyr yng ngair Iesu.

Yn y wyrth hon, gwelai'r Eglwys Fore ddarlun o natur ei chenhadaeth i'r cenhedloedd. Gwelai'r apostolion bobl o bob llwyth a chenedl ac iaith yn dod i gredu yn Iesu trwy bregethiad yr Efengyl. Daeth Iesu yn y cnawd at yr Iddewon, ond trwy dystiolaeth a phregethu ei ddilynwyr daeth at y cenhedloedd. Ac eto, fe welwyd rhai o genhedloedd eraill yn ymateb i Iesu ac yn dod i gredu ynddo yn ystod ei weinidogaeth. Roedd Israel yn gwrthod Iesu, ond y cenedl-ddynion yn ei dderbyn. I Mathew a Luc, roedd ffydd y canwriad a'i ymateb i Iesu yn rhagflaenu ffydd ac ymateb y cenedl-ddynion hynny. Nid oes ffin rhwng Iddew a chenedl-ddyn yng ngolwg Iesu.

Gwraig o'r dref

Yn hanes cyfarfyddiad Iesu â 'gwraig o'r dref oedd yn bechadures' (Lc. 7: 37), fe'i gwelir yn chwalu ffin arall, sef y rhaniad a fodolai ym meddwl Iddewon uniongred rhwng y 'cyfiawn' a'r 'pechaduriaid'. Er bod tebygrwydd rhwng y stori hon a hanes eneinio Iesu ym Methania (Mc. 14: 3–9), a bod rhai esbonwyr yn credu mai un stori wreiddiol sydd y tu ôl i'r ddwy, y mae gwahaniaethau amlwg rhyngddynt. Prif bwyslais yr hanes a geir gan Marc yw nad yw eneinio Iesu gan y wraig damaid llai pwysig na bwydo'r tlodion. Prif neges Luc trwy'r hanes sydd ganddo ef ar y llaw arall yw nad oes gwahanfur i fod rhwng y cyfiawn a'r pechaduriaid; mae maddeuant yn diddymu'r ffin honno'n llwyr, ac roedd hynny mor wahanol i agwedd y Phariseaid.

Ni wyddom pam y gwahoddwyd Iesu i dŷ Simon y Pharisead. Go brin eu bod yn gyfeillion, gan fod safbwynt y ddau mor sylfaenol wahanol. Hwyrach mai chwilfrydedd oedd y tu ôl i'r gwahoddiad, neu ymgais i faglu Iesu mewn rhyw ffordd. Daeth y wraig i mewn i'r tŷ ar yr union adeg yr oedd Iesu'n eistedd wrth y bwrdd i fwyta. Disgrifir hi fel 'gwraig o'r dref oedd yn bechadures' (Lc. 7: 37). Hynny yw, roedd yn bechadures amlwg ac yn butain adnabyddus. Nid yw Luc yn rhoi unrhyw awgrym o bwy oedd y wraig hon. Mae traddodiad wedi ei chysylltu â Mair Magdalen, ond nid oes sail i'r traddodiad hwnnw yn y Testament Newydd. Gan fod Mair Magdalen yn cael ei henwi yn yr hanesyn sy'n dilyn yn y bennod nesaf am wragedd yn cyd-deithio ag Iesu (8: 1–3), byddai'n rhyfedd iawn pe na bai Luc wedi egluro mai hi hefyd oedd 'pechadures' y stori hon.

Daeth y wraig 'â ffiol alabastr o ennaint' (Lc. 7: 37), a dechrau golchi traed Iesu â'i dagrau a'u hiro â'r ennaint. Roedd yn arferiad i bobl dynnu eu sandalau cyn bwyta, ac yna lledorwedd gyda'u traed y tu ôl iddynt. Dyna sy'n egluro'r cyfeiriad at y wraig yn sefyll y tu ôl i Iesu 'wrth ei draed'. Derbyniodd Iesu ei gweithred heb ddweud dim. Ond yr oedd gan Simon ddigon i'w ddweud. Synnai nad oedd Iesu'n sylweddoli sut fath o wraig oedd hon: 'Pe bai hwn yn broffwyd, byddai'n gwybod pwy yw'r wraig sy'n cyffwrdd ag ef, a sut un yw hi. Pechadures yw hi' (7: 39).

Roedd y ffin rhwng y 'pechadurus' a'r 'cyfiawn' yn glir ym meddwl Simon. Disgwylid i broffwyd go iawn gydnabod y ffin honno a pheidio â'i chroesi. Ond roedd agwedd Iesu'n gwbl wahanol. Gwyddai'n iawn mai pechadures oedd hon, ond gwyddai hefyd ei bod wedi edifarhau a derbyn maddeuant. Roedd yn barod felly i'w derbyn er gwaethaf ei holl bechodau. A dyna ddangos ag un ergyd y gwahaniaeth rhwng crefydd y Phariseaid a chrefydd Crist; rhwng y grefydd honno a oedd yn condemnio pechaduriaid ac yn cadw draw oddi wrthynt, a'r grefydd a'u derbyniai mewn cariad a maddeuant.

Er mwyn ceisio dangos i Simon y gwahaniaeth sylfaenol a oedd rhyngddynt, adroddodd Iesu ddameg am ddau ddyledwr. Roedd un mewn dyled o bum cant o ddarnau arian i fenthyciwr a'r llall mewn dyled o hanner cant. Ond am na allai'r naill na'r llall dalu'n ôl, diddymodd y benthyciwr eu dyledion i'r ddau. Pa un o'r ddau oedd debycaf o garu'r benthyciwr fwyaf? Dyfalodd Simon yn berffaith gywir – y dyn y diddymwyd y ddyled fwyaf iddo. Yn yr un modd, maddeuwyd llawer i'r wraig, ac yr oedd hi'n ymwybodol o hynny ac yn awyddus i ddangos ei gwerthfawrogiad. Ond prin fod Simon yn sylweddoli bod angen maddeuant arno yntau hefyd. Nid oedd yn ddigon cwrtais hyd yn oed i roi'r croeso arferol i Iesu fel rabbi. Ni roddodd ddŵr iddo i olchi ei draed nac olew i iro'i ben, ond roedd y wraig hon wedi gwlychu ei draed â'i dagrau a'u cusanu a'u hiro ag ennaint. Roedd hi wedi derbyn maddeuant ac wedi cerdded i mewn i'r wledd i ddangos ei diolchgarwch a'i chariad at yr un a ddangosodd iddi fod maddeuant i'w gael i'r rhai sy'n edifarhau.

Er mwyn tanlinellu'r gwirionedd, meddai Iesu wrthi, 'Y mae dy bechodau wedi eu maddau' (7: 48). Gwelwn hefyd ymateb y Phariseaid, 'Pwy yw hwn sydd hyd yn oed yn maddau pechodau?' (7: 49). Daw'r gwrthdaro sydd rhyngddynt hwy ac Iesu'n amlwg wrth i Iesu ddiddymu'r ffin rhwng yr hunangyfiawn a'r rhai sy'n barod i gydnabod eu hangen ac sy'n profi llawenydd a thangnefedd maddeuant Duw.

Gwraig o Samaria

Enghraifft arall o Iesu'n croesi ffiniau yw'r hanesyn am ei gyfarfyddiad â gwraig o Samaria (In. 4). Ceir dwy ffin bendant yn y stori hon – y ffin rhwng Iddewon a Samariaid, a'r ffin rhwng dynion a merched. Ar ei daith o Jwdea i Galilea, dewisodd Iesu fynd trwy Samaria. Byddai'r mwyafrif o Iddewon, yn enwedig Iddewon uniongred, yn dewis ffordd arall i'r dwyrain o'r Iorddonen. Roedd honno'n ffordd lawer hirach ac yn cymryd dwywaith yr amser, ond roedd yn ffordd a oedd yn osgoi mynd trwy Samaria.

Roedd y rhagfarn yn erbyn y Samariaid yn mynd yn ôl i'r flwyddyn 721 cc. pan orchfygwyd Samaria, teyrnas y gogledd, gan yr Asyriaid. Caethgludwyd y mwyafrif ohonynt i Asyria gan adael cnewyllyn gwan ar ôl. Anfonodd yr Asyriaid bobloedd o genhedloedd eraill a orchfygwyd ganddynt i Samaria. Dylanwadodd eu crefyddau hwy yn andwyol ar grefydd y Samariaid, ac arweiniodd priodasau cymysg â'r estroniaid at lygru eu hetifeddiaeth grefyddol yn fwy byth. O hynny ymlaen, edrychai Iddewon Jwdea – Iddewon o waed coch cyfan – yn ddirmygus ar y Samariaid. Er i Jwdea hefyd gael ei gorchfygu gan y Babiloniaid yn 586 cc., yn wahanol i'r Samariaid fe lwyddodd llawer o'r Iddewon a gaethgludwyd i Fabilon i gadw eu hunaniaeth. Byth er hynny, bu cweryl rhyngddynt, hyd ddyddiau Iesu ac wedyn.

Dywed yr hanes fod Iesu'n teimlo rheidrwydd i fynd drwy Samaria: 'Yr oedd yn *rhaid* iddo fynd trwy Samaria' (In. 4: 4) er mwyn dangos yn eglur ei fod wedi dod i gynnig newydd da'r deyrnas, nid yn unig i Iddewon, ond hefyd i Samariaid, ac i'r holl fyd. Cyrhaeddodd Iesu ffynnon Jacob, ac eistedd yno'n lluddedig ar ôl y daith. Daeth gwraig i dynnu dŵr o'r ffynnon. Torrodd Iesu'r garw trwy ofyn cymwynas ganddi. 'Rho i mi beth i'w yfed,' meddai (4: 7). Roedd yn syndod i'r wraig fod y gŵr dieithr hwn yn torri gair â hi o gwbl, a hynny am ddau reswm. Yn gyntaf, oherwydd yr elyniaeth a fodolai rhwng ei phobl hi a'i bobl ef. Ac yn ail, oherwydd ei fod ef yn ddyn a hithau'n wraig. Ni feiddiai dyn siarad â gwraig, hyd yn oed ei wraig ei hun, mewn lle cyhoeddus yr adeg honno yn Israel. Ystyrid y wraig yn israddol. Yn ei ddefosiwn beunyddiol, byddai pob Iddew duwiol yn diolch i Dduw nad oedd wedi'i eni yn genedl-ddyn nac yn wraig! Anwybyddodd Iesu'r syniad hwn a chwalu'r ffin rhwng dynion a merched. Yn ei fywyd a'i genhadaeth, ac yng nghenhadaeth yr Eglwys Fore, rhoddwyd lle amlwg i wragedd.

Dywed Iesu wrth y wraig y gallai ef roi iddi ddŵr bywiol, sef dŵr y bywyd newydd y daeth i'w gynnig i'r byd. Roedd y wraig wedi dod at y ffynnon ganol dydd – amser pan oedd yr haul ar ei danbeitiaf, pan na fyddai neb arall o gwmpas. Gallwn gasglu o hynny ei bod yn gymeriad go amheus, ac nad oedd yn dderbyniol gan ei chymdeithas. Gwnaeth Iesu iddi wynebu ei chyflwr, er mwyn ei harwain i fywyd gwell. Ond y mae'r wraig yn codi cwestiwn ynglŷn ag addoli – ai yn Jerwsalem ynteu 'ar y mynydd hwn' (4: 20), sef llecyn cysegredig gan y Samariaid, y dylid addoli Duw? Ateb Iesu oedd mai ysbryd yw Duw – un na ellir ei gyfyngu i le nac amser. Nid yw gwir addoliad yn cael ei gyfyngu gan ffiniau enwadol a chrefyddol.

Teyrnas heb iddi na ffiniau na gwahanfuriau yw'r deyrnas y daeth Iesu i'w chyhoeddi a'i sylfaenu. Yn ei weinidogaeth croesodd ffiniau rhwng cenhedloedd, ffiniau crefydd a pharchusrwydd, a'r ffiniau rhwng gwŷr a gwragedd. Ond methodd ei eglwys ar hyd y canrifoedd â chymryd ei ddysgeidiaeth o ddifrif, a bu'n gyfrifol yn rhy aml am barhau i amddiffyn ffiniau – ffiniau enwadol, cenedlaethol, ieithyddol a chymdeithasol.

Cwestiynau i'w trafod:

1. Beth yw ystyr bod yn eglwys agored?

2. Beth yw achos y rhaniadau rhwng pobl: ofn, rhagfarn, balchder, neu beth?

3. A oes lle cyfartal i ddynion a gwragedd yn eich eglwys a'ch enwad chi? Os nad oes, pam, a sut y mae unioni'r sefyllfa?

YR ELYNIAETH YN CYNYDDU

Mathew 9: 1–8; Marc 2: 13–17; 3: 1–6

I'r Phariseaid, yr ysgrifenyddion a'r Sadwceaid yr oedd cadw'r ffiniau rhwng Iddewon a chenedl-ddynion, rhwng y cyfiawn a'r pechadurus a rhwng dynion a merched yn hollbwysig. Yr unig fodd i Iddewon da fyw yn gyfiawn ac osgoi cael eu llygru oedd trwy gadw'r Gyfraith Iddewig yn ei holl fanylder, a pheidio â chroesi'r ffiniau crefyddol, cenedlaethol a moesol a'u gwahanai oddi wrth y byd aflan o'u cwmpas. Doedd ryfedd felly iddynt yn fuan iawn gael eu cythruddo gan ymddygiad Iesu wrth iddo gyfeillachu â phechaduriaid ac anwybyddu'r deddfau ynglŷn â chadw'r Saboth. Daeth y gwrthwynebiad iddo i'r golwg yn fuan iawn. Pwysleisir hynny yn ail bennod Efengyl Marc, lle y gwelwn y Phariseaid a'r ysgrifenyddion yn amau Iesu o gabledd am iddo gyhoeddi maddeuant i ddyn oedd wedi ei barlysu; am iddo gydfwyta â phechaduriaid a chasglwyr trethi yn nhŷ Lefi; am iddo esgeuluso'r arfer o ymprydio; ac am i'w ddisgyblion dynnu tywysennau ŷd ar y Saboth (Mc. 2: 6, 15, 18, 24).

Ysgrifenyddion a Phariseaid

Gwelir bod Iesu wedi ennyn casineb tri grŵp gwahanol. Y cyntaf oedd *yr ysgrifenyddion a'r Phariseaid.* Hwy oedd athrawon a cheidwaid y Gyfraith Iddewig. Yr oedd y gair *cyfraith* yn golygu tri pheth mewn Iddewiaeth. Yn gyntaf, golygai'r Deg Gorchymyn a roddwyd gan Dduw i Moses, sef sail a tharddiad pob deddf arall. Yn ail, golygai'r Pumllyfr, sef pum llyfr cyntaf y Beibl, yn cynnwys y dehongliad cyntaf o ofynion y Gyfraith a'r modd y disgwylid i unigolion a'r genedl ufuddhau i'r gofynion hynny. Yn drydydd, golygai'r mân reolau a'r esboniadau a luniwyd gan yr ysgrifenyddion dros y canrifoedd. Er mai ar lafar y dysgid ac y trosglwyddwyd y rheolau hyn, i'r Phariseaid a'r ysgrifenyddion hwy oedd hanfod y Gyfraith gan eu bod yn rheoli pob agwedd ar fywyd. Cyfeirir atynt yn Mc. 7: 3 a Mth. 15: 2 fel 'traddodiad yr hynafiaid'. Er enghraifft, ceid cyfres hir o gyfarwyddiadau manwl ar gadw'r Saboth.

Gwaherddid pob math o waith, a byddai'r ysgrifenyddion a'r Phariseaid yn esbonio'n fanwl yr hyn a waherddid a'r hyn a ganiateid. Ceid yr un math o reolau manwl ynglŷn â golchiadau seremonïol. Oherwydd i Iesu anwybyddu llawer o'r manion hyn, aeth yn wrthdrawiad rhyngddo ac arweinwyr crefyddol yr Iddewon yn fuan iawn.

Sadwceaid

Yr ail grŵp o wrthwynebwyr oedd y *Sadwceaid.* Er eu bod yn aml yn cael eu crybwyll ar yr un gwynt â'r ysgrifenyddion a'r Phariseaid yn yr efengylau, yr oedd gwahaniaethau sylfaenol rhyngddynt. Pwysleisio'r Deg Gorchymyn a'r Pumllyfr a wnâi'r Sadwceaid, gan ymwrthod â'r llu o fân reolau a ddyfeisiwyd gan yr ysgrifenyddion. Un arall o nodweddion y Sadwceaid oedd eu bod yn eu hystyried eu hunain yn aristocratiaid; nid oedd ganddynt ddim i'w ddweud wrth y bobl gyffredin, ac nid oedd gan y bobl gyffredin ddim i'w ddweud wrthynt hwythau ychwaith. Y cyfoethogion a'r byddigions o blith yr Iddewon oedd eu cefnogwyr. Oherwydd hyn, roeddent yn barod iawn i gydweithredu â'r awdurdodau Rhufeinig. Gan mai hwy, fel cyfoethogion, fyddai â'r mwyaf i'w golli mewn unrhyw wrthryfel yn erbyn Rhufain, yr oedd plygu i Rufain yn ddoethach yn eu golwg, gan y byddai gwneud hynny'n debygol o ddiogelu eu cyfoeth, eu statws a'u manteision. Y prif reswm dros eu gwrthwynebiad hwy i Iesu oedd eu bod yn tybio ei fod ef yn chwyldröwr gwleidyddol a oedd â'i fryd ar gychwyn gwrthryfel yn erbyn Rhufain. Yn ôl Luc, y cyhuddiad a ddygwyd yn erbyn Iesu yn llys y Sanhedrin oedd cabledd, sef ei fod yn hawlio mai ef oedd Mab Duw (Lc. 22: 70-71). Ond pan ddygwyd ef gerbron Pilat, nid yr un oedd y cyhuddiad, ond yn hytrach, 'Cawsom y dyn hwn yn arwain ein cenedl ar gyfeiliorn, yn gwahardd talu trethi i Gesar, ac yn honni mai ef yw'r Meseia, sef y brenin' (23:2). Heb amheuaeth, y Sadwceaid fu'n gyfrifol am lunio'r fath gyhuddiad ffug. Gwyddent na fyddai gan Pilat ddiddordeb o gwbl mewn cyhuddiad o gabledd. Mater i'w setlo gan yr awdurdodau crefyddol fyddai hynny, ond roedd cyhuddiad o achosi terfysg yn fater arall. Eu hawydd i ddiogelu eu statws a'u cyfoeth oedd prif reswm y Sadwceaid dros wrthwynebu Iesu. Gwyddent y byddai Rhufain yn delio'n gyflym ac yn ddidrugaredd ag unrhyw derfysgwr. Er mwyn diogelu eu bywyd moethus a'u hawdurdod, yr oeddent yn barod i wneud unrhyw beth i gael gwared â'r proffwyd peryglus aflonydd hwn o Nasareth.

Offeiriaid

Y trydydd grŵp amlwg ei elyniaeth i Iesu oedd *yr offeiriaid*. Cyfeirir atynt yn aml yn yr efengylau fel *y prif offeiriaid,* sef yr archoffeiriaid a'r cyn-archoffeiriaid. Yr arferiad ers blynyddoedd oedd dewis archoffeiriad am oes, ond gwrthodai'r Rhufeiniaid ganiatáu hynny. Roedd yn ddiogelach newid yr archoffeiriad yn aml er mwyn cadw ffrwyn ar ei awdurdod a'i weithgareddau. Prin yw'r cyfeiriadau at yr offeiriaid ar ddechrau gweinidogaeth Iesu gan mai Jerwsalem, yn hytrach na Galilea, oedd cylch eu dylanwad. Er hynny, fe wyddai Iesu o'r dechrau am elyniaeth y prif offeiriaid, a'r ffaith eu bod yn bwriadu cynllwynio i'w ladd. Yn dilyn cyffes Pedr yng Nghesarea Philipi, rhagfynegodd Iesu ei farwolaeth a'i atgyfodiad: 'dechreuodd Iesu ddangos i'w ddisgyblion fod yn rhaid iddo fynd i Jerwsalem, a dioddef llawer gan yr henuriaid a'r prif offeiriaid a'r ysgrifenyddion, a'i ladd, a'r trydydd dydd ei atgyfodi' (Mth. 16: 21). Wedi i Iesu gyrraedd Jerwsalem, ac yn ystod dyddiau olaf ei fywyd, yr offeiriaid oedd ei brif elynion, a daw eu hatgasedd hwy fwyfwy i'r amlwg. Roedd yn gas ganddynt weld y croeso brwd a gafodd Iesu wrth farchogaeth i mewn i Jerwsalem (21: 15). Fe'u cynddeiriogwyd gan ei weithred yn glanhau'r deml, a daethant i'w holi o ble y cafodd yr awdurdod i feiddio gwneud y fath beth (Mth. 21: 23; Mc. 11: 18; Lc. 20: 1). Gwelir hwy'n cynllwynio i ladd Iesu, ac atynt hwy yr aeth Jwdas Iscariot i gynnig ei fradychu (Mth. 26: 14; Mc. 14: 10; Lc. 22: 3). Yr offeiriaid oedd yn gyfrifol am arestio Iesu yng Ngardd Gethsemane a'i ddwyn gerbron llys Caiaffas, ac am ei drosglwyddo i lys Pilat wedi dwyn cyhuddiadau yn ei erbyn. A hwy fu'n annog y dyrfa i ddewis rhyddhau Barabbas a galw am groeshoelio Iesu (Lc. 23: 23).

Beth oedd achos y fath atgasedd o du'r offeiriaid? Y prif reswm oedd fod natur a chynnwys gweinidogaeth Iesu yn gwbl wahanol i'w syniad hwy o wir grefydd. Seremonïau a chyfundrefn aberthol y deml yn unig oedd yn bwysig iddynt hwy. A chanddynt hwy, a hwy'n unig, yr oedd yr awdurdod i gyflwyno'r aberthau ar ran y bobl. Os byddai rhywun wedi pechu, ni allai adfer ei berthynas â Duw ond trwy aberth, a rhaid oedd i offeiriad gyflwyno'r aberth ar ei ran. Pan fyddai'r offeiriaid yn cyflwyno aberthau, byddai ganddynt hawl i gymryd cyfran helaeth o'r cig iddynt eu hunain, yn ogystal â hawlio tâl am eu gwasanaeth. Y canlyniad oedd mai'r offeiriaid, yn rhinwedd eu statws a'u hawdurdod ysbrydol, oedd y dosbarth mwyaf breintiedig o bawb yn Israel: roeddent yn gyfoethog, yn byw bywyd moethus ac yn dda eu byd. Mewn cyferbyniad, roedd Iesu'n cynrychioli crefydd o fath gwahanol yn llwyr, ac fe'i hystyrid yn ddylanwad peryglus ac yn un a allai danseilio'u safle a'u grym hwy fel arweinwyr crefyddol.

Bu rhai o broffwydi'r Hen Destament yn chwyrn eu condemniad o'r gyfundrefn aberthol. Nodir y geiriau hyn gan Eseia: '"Beth i mi yw eich aml aberthau?" medd yr Arglwydd. "Cefais syrffed ar boethoffrwm o hyrddod a braster anifeiliaid ... Peidiwch â chyflwyno rhagor o offrymau ofer; y mae arogldarth yn ffiaidd i mi"' (1: 11, 13). Yn yr un modd, mae Micha'n datgan nad yw Duw yn fodlon ar filoedd o hyrddod nac afonydd o olew. Yn hytrach, 'Dywedodd wrthyt, feidrolyn, beth sydd dda, a'r hyn a gais yr Arglwydd gennyt: dim ond gwneud beth sy'n iawn, caru teyrngarwch, ac ymostwng i rodio'n ostyngedig gyda'th Dduw' (Mic. 6: 8). Ac meddai Iesu, gan ddyfynnu'r proffwyd Hosea (Hos. 6: 6), 'Ond ewch a dysgwch beth yw ystyr hyn, "Trugaredd a ddymunaf, nid aberth". Oherwydd i alw pechaduriaid, nid rhai cyfiawn, yr wyf fi wedi dod' (Mth. 9: 13). Er bod Iesu'n rhannu'r un safbwynt â phroffwydi mawr y gorffennol, roedd ei weithgarwch a'i ddysgeidiaeth ymhlith y bobl yn y presennol yn rhywbeth na ellid ei ddioddef. Doedd dim amdani ond cael gwared ag ef.

Tuedd Iesu i anwybyddu manylion y Gyfraith a gynddeiriogai'r Phariseaid a'r ysgrifenyddion; yr ofn ei fod yn chwyldroadwr ac yn debygol o arwain gwrthryfel yn erbyn Rhufain a boenai'r Sadwceaid; ei fygythiad i grefydd, yn enwedig cyfundrefn aberthol y deml, a'i gwnâi'n ffigur peryglus yng ngolwg y prif offeiriaid. Y tri dosbarth hyn oedd prif elynion Iesu a'r rhai a oedd yn benderfynol o roi taw arno.

'Troseddau' Iesu

Cablu, cymdeithasu â phechaduriaid a chasglwyr trethi, a thorri'r Saboth – dyna oedd prif droseddau Iesu yng ngolwg ei elynion. Ceir enghraifft o'r cyhuddiad o *gablu* yn yr hanes amdano'n iacháu dyn wedi ei barlysu (Mth. 9: 1–8). Wedi ymweliad â Gadara, croesodd Iesu Fôr Galilea a dychwelyd i Gapernaum. Yno iachaodd ddyn a oedd wedi ei barlysu. Ceir mwy o fanylion gan Marc, sy'n disgrifio'r claf yn cael ei gario i ben to'r tŷ, ac yna'n cael ei ollwng i lawr ar fatras at draed Iesu. Y mae prif bwyslais Marc ar ffydd y claf a'i bedwar cyfaill, ond mae Mathew yn prysuro heibio'r manylion hyn – er ei fod yn cyfeirio at 'eu ffydd hwy' – ac yn dod at eiriau Iesu i'r claf, 'Cod dy galon, fy mab; maddeuwyd dy bechodau' (9: 2). Fel eraill yn ei gyfnod, gwelai Iesu gyswllt rhwng cyflwr corfforol y dyn a'i gyflwr ysbrydol – syniad a gaiff fwy o sylw gan feddygaeth seicolegol heddiw. Ond daeth ag elfen newydd, feiddgar i'r amlwg trwy honni ei fod yn gallu maddau'r pechod, neu'r pechodau, a oedd yn gyfrifol am y parlys. Yng ngolwg yr ysgrifenyddion, roedd hyn yn gyfystyr â phriodoli iddo'i hun awdurdod a berthynai i Dduw yn unig. 'Y mae hwn yn cablu,' meddent, nid ar goedd ond 'ynddynt eu hunain'. Ond yr oedd Iesu'n deall eu meddyliau a'u drwgfwriadau, a gwyddai eu bod yn gwrthod unrhyw syniad fod hawl ganddo i gyhoeddi maddeuant pechodau – awdurdod a berthynai i Dduw yn unig. *Cablu* yw bwrw anfri ar Dduw: yn uniongyrchol trwy fwrw amheuaeth ar ei ogoniant a'i allu achubol; neu'n anuniongyrchol trwy amharchu'r hyn sy'n perthyn i Dduw – ei dŷ, ei Gyfraith, ei weision – ond hefyd trwy briodoli i ddyn yr hyn sy'n perthyn i Dduw yn unig. Gan Dduw yn unig yr oedd y gallu a'r awdurdod i faddau pechodau. Gan fod pechod yn drosedd yn erbyn Duw, Duw yn unig sy'n gallu maddau pechod. Fel Mab Duw, roedd Iesu hefyd yn hawlio'r gallu a'r awdurdod i faddau, ac fel prawf terfynol o hynny galwodd ar y claf i godi a chymryd ei wely a mynd adref. A dyna a wnaeth. Dwy agwedd ar yr un weithred oedd estyn maddeuant a chyhoeddi iachâd. Canlyniad pechod y dyn oedd ei afiechyd, ac wrth i Iesu gyhoeddi iachâd iddo golygai hynny fod ei bechod wedi ei faddau, ac wrth estyn maddeuant iddo golygai hynny fod Iesu hefyd yn ei iacháu.

Ymateb y tyrfaoedd i iachâd y dyn oedd rhoi gogoniant i Dduw. Gwelsant yn eglur fod yr awdurdod i faddau ac i iacháu – un o hawliau Duw – wedi ei roi i Iesu. Ond adwaith yr ysgrifenyddion oedd datgan bod y dyn hwn yn euog o gabledd. A'r gosb am gabledd, yn ôl Cyfraith Israel, oedd marwolaeth trwy labyddio (Lef. 24: 14).

Trosedd arall yng ngolwg yr awdurdodau crefyddol oedd *cyfeillachu â phechaduriaid a chasglwyr trethi.* Enghraifft o hynny oedd hanes Iesu'n galw casglwr trethi o'r enw Lefi fab Alffeus i fod yn un o'i ddisgyblion, ac yna'n mynd i rannu pryd bwyd yn ei dŷ yng nghwmni nifer o bechaduriaid a chasglwyr trethi eraill. Y mae fersiwn Efengyl Mathew o'r hanes yn uniaethu Lefi â Mathew (Mth. 9: 9; 10: 3). Y mae rhai esbonwyr wedi ei uniaethu ag Iago fab Alffeus, neu fe allai Iago fod yn frawd iddo. Bid a fo am hynny, 'pechaduriaid' oedd y rhain, gan gynnwys y cenedl-ddynion, nad oeddent yn cadw rheolau'r Gyfraith. Gosodid casglwyr trethi yn yr un dosbarth am eu bod yn casglu trethi ar ran y Rhufeiniaid, ac o ganlyniad yn destun dirmyg i'w cydwladwyr oherwydd eu trachwant ac oherwydd eu bod yn cydweithio â'r gelyn paganaidd. O eistedd wrth y bwrdd gyda phaganiaid, roedd Iesu mewn perygl o dorri'r cyfreithiau bwyd trwy fwyta bwyd gwaharddedig. Herio'r disgyblion a wnâi'r ysgrifenyddion: 'Pam y mae ef yn bwyta gyda chasglwyr trethi a phechaduriaid?' (Mc. 2: 16). Clywodd Iesu'r gŵyn, a'i hateb gyda dihareb, i egluro bod ei weinidogaeth ef wedi'i hanelu at bechaduriaid, nid at rai 'cyfiawn'. Roedd y weithred o rannu pryd bwyd â hwy yn arwydd o wir gyfeillgarwch, ac yn arwydd hefyd fod pawb, hyd yn oed y rhai a ystyrid yn wrthodedig gan y Phariseaid 'cyfiawn', yng nghwmpas cariad Duw. I Iddewon cul, roedd y syniad fod unrhyw rai na chadent reolau manwl y Gyfraith yn dderbyniol gan Dduw yn gwbl wrthun.

Pwnc arall a oedd yn asgwrn cynnen rhwng y Phariseaid ac Iesu oedd cwestiwn *cadw'r Saboth.* Yn Mc. 3: 1–6 cwyd y cwestiwn mewn perthynas ag iacháu ar y Saboth, a hynny yn y synagog o bob man. Roedd rheolau'r Gyfraith yn caniatáu iacháu ar y Saboth mewn achos lle'r oedd bywyd mewn perygl, er bod iacháu yn cael ei ystyried yn 'waith'. Nid oedd bywyd y dyn â'i law wedi gwywo mewn perygl. Ac felly, wrth ddewis ei iacháu roedd Iesu'n torri'r Saboth, a hynny'n dangos na allai fod yn broffwyd mewn gwirionedd. Ond roedd 'gwneud daioni' yn bwysicach o lawer i Iesu na chadw at ddeddfau cul, ac roedd esgeuluso cyfle i wneud daioni yn gyfystyr â gwneud drygioni. Dengys hyn fod Iesu'n ymwrthod yn llwyr â chrefydd gyfreithgar. Heriodd y Phariseaid â'r cwestiwn, 'A yw'n gyfreithlon gwneud da ar y Saboth, ynteu gwneud drwg, achub bywyd, ynteu lladd?' (Mc. 3: 4). Ond nid oedd ganddynt ateb. Yn hytrach aethant allan i gynllwynio 'sut i'w ladd'.

Cwestiynau i'w trafod:

1. I ba raddau y mae gwrthwynebiad i'r Ffydd Gristnogol heddiw yn debyg i'r gwrthwynebiad a brofai Iesu yn ei ddydd?

2. A oes perygl yn ein crefydda ni heddiw i reolau a defodau gael blaenoriaeth dros ofal am bobl?

3. Beth a ddysgwn am berson a dysgeidiaeth Iesu wrth ystyried ei ymateb i elyniaeth a gwrthwynebiad?

IESU A NICODEMUS

Ioan 3: 1–21

Er bod y Phariseaid, at ei gilydd, yn elyniaethus i Iesu a'i genadwri, nid oedd hynny'n wir am bob un ohonynt. Un o'r eithriadau hyn oedd 'dyn o blith y Phariseaid, o'r enw Nicodemus, aelod o Gyngor yr Iddewon' (In. 3: 1). Felly y mae Ioan yn ei gyflwyno i'w ddarllenwyr. Fel aelod o Gyngor yr Iddewon, sef y Sanhedrin, roedd yn ddyn o bwys, yn rabbi o statws uchel, yn ŵr dysgedig, goleuedig, ac yn perthyn i'r dosbarth breiniol. Mae'n bosibl mai dyna'r rheswm iddo ddod at Iesu 'liw nos'. Gan fod yr awdurdodau crefyddol eisoes wedi dangos eu gwrthwynebiad i Iesu, nid syndod fyddai i Nicodemus ddod yn wyliadwrus, wedi iddi nosi, rhag i neb ei weld. Ar yr un pryd, o gofio bod awdur Efengyl Ioan yn aml yn defnyddio symbolaeth goleuni a thywyllwch, mae'n bosibl ei fod yn awgrymu mai allan o dywyllwch ysbrydol y daeth Nicodemus i bresenoldeb yr un sy'n oleuni'r byd. Y mae'n bosibl hefyd mai terfyn dydd oedd yr amser mwyaf cyfleus iddo gael sgwrs ag Iesu ar ei ben ei hun. Ond nid Nicodemus fel unigolyn sy'n bwysig, ond yn hytrach y gwirionedd a gyflwynir drwy'r drafodaeth.

Cyflwynir Nicodemus i ni fel un a gynrychiolai'r hen drefn a oedd ar fin cael ei disodli. Ar yr un pryd ni allwn lai na theimlo bod rhyw ostyngeiddrwydd a diffuantrwydd yn perthyn iddo. Fe'i cawn yn cyfarch Iesu fel rabbi, er nad oedd yn rabbi swyddogol. Y gwyrthiau oedd wedi cael argraff arno ac wedi peri iddo gredu bod Duw ar waith yn Iesu: 'ni allai neb wneud yr arwyddion hyn yr wyt ti'n eu gwneud oni bai fod Duw gydag ef' (In. 3: 2). Os nad oedd Crist yn Feseia, yr oedd yn sicr yn ddysgawdwr o bwys. Ac yn fwy na hynny, roedd ei weithredoedd nerthol yn cadarnhau dilysrwydd ei ddysgeidiaeth. Ond y mae Iesu'n anwybyddu'r geiriau canmoliaethus, ac yn lle trafod y Gyfraith fel y disgwylid i bob rabbi ei wneud mae'n tywys Nicodemus i ystyried yr angen am newid sylfaenol yn ei fywyd a'i brofiad, os oedd i ganfod y bywyd newydd a gynigid gan Iesu; newid a oedd yn gyfystyr â chael ei eni o'r newydd. Dyna'r unig ffordd i fynd i mewn i deyrnas Dduw. Nid trwy gadw mân reolau'r Gyfraith yr oedd cael mynediad i'r deyrnas, fel y dysgai'r Phariseaid, ond trwy ymagor i lifeiriant y bywyd newydd oddi uchod.

Genedigaeth o'r newydd

'Yn wir, yn wir, rwy'n dweud wrthyt, oni chaiff rhywun ei eni o'r newydd ni all weld teyrnas Dduw,' meddai Iesu. Ni fyddai'r term 'geni o'r newydd' yn anghyfarwydd i ddarllenwyr cyntaf Ioan. Gwneir defnydd ohono yn yr Hen Destament i ddisgrifio adenedigaeth y genedl (gweler Esec. 36: 25–27). Roedd y syniad o aileni yn gyffredin hefyd yng nghyfrin grefyddau'r Dwyrain, ond nid oes unrhyw dystiolaeth fod lle i ddysgeidiaeth am adenedigaeth mewn Iddewiaeth Rabbinaidd. Ceir cyfeiriad yn yr Apocryffa at weddnewidiad y gwaredigion i ogoniant yr Oes sydd i Ddod, ond byddai hynny'n digwydd mewn rhyw ddyfodol annelwig, tra bod Iesu'n sôn am fywyd tragwyddol yma'n awr, ac am y profiad o symud o un math o fywyd, wedi'i gyfyngu i'r materol ac i bethau'r byd hwn, at fywyd tragwyddol ei ansawdd, bywyd ac iddo ddiben a chyfeiriad dwyfol, sef y bywyd y daeth Iesu i'w gynnig i bob un sydd, o ddifrif, yn ceisio teyrnas Dduw.

Gellir cyfieithu'r ymadrodd 'geni o'r newydd' fel 'geni eilwaith' neu 'eni oddi uchod' – y naill yn cyfeirio at y profiad dynol a'r llall at y weithred ddwyfol. Gwaith Duw, trwy'r Ysbryd Glân, yw ailenedigaeth, ond y mae iddi hefyd ochr ddynol, sef yr angen i ymagor i Ysbryd Duw a phrofi'r bywyd newydd sy'n deillio o hynny. Yn ôl Iesu, dyma'r unig ffordd o 'weld teyrnas Dduw' (In. 3: 3), neu i fynd i mewn i'r deyrnas. Credai'r Phariseaid mai trwy gadw'r ddeddf yn ei holl fanylion yr oedd etifeddu teyrnas Dduw, ond dywed Iesu mai trwy ailenedigaeth ysbrydol, sy'n arwain at fywyd o ansawdd newydd, y mae cael mynediad i'r deyrnas.

Dyma'r unig gyfeiriad yn Efengyl Ioan at deyrnas Dduw. Arfer Ioan yw defnyddio'r ymadrodd 'bywyd tragwyddol' i fynegi'r un gwirionedd. Ond y mae'r ddau derm yn gyfystyr. Yr un peth a olygir wrth 'fod yn ddeiliaid o'r deyrnas' ac 'etifeddu bywyd tragwyddol', sef dod i iawn berthynas â Duw trwy edifeirwch, ffydd a phrofiad o fywyd newydd trwy'r Ysbryd Glân. Golyga 'teyrnas Dduw' deyrnasiad Duw yng nghalon yr unigolyn, ac mae dod o dan ei deyrnasiad ef yn gyfystyr â chanfod bywyd o ansawdd tragwyddol.

Cymerodd Nicodemus eiriau Iesu'n llythrennol, ac oherwydd hynny eu camddeall yn llwyr. Y mae'n dadlau nad yw'n bosibl i ddyn mewn oed ddychwelyd i groth ei fam. Ond mewn modd ffigurol yr oedd Iesu'n defnyddio'r ymadrodd 'geni o'r newydd', i ddynodi'r dechreuad newydd sy'n bosibl trwy ddylanwad Ysbryd Duw. Mae'n mynd ymlaen i egluro ymhellach gan roi disgrifiad mwy pendant o'r hyn a olygai wrth aileni. Dywed fod yn rhaid i ddyn gael ei eni 'o ddŵr a'r Ysbryd' (In. 3: 5). Rhaid wrth y ddau. Nid yw bedydd o ddŵr yn unig yn ddigon, er pwysiced yw hynny. Roedd bedydd yn arwydd o'r edifeirwch a'r glanhad a ystyrid yn ddrws i mewn i deulu'r Eglwys. Ond ni all dŵr ohono'i hun sicrhau adenedigaeth. Cyfeiriad sydd yma at fedydd Ioan Fedyddiwr, ac y mae Ioan ei hun yn cydnabod nad yw bedydd dŵr ar ei ben ei hun yn ddigonol: 'Yr wyf fi yn eich bedyddio â dŵr i edifeirwch; ond y mae'r hwn sy'n dod ar f'ôl i yn gryfach na mi ... Bydd ef yn eich bedyddio â'r Ysbryd Glân ac â thân' (Mth. 3: 11). Ond byddai darllenwyr cyntaf yr efengyl hon yn meddwl am eiriau Iesu fel cyfeiriad at fedydd fel defod yn yr Eglwys Fore. Mae'r bedydd yn arwydd o edifeirwch a glanhad. Ond un peth yw dymuno byw bywyd gwell a bod yn rhan o gymdeithas yr Eglwys; peth arall yw canfod nerth ac ysbrydoliaeth i wneud hynny.

Yr Ysbryd Glân sy'n rhoi'r nerth hwnnw, sef Ysbryd Duw ynom ni. Heb hwnnw, y mae dyn yn aros yng ngafael y 'cnawd'. Dywed Iesu, 'Yr hyn sydd wedi ei eni o'r cnawd, cnawd yw, a'r hyn sydd wedi ei eni o'r Ysbryd, ysbryd yw' (In. 3: 6). Soniai'r athronwyr Groegaidd am ddwy haen o fodolaeth, byd y cnawd a byd yr ysbryd; y byd is lle nad oes dim ond y cnawdol a thywyllwch, a'r byd uwch lle y ceir goleuni, gwybodaeth ac anfarwoldeb. Er bod defod bedydd yn arwydd o'r symudiad o dywyllwch i oleuni, o fyd y cnawd i fyd yr ysbryd, rhaid wrth fwy na'r arwydd allanol i wneud y newid yn bosibl. Yr Ysbryd yw'r cyfrwng i wneud y newid hwn. Ni ellir disgwyl i genhedliad naturiol ynddo'i hun gynhyrchu dim ond bywyd naturiol. Rhaid wrth eni ysbrydol i gynhyrchu'r bywyd goruwchnaturiol.

Y gwynt yn chwythu lle y myn

Y mae gwaith yr Ysbryd yn rhoi bywyd newydd yng Nghrist i'w gymharu â'r *gwynt:* 'Y mae'r gwynt yn chwythu lle y myn, ac yr wyt yn clywed ei sŵn, ond ni wyddost o ble y mae'n dod nac i ble y mae'n mynd. Felly y mae gyda phob un sydd wedi ei eni o'r Ysbryd' (In. 3: 8). Yr un gair Groeg, *pneuma,* sydd wedi ei gyfieithu *gwynt* ac *ysbryd,* ac mae'r ddau mor gywir â'i gilydd. Y mae'n bosibl fod y gwynt yn chwythu ac yn siffrwd trwy frigau'r coed wrth i Iesu siarad. Y mae dirgelwch a rhyddid yn perthyn i'r gwynt. Ni ellir ei ddeall na'i esbonio. Ni ellir ei weld, ond gellir gweld ei effeithiau. Y mae'n union felly gyda'r Ysbryd. Ni ellir ei ddiffinio, ond y mae ei effeithiau i'w gweld yn amlwg ar y rhai sydd wedi'u geni o'r newydd. Nid oes neb yn gwybod o ble y mae'n dod nac i ble y mae'n mynd. Yn y darlun hwn, dywedir dau beth am Ysbryd Duw. Yn gyntaf, y mae – fel y gwynt – yn anweledig, ond y mae ôl ei waith yn amlwg i bawb. Yn ail, y mae – fel y gwynt eto – yn gwbl annibynnol ar unrhyw weithred ddynol. Nid oes a wnelo dyn ddim oll â'i gychwyn na'i gyfeiriad, ond ni ellir gwadu ei fodolaeth. Mewn geiriau eraill, nid yw'r bywyd ysbrydol newydd yn ddarostyngedig i unrhyw reol na deddf ddynol.

Fodd bynnag, nid yw Nicodemus wedi'i argyhoeddi. Mae'n amau posibilrwydd y fath gyfnewidiad llwyr ym mywyd dyn: 'Sut y gall hyn fod?' (3: 9). Y mae mesur o eironi yng ngeiriau Iesu wrth iddo fynegi ei syndod fod athro mor adnabyddus yn Israel mor anwybodus o'r pethau hyn. Ond mae Nicodemus yn cynrychioli'r rhai o blith yr Iddewon a oedd yn cael eu denu gan y goleuni ond a oedd yn methu ag ymryddhau'n llwyr o afael y tywyllwch.

Y mae efengyl Ioan yn defnyddio cyfweliad Nicodemus ag Iesu i ddangos y gwrthdaro rhwng yr hen a'r newydd. Crefydd rheolau a deddfau yw crefydd Nicodemus. Nid yw'n gallu dirnad ystyr y sôn am eni o'r newydd ac am weithgarwch dilyffethair, anniffiniol Ysbryd Duw.

O hyn ymlaen mae Nicodemus yn cilio o'r golwg, ac mae Iesu'n dechrau cyfarch trwy'r ail berson lluosog – 'chi' – yn hytrach na'r 'ti' a ddefnyddiodd wrth siarad â Nicodemus ei hun: 'Os nad ydych yn credu ar ôl imi lefaru wrthych am bethau'r ddaear, sut y credwch os llefaraf wrthych am bethau'r nef?' (3: 12). Ceir yma osodiad cyffredinol am ddilysrwydd y dystiolaeth Gristnogol, a datganiad o brofiad y Cristnogion cynnar a'r Eglwys Fore: 'am yr hyn a wyddom yr ydym yn siarad, ac am yr hyn a welsom yr ydym yn tystiolaethu' (3: 11). Adlais o gred yr Eglwys Fore, a sail ei thystiolaeth a glywir yng ngeiriau Iesu, a chyfeiriad hefyd at anfodlonrwydd yr Iddewon i ymateb i'w neges: 'ac eto nid ydych yn derbyn ein tystiolaeth'. Os nad ydynt yn deall nac yn derbyn neges Iesu pan yw'n siarad yn syml am 'bethau'r ddaear', pa obaith sydd iddynt gredu ei ddysgeidiaeth am 'bethau'r nef', sef gwaith dirgel yr Ysbryd?

Eto, fel 'Mab y Dyn', ef yw'r unig un sydd â phrofiad uniongyrchol o'r byd nefol. Oddi yno y disgynnodd, ac i'r fan honno y bydd yn dychwelyd. Ond cyn y gallai esgyn i'r nef roedd yn rhaid iddo ddioddef a marw. Yn Num. 21: 4–9 adroddir am Moses, pan ddaeth pla o seirff gwenwynllyd i'r gwersyll, yn codi sarff bres er mwyn i'r sawl a gafodd ei frathu edrych arni a chael ei fywyd wedi ei arbed. Yn yr un modd, pan fydd dyn yn syllu ar y Crist croeshoeliedig caiff ei symud o farwolaeth i fywyd: 'felly y mae'n rhaid i Fab y Dyn gael ei ddyrchafu, er mwyn i bob un sy'n credu gael bywyd tragwyddol ynddo ef' (In. 3: 14–15). Wrth gyfeirio at Iesu'n cael ei ddyrchafu, mae Ioan yn defnyddio'r term mewn ystyr ddwbl. Gall olygu ei ddyrchafu ar y groes yn y weithred o'i groeshoelio, ond gall olygu hefyd ei ddyrchafu mewn gogoniant, fel brenin yn cael ei ddyrchafu i eistedd ar orsedd. I Ioan, awr croeshoelio Iesu oedd awr ei ogoneddu; ei ddarostyngiad oedd ei fuddugoliaeth hefyd.

Cariad Duw ac ymateb dyn

Nid oes ystyr i ddyrchafiad Mab y Dyn ar y groes ar wahân i weithred fawr Duw yn mynegi ei gariad at y byd ac fel modd 'i bob un sy'n credu gael bywyd tragwyddol ynddo ef' (3: 15). Prawf o hynny yw iddo roi ei uniganedig Fab: 'Do, carodd Duw y byd gymaint nes iddo roi ei unig Fab, er mwyn i bob un sy'n credu ynddo ef beidio â mynd i ddistryw ond cael bywyd tragwyddol' (3: 16). Trwy'r adnod adnabyddus hon, mae Ioan yn ein cyflwyno i thema ganolog ei efengyl a sail y Ffydd Gristnogol, sef cariad Duw at y byd.

Dywed William Temple am yr adnod hon ei bod fel haul y bore, fel y wawr yn torri ar ffurfafen y ddynoliaeth gan ddod â lliw a gwres a goleuni yn ei sgìl. A'r ymateb naturiol i'r haul yw ei fwynhau, yn hytrach na'i drafod a'i ddadansoddi. Y mae Ioan yn awyddus i'w ddarllenwyr sylweddoli mai amcan cyntaf a phennaf Duw wrth anfon ei Fab yw achub y byd. Nid barnu na chosbi, ond gwaredu o farwolaeth i fywyd.

Cyfleir tri pheth am y cariad dwyfol. Yn gyntaf, *mawredd y cariad.* 'Carodd Duw *y byd* gymaint', – hynny yw y ddynoliaeth gyfan; nid pobl dda neu bobl grefyddol yn unig, ond pob dyn, pwy bynnag y bo a pha mor annheilwng bynnag ydyw. Dyma gariad sy'n ymestyn at yr annheilwng, y di-nod a'r di-gred. Nid oes neb y tu allan i gylch y cariad hwn. Ac nid y ddynoliaeth yn unig, ond yr holl greadigaeth. Er bod y *cosmos* – y byd drwg presennol, y gyfundrefn faterol, fydol, yn elyniaethus i Dduw, mae'n dal yn wrthrych ei gariad tragwyddol.

Yn ail, *mynegiant y cariad*: 'nes iddo roi ei unig Fab'. 'True love is always self-imparting,' meddai James Denney. Y mae Duw yn rhoi llawer inni – bywyd, cynhaliaeth, cyfeillion, byd hardd a chyfoethog – ond y mae'n rhoi mwy na phethau. Y mae'n ei roi ei hun, 'ei unig Fab', y cyfan sydd ganddo i'w roi. Ni fedrai roi dim mwy.

Yn drydydd, *bwriad y cariad:* 'er mwyn i bob un sy'n credu ynddo ef beidio â mynd i ddistryw, ond cael bywyd tragwyddol'. Bwriad y cariad dwyfol a ddatguddir trwy rodd fawr Duw yn Iesu Grist yw cadw, gwaredu ac ail-greu bywydau drylliedig. Mae pwrpas y rhoi yn eglur ddigon – er mwyn i bobl feddiannu bywyd tragwyddol. Nid yw Ioan yn sôn am na chosb na distryw nac uffern. Nid yw'n sôn chwaith am aberth Iesu ar y groes yn lleddfu dicter Duw ac yn bodloni ei gyfiawnder, oherwydd Duw ei hun sy'n rhoi, yn rhoi ei unig Fab; ei gariad ef sydd ar waith, a'i fwriad ef yw i bawb dderbyn o ffrwyth ei gariad trwy gredu yng Nghrist ac ymddiried ynddo.

Wrth gwrs, nid pawb sy'n dod i brofiad o'r bywyd newydd yng Nghrist. Mae rhai yn dal i 'garu'r tywyllwch' (In. 3: 19). Mae'n well ganddynt gysgodion nos na golau dydd, am fod y tywyllwch yn cuddio'u drygioni. Ond mae'r rhai sy'n credu ac yn byw a gweithredu yn y goleuni, yn canfod ansawdd newydd a thragwyddol i fywyd. Mae'r bywyd hwn ar gael eisoes i'r credadun: fe all ddechrau byw yn awr, ym myd amser, y bywyd tragwyddol y mae Iesu'n ei gynnig i Nicodemus ac i ninnau.

Cwestiynau i'w trafod:

1. Beth, yn eich tyb chi, a olygir wrth ailenedigaeth?

2. Ai addewid i'r dyfodol ynteu profiad sydd i'w gael yn y presennol yw bywyd tragwyddol?

3. 'Prif ystyr y croeshoeliad yw ei fod yn fynegiant o gariad Duw.' Trafodwch.

PWY YW MAB Y DYN?

Mathew 16: 13–20; Luc 9: 18–21

Y mae'r tair efengyl gyntaf yn cytuno bod Iesu, rywbryd tua diwedd ei gyfnod yng Ngalilea, wedi cyrraedd trobwynt yn ei weinidogaeth. Wrth i'r sôn amdano fynd ar led, cynyddai gwrthwynebiad yr awdurdodau crefyddol a swyddogion Herod o ddydd i ddydd. Yn ôl Efengyl Luc, bu cymaint o sôn am Iesu fel y clywodd y Tywysog Herod amdano. Holodd yntau, 'pwy yw hwn yr wyf yn clywed y fath bethau amdano?' (Lc. 9: 9). Droeon yn ystod ei weinidogaeth fe gododd y cwestiwn, 'Pwy yw hwn?' Yn ei fedydd, cafodd Iesu gadarnhad o'i berthynas unigryw â'i Dad nefol: 'dyma lais o'r nefoedd yn dweud, "Hwn yw fy Mab, yr Anwylyd; ynddo ef yr wyf yn ymhyfrydu,"' (Mth. 3: 17). Cadwodd yr ateb iddo'i hun, er i'r cwestiwn godi i'r amlwg o dro i dro – yn gynnar yn Nasareth, er enghraifft, pan wrthodwyd ef yn y synagog gan nad oedd pobl ei fro yn ei ystyried yn ddim mwy na mab y saer, ac adeg gostegu'r storm pan ddywedodd rhai o'r disgyblion wrth ei gilydd, 'Pwy ynteu yw hwn? Y mae hyd yn oed y gwynt a'r môr yn ufuddhau iddo' (Mc. 4: 41). Yn wyneb yr holl honiadau a dyfaliadau amdano, nid yw'n rhyfedd fod Iesu, pan welodd fod yr amser yn aeddfed, wedi gofyn i'w ddisgyblion, 'Pwy y mae'r tyrfaoedd yn dweud ydwyf fi?' (Lc. 9: 18).

Roedd ei weinidogaeth gyhoeddus yng Ngalilea yn dirwyn i ben a dymuniad Iesu, cyn cychwyn ar ei daith tua Jerwsalem, oedd tynnu ei ddisgyblion i berthynas ddyfnach ag ef na chynt. Roedd wedi teithio rhyw 25 milltir i'r gogledd o Fôr Galilea, yn agos i'r fan lle'r oedd afon Iorddonen yn tarddu gerllaw troed mynydd Hermon. Nid yw'r fan yn cael ei nodi'n fanwl, rhagor na dweud 'daeth Iesu i barthau Cesarea Philipi' (Mth. 16: 13). Galwyd y ddinas yn *Cesarea* o barch i'r ymerawdwr, ac yn *Philipi* ar ôl Philip y Tetrarch, a'i hailadeiladodd. Ei henw cynt oedd Paneas, am fod traddodiad mai mewn ogof gyfagos y ganed y duw Pan, duw natur, ac yr oedd cysegr iddo yno. Yno hefyd yr oedd teml enfawr o farmor i'r ymerawdwr a adeiladwyd ar y graig uwchlaw'r ddinas gan Herod Fawr yn y flwyddyn 22CC. Heddiw, mae mosg Mwslemaidd ar y safle.

Wrth adrodd yr hanes hwn yng nghyd-destun dinas ac iddi gynifer o gysylltiadau â duwiau paganaidd, yn ogystal â bod yn ganolfan weinyddol o bwys i'r Ymerodraeth Rufeinig ac yn fangre addoliad yr Ymerawdwr, mae Mathew fel pe tai'n fwriadol yn gwneud i Iesu ei osod ei hun yn erbyn cefndir o addoliad paganaidd ac o awdurdod gwleidyddol gormesol, gyda'u holl rwysg ac ysblander, ac yn gofyn am ddedfryd o'i blaid ei hun. Mae fel pe bai'n sylweddoli bod parhad ei waith a'i ddylanwad yn dibynnu'n gyfan gwbl ar gylch bychan ei ddilynwyr ac ar eu hadnabyddiaeth hwy ohono.

Yn ôl Luc, ymneilltuodd Iesu i weddïo gyda'i ddisgyblion (Lc. 9: 18). Yna troes atynt i gael gwybod beth yn hollol oedd eu dyfarniad arno. Daeth yr amser iddynt benderfynu pa un ai dilyn y dorf a wnaent neu ddal ati i'w ddilyn ef. Gan fod y rhod wedi dechrau troi a'r elyniaeth ar gynnydd, roedd y cwestiwn, 'Pwy yw hwn?' yn mynd yn fwyfwy pwysig. Ar ôl byw cyhyd yn ei gwmni a than ddylanwad ei bersonoliaeth, dyma'r nifer fechan o'i ddilynwyr wedi cyrraedd y pwynt o weld ystyr a phwysigrwydd y cwestiwn.

Barn y dyrfa

Cyn rhoi prawf ar ei ddisgyblion, mae Iesu'n eu holi am farn y bobl yn gyffredinol amdano: 'Pwy y mae pobl yn dweud yw Mab y Dyn?' (Mth. 16: 13). Yn wahanol i Marc a Luc, mae Mathew yn ychwanegu'r term 'Mab y Dyn' at y cwestiwn, ac wrth wneud hynny mae'n dangos mai cwestiwn am ei berson yw hwn, yn hytrach nag am ei ddysgeidiaeth na'i wyrthiau. Gellid defnyddio'r ymadrodd 'Mab y Dyn' yn yr ystyr o 'ddyn,' 'proffwyd,' neu 'y Meseia.' Er mwyn paratoi'r disgyblion, gofynnodd iddynt yn gyntaf ba ystyr a roddai'r bobl yn gyffredinol i'r ymadrodd. Dibynna popeth ar yr ateb a roddir i'r cwestiwn, 'Pwy yw hwn?' Roedd ystyr ac arwyddocâd ei ddysgeidiaeth, ei wyrthiau a phrif amcan ei weinidogaeth yn dibynnu'n llwyr ar eu hateb i'r cwestiwn tyngedfennol hwn.

Fel y gwelsom eisoes, roedd amrywiaeth mawr ym marn y dyrfa am Iesu. I rai, nid oedd ond 'mab y saer'; yn ôl yr awdurdodau crefyddol, roedd yn cyflawni gweithredoedd nerthol dan ddylanwad pennaeth y cythreuliaid; ac i'r rhelyw o bobl, roedd yn 'ddyn da' – dim mwy a dim llai. Ni chyfeiriodd y disgyblion at y syniadau hyn, dim ond eu cyfyngu eu hunain i syniadau mwy canmoliaethus y dyrfa.

Yr atebion a gafodd Iesu i'w gwestiwn oedd: yn gyntaf, 'Mae rhai'n dweud *Ioan Fedyddiwr'* (Mth. 16: 14) – wedi ei gyfodi oddi wrth y meirw. Dyna oedd barn Herod Antipas (Mth. 14: 2). Yr oedd Ioan wedi cael y fath ddylanwad fel bod rhai o'r farn na allai angau fod wedi ei oresgyn, ac y byddai'n atgyfodi drachefn.

Yn ail, barn rhai oedd mai Iesu oedd *Elias.* Roedd hynny'n ganmoliaeth uchel oherwydd ystyrid mai Elias oedd y pwysicaf o'r proffwydi. Hefyd, ar sail Mal. 4: 5, credai'r rabbiniaid y byddai Elias yn dychwelyd yn yr oes Feseianaidd fel rhagflaenydd y Meseia ei hun. Os oedd Iesu i'w ddehongli mewn termau dynol, roedd ei ystyried yn ail Elias yn glod yn wir.

Yn drydydd, barn eraill oedd mai ef oedd *'Jeremeia neu un o'r proffwydi'* (Mth. 16: 14). Credai rhai Iddewon fod Jeremeia, yn union cyn y Gaethglud, wedi cymryd arch y cyfamod ac allor yr arogldarth o'r deml a'u cuddio mewn man diogel ar Fynydd Nebo, ac y byddai'n dychwelyd cyn dyfodiad y Meseia i'w hadfer i'w priod le yn y deml ac y byddai gogoniant yr Arglwydd yn ei amlygu ei hun ymysg ei bobl unwaith eto (2 Mac. 2: 1–8). Hefyd yn yr Apocryffa, yn 2 Esdras 2: 18, dywed Duw, 'Anfonaf fy ngweision Eseia a Jeremeia i'th gynorthwyo'. Cred boblogaidd oedd y byddai Jeremeia'n dychwelyd i baratoi'r ffordd ar gyfer y Meseia.

Yn bedwerydd, cred eraill oedd fod Iesu'n *'un o'r proffwydi'* (Mth. 16: 14). Hyd yn oed os oedd rhai'n ymarhous i'w uniaethu ag Elias neu Jeremeia, o leiaf yr oeddent yn barod iawn i'w ystyried yn broffwyd, ac felly'n fwy na dyn cyffredin ac yn gennad oddi wrth Dduw a chanddo berthynas agos â Duw. Yr oedd syniad y dyrfa yn un aruchel, ond os proffwyd yn unig ydoedd yng ngolwg y bobl, gwyddai Iesu nad oeddent eto wedi canfod ei wir fawredd.

Barn y disgyblion

Heb drafod barn y dyrfa o gwbl, aeth Iesu ymlaen i ofyn y cwestiwn i'r disgyblion: '"A chwithau...," meddai wrthynt, "pwy meddwch chwi ydwyf fi?"' (16: 15). Eu hymateb hwy oedd yn bwysig iddo. Ar ôl bod yn eu cwmni gyhyd, gan bregethu a gweithio a phrofi gelyniaeth rhai ac anwadalwch eraill, y cwestiwn yn awr oedd, a oedd gweddill ei ddilynwyr agosaf yn ei adnabod ac yn credu ynddo. Ar hynny y dibynnai llwyddiant ei genhadaeth i'r dyfodol. Gwell fyddai cael cnewyllyn o ddynion oedd wedi canfod cyfrinach ei berson na thorf a feddyliai'n dda amdano, ond nad oedd wedi darganfod ei wir natur.

Pedr, y parotaf ei eiriau bob amser, sy'n ateb ar ran y lleill: 'Ti yw'r Meseia, Mab y Duw byw' (16: 16). I'r dyrfa, roedd Iesu'n un o'r goreuon ymysg dynion; i Pedr, roedd yn gwbl unigryw, heb fod yn debyg i neb arall. Gwaith proffwyd oedd cyfeirio pobl at un mwy nag ef ei hun. Y Meseia, ar y llaw arall, yw cyflawniad pob proffwydoliaeth – yr unig un a allai ddatguddio Duw yn ei lawnder ac achub y ddynoliaeth. Mathew yn unig sy'n sôn am Pedr yn defnyddio'r geiriau 'Mab y Duw byw', sy'n fynegiant o'r hyn a welodd ac a glywodd Iesu yn ei fedydd. Deallodd Pedr a'r disgyblion yn ddiweddarach fod safle feseianaidd Iesu'n seiliedig ar ei berthynas unigryw â'i Dad nefol. Golyga'r ymadrodd 'y Duw byw' nid yn unig ei fod yn fyw mewn cyferbyniad â duwiau eraill, yn enwedig y duwiau a gynrychiolid gan demlau paganaidd Cesarea, ond ei fod yn gweithredu yn ei fyd ac ym mhrofiadau pobl, ac yn gweithredu'n arbennig yn ei Fab Iesu Grist.

Wrth alw Iesu, *y Meseia*, neu'r *Crist* (yr eneiniog un), mae Pedr yn defnyddio'r teitl uchaf y gwyddai amdano, ac yn gosod Iesu mewn dosbarth cwbl ar ei ben ei hun. Mae'n cydnabod mai mewn termau dwyfol yn unig y gellir deall a diffinio person Iesu. Nid oes unrhyw dermau dynol y gellir eu defnyddio a all wneud cyfiawnder â dirgelwch ei berson, nac ychwaith â mawredd ei waith a'i ddylanwad ar eraill. Ar yr un pryd, roedd gan Pedr a'r disgyblion eraill lawer mwy i'w ddysgu.

Yn araf, a thrwy lawer o fyfyrio ac o brofiadau cymysg y daeth y credinwyr cynnar i ddeall mwy a mwy am natur ac arwyddocâd person Iesu. A thros y canrifoedd, bu Cristnogion yn myfyrio ar berson a gwaith Crist gan ganfod, fel Robert ap Gwilym Ddu,

Rhyw newydd wyrth o'i angau drud
a ddaw o hyd i'r golau.

Ar y graig hon

Mathew yn unig sy'n cofnodi geiriau Iesu yn cymeradwyo Pedr a'i gyffes: 'Gwyn dy fyd, Simon fab Jona, oherwydd nid cig a gwaed a ddatguddiodd hyn iti ond fy Nhad, sydd yn y nefoedd' (Mth. 16: 17). Yr oedd ei gyffes yn ei wneud yn gyfrannog o ddedwyddwch y deyrnas, ynghyd â'r 'tlodion yn yr ysbryd', 'y trugarogion', 'y tangnefeddwyr', 'y pur o galon', ac eraill a restrir yn y Gwynfydau. Ystyr 'gwyn eu byd' yw 'mor ddedwydd yw'. Ceir bendith a dedwyddwch o adnabod Iesu ac o fyfyrio ar ei berson a'i waith:

Ei 'nabod ef yn iawn
yw'r bywyd llawn o hedd,
a gweld ei iachawdwriaeth lawn
sydd yn dragwyddol wledd.
(John Thomas 1730-1804?)

Nid crebwyll na gallu meddyliol Pedr ei hun a'i harweiniodd i weld gogoniant Iesu a'i adnabod fel y Meseia, ond datguddiad Duw. Nid yw hynny'n golygu nad oedd Pedr wedi paratoi'r ffordd i'r adnabyddiaeth trwy ei ymlyniad wrth Iesu, a'i ymroddiad i'w wasanaeth. Ond datguddiad Duw, nid darganfyddiad dyn, oedd sail ei ffydd a'i gyffes. Y mae mawredd a gogoniant Iesu'n gyfryw fel na fedr meddwl dynol ei amgyffred na'i adnabod yn llawn; yn hytrach, sythwelediad yn dod fel fflach o ganlyniad i ddatguddiad dwyfol sy'n peri i'r gwirionedd wawrio ar enaid dyn. Ar yr un pryd, mae'r datguddiad dwyfol yn fwy tebygol o wawrio ar yr enaid disgwylgar sy'n dyheu amdano ac yn agor iddo mewn myfyrdod a gweddi.

Ymateb pellach Iesu yw rhoi i Pedr enw newydd, *Petros,* sy'n dynodi 'craig'. Ceir yma chwarae ar eiriau sy'n mynd yn ôl i'r Aramaeg, mamiaith

Iesu: 'Ti yw Ceffas, ac ar y *kêpha* ('craig') hon yr adeiladaf fy eglwys' (16: 18). Ar un olwg, mae'r gair 'craig' yn ddisgrifiad anghymwys iawn o gymeriad Pedr, sy'n aml yn ymddangos yn fyrbwyll a di-ddal. Ond mae rhai wedi dadlau nad cymeriad Pedr yw'r graig, ond ei ffydd a'i gyffes. Mae eraill wedi dadlau mai Iesu ei hun a olygir wrth y 'graig', a'i fod wedi pwyntio ato'i hun wrth ddweud y geiriau 'ar y graig hon'. Os felly, yr ystyr yw mai arno ef fel y Meseia yr adeiladir yr eglwys, ond y mae'n fwy tebygol mai cyfeirio at Pedr a wna gan y rhoddir lle mor amlwg i Pedr yn Efengyl Mathew. Golygai hynny yr edrychid ar gyffes Pedr gan y gymdeithas Gristnogol gynnar fel y datganiad cyhoeddus cyntaf o'u ffydd yng Nghrist. Ef oedd sylfaenydd yr Israel newydd, fel yr ystyrid Abraham yn sylfaenydd yr hen Israel. Mae'r proffwyd Eseia'n annog yr hen genedl, 'Edrychwch ar y graig y'ch naddwyd ohoni ... edrychwch at Abraham eich tad, ac at Sara, a'ch dygodd i'r byd' (Es. 51: 1–2). Bydd Pedr, felly, yn nhermau'r Israel newydd, yr hyn a fuasai Abraham yn nhermau'r hen.

Ar sail geiriau Iesu yn yr adnod hon (Mth. 16: 18), mae'r Eglwys Gatholig Rufeinig wedi mynnu erioed mai Pedr oedd carreg sylfaen yr Eglwys, mai ef oedd y pab cyntaf, a bod pob pab ers hynny wedi sefyll yn ei olyniaeth ef fel pen yr Eglwys ar y ddaear. Tra bo Pabyddion wedi dadlau mai Pedr yn bersonol ac yn unigol yw'r 'graig' yr adeiladwyd yr Eglwys arni, dadl Protestaniaid yw mai *ffydd* Pedr yw'r sail. Mae'r ffaith nad oes unrhyw gyfeiriad arall yng ngweddill y Testament Newydd at Pedr fel sail a sylfaenydd yr Eglwys yn awgrymu nad ato ef yn bersonol y cyfeirir. Mae'r ffydd sy'n sylfaen yr Eglwys yn ffydd bersonol i bobl sy'n cyffesu Crist. A derbyn hynny, mae lle pwysig iawn i Pedr ac i'w gyffes fel sail cymdeithas a chenhadaeth yr Eglwys.

Y mae cyffes Pedr yn sail ddigon cadarn i Iesu ychwanegu, 'ni chaiff holl bwerau Hades y trechaf arni' (16: 18). Gall yr ymadrodd olygu na allai grymusterau angau a drygioni, wrth i Iesu gael ei groeshoelio, roi terfyn ar yr Eglwys. Ac yn dilyn o hynny, gall olygu na allai holl ymosodiadau ac erledigaethau'r canrifoedd chwaith ei dinistrio. Y mae dwy fil o flynyddoedd hanes yr Eglwys yn gwireddu hynny. Bu llawer ymosodiad arni dros y canrifoedd, gan gynnwys ein cyfnod ni, ond y mae'n parhau yn fyw.

Mae'r ymadrodd 'allweddau teyrnas nefoedd' (16: 19) yn golygu safle o awdurdod, a'r agoriad yn symbol o awdurdod i ddeddfu – i ganiatáu neu wrthod mynediad i'r Eglwys, ac felly i'r deyrnas. Yn rhinwedd ei ffydd a'i safle fel prif arweinydd yr Eglwys yn ei ddydd, rhoddir i Pedr yr awdurdod i benderfynu beth a ganiateir a beth a waherddir. Ymhellach ymlaen dywed Efengyl Mathew i Iesu roi'r awdurdod hwn i'r disgyblion i gyd fel rhai oedd yn credu ynddo ac yn ei gyffesu (18: 18).

Cwestiynau i'w trafod:

1. 'Man cychwyn ffydd a'r bywyd Cristnogol yw adnabod Iesu fel Mab Duw a gwaredwr.' A ydych yn cytuno?

2. Pa mor bwysig i Iesu oedd sicrhau bod ei ddisgyblion wedi dod i'w adnabod yn llawn?

3. Ym mha ystyr y mae Pedr yn sylfaen yr Eglwys?

GWELEDIGAETH PEN Y MYNYDD

Mathew 17: 1–13; 2 Pedr 1: 16–18

Cysylltir llawer o brofiadau ysbrydol mawr y Beibl â mynyddoedd. Ar fynydd Sinai y rhoddodd Duw'r Deg Gorchymyn i Moses; o ben mynydd Nebo y cafodd Moses weld Gwlad yr Addewid; ar fynydd Carmel y llwyddodd Elias i oresgyn proffwydi Baal; ac ar fynydd Horeb y llefarodd Duw wrtho yn sain y distawrwydd i'w galonogi. Yn y Testament Newydd, cawn hanes Iesu'n traddodi ei Bregeth ar y Mynydd; ar Fynydd yr Olewydd y gweddïodd ar i gwpan dioddefaint gael ei chymryd oddi wrtho; ac ar fryn Calfaria y cafodd ei groeshoelio. Ac ar ben mynydd y cafodd Pedr, Iago ac Ioan weledigaeth ryfeddol o ogoniant dwyfol Iesu pan 'weddnewidiwyd ef yn eu gŵydd hwy, a disgleiriodd ei wyneb fel yr haul, ac aeth ei ddillad yn wyn fel y goleuni' (Mth. 17: 2). Bu dyfalu ynghylch lleoliad y mynydd hwn. Tabor oedd y lleoliad traddodiadol, ond y mae'n debycach mai Hermon yw'r mynydd, gan fod hwnnw tua 14 milltir i'r gogledd o Gesarea ac yn uwch na 9,000 o droedfeddi. Mae hynny'n cyd-fynd â disgrifiad Mathew ohono fel 'mynydd uchel'.

Gweddnewidiad Iesu

'Stori ryfedd arallfydol' yw hon, yn ôl yr esboniwr G. B. Caird, ond stori am ddigwyddiad a wnaeth argraff ddofn ar y tri disgybl; cymaint felly nes bod y tri efengylydd, Mathew, Marc a Luc, wedi ei chynnwys yn eu hefengylau. Y mae rhai esbonwyr wedi gweld yr hanes fel chwedl noeth. Mae eraill wedi trin y stori fel 'stori atgyfodiad' wedi'i chamleoli – enghraifft o un o ymddangosiadau'r Crist atgyfodedig wedi ei gwthio'n ôl i gyfnod ei weinidogaeth. Ond mae awduron y tair efengyl yn adrodd yr hanes yn ofalus ac yn dyddio'r digwyddiad yn union ar ôl cyffes Pedr yng Nghesarea Philipi: 'Ymhen chwe diwrnod dyma Iesu'n cymryd Pedr ac Iago ac Ioan ei frawd, ac yn mynd â hwy i fynydd uchel o'r neilltu' (Mth. 17: 1). Mae Mathew yn amlwg yn ei gofnodi fel profiad gwir o weledigaeth ysbrydol. I fwy nag un esboniwr cyfoes, disgrifiad o brofiad cyfriniol a geir yma, yn cyfateb i'r disgrifiadau sydd gennym o'r modd y newidir gwedd ambell sant neu gyfrinydd dan ddwyster ei brofiadau wrth weddïo neu fyfyrio. Ceir ambell enghraifft Feiblaidd, fel hanes Moses yn disgyn o fynydd Sinai ar ôl iddo siarad â Duw, a chroen ei wyneb yn disgleirio (Ex. 34: 29), a chyfeiriad Paul at gael ei gipio i fyny i Baradwys (2 Cor. 12: 3). Dywedir y byddai disgyblion Francis o Assisi yn cael cip weithiau drwy gil y drws ar y disgleirdeb a dorrai dros ei wyneb pan fyddai'n gweddïo. A cheir sawl enghraifft o brofiadau cyfriniol o'r fath gan Evelyn Underhill yn ei chyfrol *Mysticism.* Gallwn gredu i Iesu hefyd gael y fath brofiad aruchel o ogoniant dwyfol yn lapio amdano nes i hynny effeithio ar ei wedd allanol.

Y mae pedair elfen i'r weledigaeth. Yr elfen gyntaf yw'r *gweddnewidiad ei hun.* Tynnwyd y gorchudd oddi ar lygaid y tri disgybl, a gwelsant ogoniant Iesu; gwelsant ei ogoniant yn ei wyneb, a oedd yn disgleirio fel yr haul, a hyd yn oed yn ei ddillad, a oedd yn wyn fel goleuni. Am ennyd, diflannodd Iesu o Nasareth, mab y saer, yr athro a'r proffwyd, a gwelsant y Meseia tragwyddol. Cymerodd Iesu'r tri disgybl hyn gydag ef i ben y mynydd oherwydd y berthynas agos oedd rhyngddo a hwy. Dyma'r tri a gafodd ei weld yn atgyfodi merch Jairus (Mc. 5: 37) ac a fu'n gwmni iddo yng Ngardd Gethsemane (Mth. 26: 37). Ac am y chwe diwrnod ers cyffes Pedr yng Nghesarea, gallwn dybio bod y tri wedi meddwl yn ddwys am yr hyn a glywsant, a bod y gwirionedd am Iesu wedi treiddio'n ddyfnach, ddyfnach i'w calonnau. Sut bynnag yr eglurwn yr hanes, ni ellir gwadu ei effaith ar y tri disgybl na'i arwyddocâd i Iesu ei hun fel cadarnhad o'i safle a'i ogoniant dwyfol.

Ail elfen y weledigaeth yw *ymddangosiad Moses ac Elias*. Defnyddir y gair 'ymddangos' yn ddieithriad yn y Testament Newydd am ymddangosiadau goruwchnaturiol. Mae'n sicr fod Iesu wedi meddwl llawer am Moses ac Elias mewn perthynas â'i genhadaeth ei hun. Roedd Moses yn cynrychioli'r Gyfraith ac Elias yn cynrychioli'r proffwydi. Maent yn ymddangos yn awr er mwyn dangos bod eu goruchwyliaeth hwy ar fin diflannu am fod Iesu bellach yn cyflawni holl ddisgwyliadau'r ddau.

Cwestiwn a godai'n aml ym meddwl y disgyblion a'r awdurdodau crefyddol oedd perthynas Iesu â'r Gyfraith ac â'r proffwydi. Roedd y gwrthdrawiad rhwng Iesu a'r awdurdodau mor amlwg, a'i ragfynegiad o'i lwybr i'r groes mor wahanol i'r disgwyliadau poblogaidd ynglŷn â'r Meseia, nes creu dryswch yn eu meddyliau am ei berthynas â'r hen oruchwyliaeth. A oedd dilyn Iesu'n golygu cefnu ar Moses a'r Gyfraith Iddewig? A beth am y proffwydi? A oeddent hwy i'w taflu o'r neilltu? Ar ben y mynydd, cafodd y tri disgybl ateb i'w cwestiynau. Roedd gweld Iesu yn ei ogoniant yng nghwmni Moses, rhoddwr y Ddeddf, ac Elias, y cyntaf o'r proffwydi a rhagflaenydd y Meseia – a hwythau 'yn ymddiddan ag ef' (Mth. 17: 3) – yn dangos yn eglur nad oedd dilyn Iesu'n golygu cefnu ar y Gyfraith na chwaith ddibrisio'r proffwydi. Yr oedd lle iddynt gydag ef, ac felly roedd lle iddynt ym mywyd a chenhadaeth yr Eglwys, yr Israel Newydd.

Yr oedd arwyddocâd pellach i ymddangosiad Moses ac Elias. Ymadawodd y ddau â'r byd hwn mewn modd eithriadol a dramatig (gweler Deut. 28: 15–19; Mal. 4: 5), a dywed Luc mai testun eu hymddiddan ag Iesu yn awr oedd 'ei ymadawiad, y weithred yr oedd i'w chyflawni yn Jerwsalem' (Lc. 9: 31). Er mor ogoneddus fu eu hymadawiad hwy, maent yn tystio y bydd ymadawiad Iesu, er iddo ddioddef gwarth a marwolaeth ar y groes, yn fwy gogoneddus fyth. Ac nid ei ymadawiad yn unig, ond hefyd ei ailddyfodiad mewn gogoniant, gan y disgwylid i'r ddau ailymddangos fel rhagredegwyr y Meseia.

Trydedd elfen y weledigaeth yw'r *cwmwl gwyn yn cysgodi drostynt.* Y mae'r cyfeiriad at y cwmwl yn dwyn i gof y cwmwl a orchuddiai Sinai, arwydd o bresenoldeb Duw yn gorchuddio'r mynydd, a galwad Duw ar Moses i fynd i ganol y cwmwl a dringo'r mynydd (Ex. 24: 15–18). Yr un cwmwl sy'n gorchuddio Iesu adeg ei esgyniad ac yn ei gipio o olwg ei ddisgyblion (Act. 1: 9). Symbol yw'r cwmwl o'r *shekinah*, neu'r gogoniant dwyfol, 'cwmwl golau' sydd yn cysgodi drostynt. Y golau yw presenoldeb Duw, ac Iesu'n sefyll yn y presenoldeb hwnnw, a'r cwmwl sy'n ei gwneud yn bosibl hefyd i bobl sefyll yn ei bresenoldeb. Y syniad yw fod aros wyneb yn wyneb â Duw yn amhosibl i ddyn os nad yw Duw yn cuddio'i ogoniant i ryw raddau.

Mewn defosiwn Cristnogol bu lle amlwg i'r darlun o gwmwl. Un o'r clasuron cyfriniol yw 'Cwmwl yr Anwybod'; gwaith mynach anhysbys o'r bedwaredd ganrif ar ddeg. Sonia am sefyll ym mhresenoldeb Duw fel cerdded i mewn i gwmwl llawn dirgelwch sy'n cuddio wyneb Duw oddi wrthym. Am fod y cwmwl yn dywyll, rhaid ei drywanu â'n gweddïau a'n dyheadau a'n cariad. 'Y mae'r tywyllwch a'r cwmwl hwn rhyngot a'th Dduw, ac oherwydd hyn ni weli di ef yn glir â'th reswm nac â goleuni deall. Bydd yn barod felly i barhau yn y tywyllwch cyhyd ag sydd raid, gan lefain yn barhaus amdano ef, yr hwn yr wyt yn ei garu. Oherwydd os wyt i ymdeimlo ag ef a'i weld, fe ddigwydd hynny o reidrwydd oddi mewn i'r cwmwl a'r tywyllwch hwn.' *(The Cloud of Unknowing,* cyf. Iva Progoff, Llundain 1959, tt. 57–8). Y paradocs yw mai'r cwmwl yw'r arwydd o bresenoldeb Duw, ond y mae hefyd yn ei guddio oddi wrthym gan na fedrwn fel bodau meidrol edrych ar ei wyneb. Gweddi'r saint yw am gael treiddio trwy ddirgelwch y cwmwl a syllu ar ei wedd. Ceir yr un syniad yn nifer o'n hemynau.

> O rhwyga'r tew gymylau duon
> sy'n cuddio gwedd dy wyneb gwiw ...

yw deisyfiad Nathaniel Williams, ac mae Hugh Jones, Maesglasau, yn ymbil ar i Dduw symud y gorchudd oddi ar Fryn Calfaria:

> O tyn
> y gorchudd yn y mynydd hyn;
> llewyrched Haul Cyfiawnder gwyn ...

Profiad unigryw Pedr, Iago ac Ioan oedd cael bod yn y cwmwl golau, a chael cip ar ogoniant dwyfol eu Harglwydd.

Pedwaredd elfen y weledigaeth yw'r *llais o'r cwmwl.* O ganol dirgelwch y cwmwl golau daeth llais yn datgan, 'Hwn yw fy Mab, yr Anwylyd: ynddo ef yr wyf yn ymhyfrydu; gwrandewch arno' (Mth. 17: 5). Yn y Bedydd, mae'r llais yn cyfarch Iesu ei hun, 'Ti yw fy Mab, yr Anwylyd' (Mc. 1: 11). Ond yma yn hanes y gweddnewidiad, mae'r llais yn siarad â'r tri disgybl i gadarnhau gwirionedd cyffes Pedr yng Nghesarea a'r weledigaeth ar y mynydd. Mae'r llais yn galw'r disgyblion hefyd i blygu i awdurdod Iesu ac ufuddhau iddo: 'gwrandewch arno'. Mae'r llais dwyfol yn cadarnhau'r gwirionedd amdano, ac ar yr un pryd yn cyhoeddi ei awdurdod moesol. Yr oeddent i wrando arno er bod ganddo bethau caled i'w dweud wrthynt am yr hyn a fyddai'n digwydd iddo wedi iddynt gyrraedd Jerwsalem.

Ymateb y disgyblion

Rhyfeddod a llawenydd oedd ymateb cyntaf y tri disgybl. Pedr yw'r cyntaf i lefaru. Roedd wedi ei gyfareddu gan y weledigaeth o Iesu'n ymddiddan â Moses ac Elias. 'A dywedodd Pedr wrth Iesu, "Arglwydd, y mae'n dda ein bod ni yma"' (Mth. 17: 4). Yr oedd y profiad a'r gymdeithas wrth fodd calon Pedr; yn bell o sŵn a galwadau'r byd prysur, yr oedd hamdden a thawelwch i edrych ar ogoniant ei Arglwydd. O ganlyniad, yr oedd yn awyddus i estyn y profiad a pharhau i fwynhau'r cwmni ar ben y mynydd; 'os mynni, gwnaf yma dair pabell, un i ti ac un i Moses ac un i Elias' (17: 4). Mae Marc yn ychwanegu, 'Oherwydd ni wyddai beth i'w ddweud; yr oeddent wedi dychryn cymaint' (Mc. 9: 6). Ar y naill law, roedd Pedr yn rhyfeddu at yr hyn a welai ac am ymestyn y weledigaeth cyhyd â phosibl, ond ar y llaw arall roedd wedi ei ddychryn drwyddo. Ym mhob profiad ysbrydol dwfn ceir cyfuniad o ryfeddod ac o ddychryn, o orfoledd ac o ofn.

Disgrifiad enwog Rudolph Otto o'r profiad o sancteiddrwydd (a alwai ef y *numinous*), oedd ei fod yn *mysterium tremendum et fascinans.* Hynny yw, y mae iddo'r un pryd elfennau o ddirgelwch brawychus a rhyfeddod dwys, sy'n denu ac yn ennyn cariad a moliant yn y galon.

Oherwydd dwyster y profiad, yr oedd Pedr am godi tair pabell er mwyn tabernaclu'r profiad a'i gadw yn fyw ac yn barhaol, fel y ceisiodd yr Israeliaid dabernaclu Duw yn yr anialwch, ac fel y mae crefyddwyr ym mhob oes wedi ceisio cadw Duw o fewn terfynau eu temlau a'u systemau athrawiaethol. Mae Pedr yntau am estyn y profiad mewn ffordd sy'n nodweddiadol ddynol – codi tair pabell. Yn yr un modd, mae pobl wedi ymhyfrydu mewn profiadau ysbrydol aruchel – profiadau pen y mynydd – ac wedi dymuno iddynt barhau. Ceir hanesion am gyfarfodydd mewn cyfnodau o ddiwygiad yng Nghymru lle y parhaodd cynulleidfaoedd am oriau i ganu a gorfoleddu, hyd oriau mân y bore. Ond nid yw Pedr yn cael gwneud hynny. Rhaid dychwelyd i wynebu'r byd drachefn, ac yn arbennig y dioddefaint a'r farwolaeth sy'n ein haros wrth iddynt droi eu camre i gyfeiriad Jerwsalem.

Wedi i'r tri disgybl glywed y llais o'r nef yn cadarnhau safle ac awdurdod Iesu, 'syrthiasant ar eu hwynebau a chydiodd ofn mawr ynddynt' (Mth. 17: 6). Ni feiddient wynebu mawredd ofnadwy eu Harglwydd, ond y mae eu hofn yn cilio yng ngweithred dyner Iesu'n dod atynt a chyffwrdd â hwy. O edrych i fyny, gwelsant fod y weledigaeth drosodd, y cwmni a'r cwmwl wedi diflannu, ond gwelsant hefyd fod Iesu'n aros gyda hwy: 'ni welsant neb ond Iesu'. Os oedd popeth arall wedi peidio, yr oedd Iesu'n aros, ac roedd hynny'n ddigon. Y mae hynny eto yn brofiad Cristnogol oesol. Mewn cyfnodau pan fydd pawb a phopeth yn darfod o'n cwmpas, digon yw gwybod bod Iesu'n aros a bod ei gariad ef yn ein cynnal ym mhob colled a thrwy bob awr dywyll.

Y daith i lawr o'r mynydd

Wrth iddynt ddisgyn o'r mynydd, yn llawn o'u profiad newydd ac yn ysu am gael ei rannu â'r disgyblion eraill, dywedodd Iesu, 'Peidiwch â dweud wrth neb am y weledigaeth nes y bydd Mab y Dyn wedi ei gyfodi oddi wrth y meirw' (17: 9). Byddai dweud eu profiad o weld gweddnewidiad Iesu yn agored i'w gamddeall. Dim ond yng ngoleuni'r atgyfodiad y deuai gogoniant dwyfol Iesu yn amlwg ac yn ddealladwy i bawb arall. Yn y cyfamser, cafodd Pedr, Iago ac Ioan gipolwg ac ernes o'r gogoniant hwnnw. Ond roedd y cyfeiriad at yr atgyfodiad yn atgof i'r disgyblion na ddeuai'r gogoniant Meseianaidd hwn i'r amlwg heb i'w Harglwydd gerdded llwybr dioddefaint. Roedd cysgod Jerwsalem a'r groes yn disgyn ar draws eu profiad rhyfeddol.

Er bod profiad y tri disgybl yn ateb llawer o'u cwestiynau, roedd hefyd yn codi cwestiynau eraill. Un ohonynt oedd lle Elias yn nyfodiad y Meseia. Yn ôl dysgeidiaeth yr ysgrifenyddion, roedd yn rhaid i Elias ddod yn gyntaf. Ateb Iesu oedd 'fod Elias eisoes wedi dod, ond iddynt fethu ei adnabod' (17: 12). At Ioan Fedyddiwr y cyfeiriai, gan ychwanegu y byddai'n rhaid i Fab y Dyn yntau ddioddef, fel y dioddefodd Ioan.

Yn stori'r gweddnewidiad, fe dynnwyd y llen o'r neilltu am ennyd er mwyn i'r tri disgybl gael golwg sydyn, y tu draw i'r dioddefaint, ar y gogoniant dwyfol a oedd eto i ymddangos. Cawsant ragflas o Iesu yn ei ogoniant terfynol, a rhoddwyd iddynt ernes yn y presennol o'r hyn a oedd yn guddiedig yn y dyfodol. Flynyddoedd yn ddiweddarach, byddai Pedr yn sôn yn ei Ail Lythyr am y profiad o fod ar ben y mynydd gydag Iesu a'i 'weld â'n llygaid ein hunain yn ei fawredd' (2 Ped. 1: 16) a chlywed y llais yn datgan 'Hwn yw fy Mab, yr Anwylyd; ynddo ef yr wyf yn ymhyfrydu'. Byddai'r atgof am y gweddnewidiad yn aros gyda'r disgyblion hyd ddiwedd eu hoes.

Cwestiynau i'w trafod:

1. A ddylem roi pwys ar feithrin profiadau cyfriniol yn ein bywyd crefyddol heddiw?

2. Bu'n rhaid i'r disgyblion ddod i lawr o ben y mynydd i wynebu'r byd drachefn. A yw'n wir dweud bod pob profiad ysbrydol yn arwain at waith a gwasanaeth yn y byd?

3. Pam nad oedd Iesu am i'r disgyblion gyhoeddi eu gweledigaeth i eraill?

Y DAITH ANORFOD

Mathew 16: 21–28; Luc 9: 57–62; Mathew 20: 20–29

Yr oedd cyffes Pedr yng Nghesarea Philipi a'r gweddnewidiad yn ddwy garreg filltir bwysig ar ffordd gweinidogaeth Iesu. Gyda'r ddau ddigwyddiad cyrhaeddwyd trobwynt ar y daith. Mae'r tair efengyl gyfolwg yn rhoi hanes ei genhadaeth yng Ngalilea, ond daw'r amser i ymadael â Galilea a chychwyn ar ei daith anorfod i Jerwsalem. Meddai Efengyl Luc, 'Pan oedd y dyddiau cyn ei gymryd i fyny yn dirwyn i ben, troes ef ei wyneb i fynd i Jerwsalem' (Lc. 9: 51). Cyfeiria'r ymadrodd 'ei gymryd i fyny' at y symud graddol ond anochel o Galilea i ŵyl y Pasg yn Jerwsalem, a'r croeshoeliad a'r atgyfodiad; o ddioddefiadau ei fywyd daearol i ogoniant ei fywyd nefol. Yn ei fersiwn ef o stori'r gweddnewidiad, dywed Luc fod Moses ac Elias wedi ymddangos gydag Iesu mewn gogoniant a'u bod 'yn siarad am ei ymadawiad, y weithred yr oedd i'w chyflawni yn Jerwsalem' (9: 31).

Wedi cefnu ar Galilea a chychwyn i gyfeiriad Jerwsalem, byddai llawer carreg filltir arall ar y daith: paratoi ei ddisgyblion i wynebu'r dyfodol trwy egluro iddynt y byddai'n rhaid i Fab y Dyn ddioddef; delio â'r rhai a fyddai'n awyddus i'w ddilyn heb sylweddoli goblygiadau hynny; cywiro camsyniadau Iago ac Ioan a oedd yn cystadlu am swyddi yn y deyrnas; a dysgu gostyngeiddrwydd iddynt trwy dderbyn a bendithio plant bychain. Gan fod Iesu'n benderfynol o gerdded y ffordd nid oedd dim yn mynd i'w rwystro. Dyna ystyr yr ymadrodd 'troes ef ei wyneb i fynd i Jerwsalem'. Ceir yr awgrym fod rhywbeth yn nhrem ac osgo Iesu a oedd yn codi ofn ar ei ddilynwyr: 'Yr oeddent ar y ffordd yn mynd i fyny i Jerwsalem, ac Iesu'n mynd o'u blaen. Yr oedd arswyd arnynt, ac ofn ar y rhai oedd yn canlyn' (Mc. 10: 32). Yr oedd am i'w ddilynwyr hefyd sylweddoli mor arwynebol yw ceisio poblogrwydd a llwyddiant, a bod yn rhaid paratoi, dysgu ac ymddisgyblu i'w ddilyn o ddifrif.

Ffordd y groes

Mae Mathew, Marc a Luc yn tynnu sylw at y tri achlysur pan mae Iesu'n rhybuddio'i ddisgyblion o'i farwolaeth a'i atgyfodiad (Mth. 16: 21–28; 17: 22–23; 20: 17–19; Mc. 8:31–9:1; 9: 30–32; 10: 32–34; Lc. 9: 22–27; 9: 43–45; 18: 31–34). Daw'r cyntaf o'r tri ar ôl cyffes Pedr (Mth. 16: 21–28; Mc. 8:31 - 9:1; Lc. 9:22–27). Roedd y gyffes honno'n gydnabyddiaeth o Iesu fel y Meseia, ond gwyddai Iesu fod angen dysgu'r disgyblion fod y gwir Feseia'n berson gwahanol iawn i'r hyn a dybient hwy. Mae'n amhosibl dweud yn bendant pa bryd y daeth Iesu ei hun i sylweddoli y byddai'n rhaid iddo farw er mwyn cyflawni ei genhadaeth. Ond gallwn fod yn sicr mai yn raddol y daeth i sylweddoli hynny, ond ei fod wedi dod i sicrwydd erbyn y trobwynt mawr hwn yn ei genhadaeth. Yr oedd yn gwbl amlwg iddo y byddai syniadau poblogaidd y dyrfa a gwrthwynebiad yr awdurdodau crefyddol yn achosi gwrthdaro a fyddai'n arwain at ei farwolaeth. Roedd rheidrwydd arno, felly, i 'ddangos i'w ddisgyblion fod yn rhaid iddo fynd i Jerwsalem, a dioddef llawer gan yr henuriaid a'r prif offeiriaid a'r ysgrifenyddion, a'i ladd, a'r trydydd dydd ei gyfodi' (Mth. 16: 21). Mae ei eiriau'n creu'r fath ymdeimlad o ofn a thristwch nes bod Pedr yn protestio'n chwyrn. Nid oedd y syniad o Feseia'n dioddef yn rhan o feddwl yr Iddewon, ac ni allai Pedr ei dderbyn. Ond gwelai Iesu eiriau Pedr fel ymdrech i'w droi oddi ar ei lwybr. Mae'n gorchymyn i Satan, a glywai'n llefaru trwy enau Pedr, symud o'i olwg, neu symud y tu ôl iddo, yn hytrach na sefyll yn ei erbyn ar ei ffordd i'r groes. Nid oedd dim yn sicrach iddo na'i fod, wrth ddewis llwybr y groes, yn cyflawni ewyllys Duw.

Mae Iesu'n mynd ymlaen i ddangos i'w ddisgyblion fod disgwyl iddynt hwythau fod yn barod i gerdded yr un llwybr ag yntau. Meddai, mewn geiriau a geir yn y pedair efengyl, 'Os myn neb ddod ar fy ôl i, rhaid iddo ymwadu ag ef ei hun a chodi ei groes a'm canlyn i' (Mth. 16: 24: Mc. 8: 34; Lc. 9: 23; In. 12: 25–26). Ystyr 'ymwadu ag ef ei hun' yw llwyr anghofio'r hunan trwy sefydlu'r meddwl yn gyfan gwbl ar Dduw; dweud 'na' wrth yr hunan ac 'ie' wrth Dduw. Ystyr 'codi'r groes' yw bod yn barod i dderbyn gwaradwydd cyhoeddus er mwyn Iesu, dwyn siomedigaethau yn amyneddgar ac wynebu dioddefaint yn ddirwgnach. Daw'r geiriau hyn â ni at galon dysgeidiaeth Iesu ac at galon yr Efengyl.

Mae Iesu'n ymhelaethu ar yr un geiriau wrth iddo egluro bod y sawl sydd am gadw ei fywyd yn ei golli a'r sawl sy'n barod i'w golli yn ei ennill. Ac meddai ymhellach, 'Pa elw a gaiff rhywun os ennill yr holl fyd a fforffedu ei fywyd? Neu beth a rydd rhywun yn gyfnewid am ei fywyd?' (Mth. 16: 26). Pwysleisir gwirionedd sy'n ganolog i'r Efengyl, sef bod personoliaeth dyn, ei *hunan* neu ei *enaid*, yn datblygu trwy iddo'i anghofio'i hun, gwrthod gwneud ei amcanion ei hun yn ganolbwynt ei fywyd, a chanolbwyntio yn hytrach ar Dduw ac ar gyd-ddyn. Wrth ymgolli mewn gwasanaeth i Dduw a'i deyrnas y mae rhywun yn darganfod bywyd mewn gwirionedd. O beidio â gwneud hynny, a sianelu bywyd a'i egnïon i ddibenion hunanol, mae rhywun yn colli ei *hunan* fel nad oes ganddo wedyn ddim o werth ond pethau bydol, darfodedig.

Daeth yr ail achlysur i Iesu ragfynegi ei farwolaeth a'i atgyfodiad ar ôl y gweddnewidiad (Mth. 17: 22–23; Mc. 9: 30–32; Lc. 9: 43–45), pryd y dywedodd eto, 'Y mae Mab y Dyn i'w draddodi i ddwylo pobl, ac fe'i lladdant ef, a'r trydydd dydd fe'i cyfodir'. Mae Mathew a Luc yn disgrifio'r trydydd achlysur wrth i Iesu a'r disgyblion nesáu at ddinas Jerwsalem, ond y tro hwn nodant iddo gymryd y deuddeg disgybl o'r neilltu i'w hatgoffa o'r hyn a ddywedodd cynt am ei draddodi i ddwylo ei elynion a'i gondemnio i farwolaeth (Mth. 20: 17–19; Lc. 18: 31–34). Yn nisgrifiad Mathew ceir darlun byw ohono'n mynd i fyny i Jerwsalem, a theimlir grym ei benderfyniad i gyrraedd pen ei daith. Dywedir yn bendant y bydd yn cael ei gondemnio i farwolaeth gan yr arweinwyr Iddewig ac mai'r 'Cenhedloedd,' sef yr awdurdodau Rhufeinig, fydd yn ei roi i farwolaeth. Mynegir yn glir ddull ei farw – y caiff ei 'watwar, a'i fflangellu a'i groeshoelio' (Mth. 20: 19). Mathew yn unig sy'n sôn am y croeshoeliad cyn iddo ddigwydd.

Mae rhai esbonwyr yn awgrymu bod y rhagfynegiadau hyn yn fwy manwl nag oeddent o enau Iesu ei hun a bod awdur yr efengyl wedi ychwanegu rhywfaint at y geiriau gwreiddiol. Ond y pwynt canolog a wneir yw fod y daith i Jerwsalem yn golygu dilyn Iesu ar hyd ffordd dioddefaint a marwolaeth. Y frawddeg gyntaf yng nghyfrol enwog Dietrich Bonhoeffer, '*The Cost of Discipleship*,' yw 'Pan eilw Iesu ddyn i'w ddilyn, mae'n ei alw i farw'. Galwad i wynebu'r posibilrwydd o ddioddefaint a marwolaeth oedd galwad Iesu i'r rhai a oedd am ei ddilyn ar ei ffordd i Jerwsalem. I Bonhoeffer, ac i filoedd o Gristnogion eraill dros y canrifoedd, bu'r alwad i'w ddilyn yn alwad i wynebu erledigaeth a merthyrdod, ac y mae hynny'n wir i lawer iawn o gredinwyr Cristnogol heddiw. Ond os nad yw'n alwad i farw'n llythrennol, mae'n alwad i farw i'r hunan; i roi heibio pob uchelgais personol a phob awydd am glod ac anrhydedd, ac i ddilyn ôl traed y Meseia dioddefus.

Cyfrif y gost

Nid oedd pob un yn ymwybodol o'r gost o ddilyn Iesu. Wrth iddo deithio trwy rai o bentrefi Samaria, daeth tri darpar ganlynwr ato gan fynegi awydd i'w ddilyn. Mae Luc yn gosod y digwyddiadau hyn ar gychwyn y daith er mwyn dangos bod dilyn Iesu yn galw am barodrwydd i wynebu caledi. Meddai un, 'Canlynaf di lle bynnag yr ei' (Lc. 9: 57). Gwrandäwr brwdfrydig oedd hwn, heb sylweddoli y byddai dilyn Iesu'n anturiaeth fawr ac ansicr. Rhybuddia Iesu ef y gallai hynny olygu bod yn ddigartref a heb le i orffwys, am nad oedd ga Fab y Dyn le i roi ei ben i lawr.

Iesu ei hun a alwodd yr ail ymgeisydd i'w ganlyn, ond gwelai hwnnw anawsterau a galwadau eraill pwysicach: 'Arglwydd, caniatâ imi yn gyntaf fynd a chladdu fy nhad' (9: 59). Yr oedd parch at rieni yn elfen bwysig ym mywyd yr Iddew. Ceir yma wrthdaro rhwng dau deyrngarwch, sef teyrngarwch i'r alwad ddwyfol a theyrngarwch i ddyletswydd ddynol. Roedd Iesu ei hun wedi gorfod wynebu'r dewis hwn yn ei fywyd ac wedi penderfynu dilyn galwad Duw, beth bynnag y gost. Roedd galwad y deyrnas i gael y lle blaenaf mewn bywyd, uwchlaw pob hawl arall.

Y mae'r trydydd ymgeisydd hefyd yn dymuno dilyn Iesu, ond ar ôl iddo'n gyntaf ffarwelio â'i deulu. Meddai'r esboniwr Michael Wilcock amdano, 'Disgybl yr *ond* yw hwn, fel yr ail'. 'Canlynaf di, Arglwydd, *ond ...'* (9: 61). Golyga hynny roi rhywbeth arall o flaen galwad Crist, ei derbyn ar amodau neu o gymhellion cymysg. Ond ateb Iesu oedd fod hawliau'r deyrnas yn daer a diamod, ac yn galw am ymroddiad llwyr.

Nid yw'r amaethwr da yn edrych wysg ei gefn wrth dorri'r gŵys. Er mwyn cadw'r aradr yn ei rhych a thorri cwys union, rhaid iddo gadw'i olwg ymlaen o hyd a'i feddwl ar ei waith. Os nad yw dyn yn barod i wneud hynny nid yw'n 'addas i deyrnas Dduw'.

Nid yw eiddo na gofalon na rhwymau teuluol i ddod rhwng dynion a galwad Duw. Dychwelir at y thema hon yn Lc. 14: 25–35. Erbyn hynny, roedd tyrfaoedd wedi ymuno ag Iesu ar ei daith, llawer ohonynt heb anymwybodol o ddiben y daith olaf hon i Jerwsalem. Tybient mai taith fuddugoliaethus oedd hi – y Meseia'n teithio tua'r ddinas gyda'r bwriad o sefydlu ei deyrnas. Mae Iesu'n gorfod cywiro'r syniadau hyn a dangos mai llwybr ymwadiad, dioddefaint a chroes yw hwn, sy'n galw am ymroddiad llwyr a diamod. Ond araf iawn oedd y disgyblion, a dilynwyr eraill Iesu, i ddeall ystyr ei rybuddion a'i bwyslais ar hunanymwadiad a chodi'r groes.

Cais mam Iago ac Ioan

Yn union wedi'r trydydd rhagfynegiad o farwolaeth ac atgyfodiad Iesu, mae Mathew'n rhoi'r hanes am fam Iago ac Ioan yn dod at Iesu i ofyn iddo ganiatáu i'w meibion eistedd, un ar ei law dde ac un ar ei law chwith yn ei deyrnas. Ceir yr un hanes yn Efengyl Marc, ond nid yw Marc yn cyfeirio at y fam yn gwneud y cais drostynt. Mae'n debyg mai Salome oedd ei henw a'i bod yn chwaer i Mair, mam Iesu (Mth. 27: 56; Mc. 15: 40). O gofio bod gwaed yn dewach na dŵr, penderfynodd fanteisio ar y berthynas deuluol i sicrhau swyddi i'w meibion, Iago ac Ioan, pan ddeuai'r deyrnas. Eisteddai prif swyddog brenin dwyreiniol ar ei law dde, a'i berthynas agosaf ato ar ei law chwith. Roedd Salome yn amlwg yn meddwl am y deyrnas yn nhermau teyrnas ddaearol, ond nid oedd wedi sylweddoli yr hyn a fyddai gwir fawredd yn y deyrnas, sef mawredd gostyngeiddrwydd a gwasanaeth. Ni ellir meddwl am gyferbyniad mwy nag a geir yng ngeiriau Iesu yn Mth. 20: 17–21, sy'n rhagfynegi ei ddioddefaint a'i farwolaeth, ac yn 20: 22–28, sy'n rhoi ateb Iesu i Iago ac Ioan. Yn y naill, mae Iesu â'i fryd ar y groes, heb feddwl dim amdano'i hun. Yn y llall mae ei ddisgyblion â'u bryd ar safleoedd o anrhydedd iddynt eu hunain yn y deyrnas. Hwyrach fod y ddau'n tybio bod Iesu ar fin sefydlu ei deyrnas yn Jerwsalem, ac y caent le anrhydeddus yn y wledd Feseianaidd a ddilynai. Os felly, camddeall natur gorsedd Iesu a wnaethant, gan mai dau wrthryfelwr a gafodd 'eistedd' bob ochr i 'orsedd' Iesu ar Galfaria.

Heriodd Iesu'r ddau frawd ynghylch eu parodrwydd i wynebu dioddefaint, ac o bosib ferthyrdod: 'A allwch chwi yfed y cwpan yr wyf fi i'w yfed?' (Mth. 20: 22). Defnyddir y symbol o gwpan yn aml yn yr Hen Destament am ddioddefaint. Y mae ateb byrbwyll y disgyblion yn dangos eu bod yn barod i addo unrhyw beth yn eu hanwybodaeth ac yn eu hawydd i gael y swyddi blaenaf. Ond cyn sôn am swyddi yn y deyrnas, rhaid oedd wynebu dioddefaint, a thrwy'r dioddef y gellid ymgyrraedd at anrhydedd. Ond eiddo Duw yw'r hawl i roi'r anrhydedd. Llwybr dioddefaint oedd llwybr y Meseia, ac roedd Iesu'n barod i'w gerdded gan adael y canlyniadau yn nwylo'i Dad nefol. Yr oedd am i'w ddilynwyr ei gerdded yn yr un modd heb ystyried unrhyw anrhydeddau, ond nid oedd fawr o obaith y byddent yn barod i wneud hynny tra oeddent yn parhau i ddadlau am eu safle a'u swyddi.

Nid oedd y deg disgybl arall ronyn gwell nag Iago ac Ioan, oherwydd pan glywsant yr hanes 'aethant yn ddig wrth y ddau frawd' (20: 24), am fod y ddau wedi achub y blaen arnynt. Unwaith eto, ceisiodd Iesu eu hargyhoeddi bod safonau'r deyrnas yn hollol groes i safonau teyrnasoedd y byd hwn. Yn y byd, y 'llywodraethwyr' yw'r rhai sy'n 'arglwyddiaethu', a'r rhai sy'n arglwyddiaethu yw'r rhai a ystyrir yn wŷr mawr. Hynny yw, cyfrifir safle dyn yn ôl ei allu i reoli, a hynny nid trwy wasanaethu ond trwy gael ei wasanaethu.

'Ond nid felly y mae i fod yn eich plith chwi,' meddai Iesu (20: 26). Amod 'bod yn fawr' yn y gymdeithas newydd yw bod yn was, ac amod 'bod yn flaenaf' yw efelychu Mab y Dyn ei hun na ddaeth i gael ei wasanaethu ond i wasanaethu, ac i roi ei einioes yn bridwerth dros lawer' (20: 28). Daeth i roi ei fywyd yn 'bridwerth', (sef yn llythrennol, i ryddhau) fel y câi dyn neu anifail a gollodd ei hawl i ryddid a bywyd ddod yn rhydd. Enghreifftiau o hyn fyddai caethwas neu un a ddedfrydwyd i farwolaeth. Ni ddylid pwyso'n ormodol ar y darlun o bridwerth a gofyn, er enghraifft, pwy sy'n cael ei dalu er mwyn i ddyn ddod yn rhydd.

Yr oedd yn amod i'r disgybl dderbyn newid mawr yng ngwerthoedd bywyd. Syniad chwyldroadol oedd mai gan y gwas yr oedd cyfrinach gwir fawredd, ac mai gan y rhai sy'n gwasanaethu y mae'r hawl i arwain. Gyda rhai eithriadau, nid yw'r Eglwys eto wedi derbyn yr egwyddor hon. Mae'r syniad fod rhywun yn fawr wrth fod yn was, ac yn bennaeth wrth ufuddhau ac ymwadu ag ef ei hun, yn dal yn groes i'r graen. Ond dyna yw Cristnogaeth yn ei hanfod – bywyd a'i safonau a'i werthoedd yn groes i bopeth a welir yn y byd o'n cwmpas.

Cwestiynau i'w trafod:

1. Beth a barodd i Iesu benderfynu cychwyn ar ei daith i Jerwsalem?

2. Beth yw ystyr yr ymadrodd 'ymwadu â'r hunan'?

3. Beth yw'r urddas sydd mewn gwasanaeth, a'r anrhydedd sydd mewn ufudd-dod?

GOSOD PLENTYN YN Y CANOL

Mathew 18: 1–9; Luc 18: 15–17

Yn nofel Dostoevsky, *The Idiot,* mae un cymeriad yn dweud pe gallai baentio darlun o'r Arglwydd Iesu Grist, y byddai'n ei bortreadu â'i law dde ar ben plentyn bach, golwg bell, fyfyrgar yn ei lygaid, a'r plentyn yn edrych arno mewn cariad a syndod. Hawdd iawn dychmygu'r darlun. Yn ei agwedd at blant y gwelir gliriaf ostyngeiddrwydd a thynerwch Iesu. Mae dwy stori yn dangos y lle cynnes oedd ganddo yn ei galon i blant bach. Yn y naill (Mth. 18: 1–9; Mc 9: 33–37; Lc. 9: 46–48) a'r llall (Mth. 19: 13–15; Mc. 10: 13–16; Luc 18: 15–17) cyfeirir at Iesu'n gosod plentyn yn y canol, ac y mae Marc yn ei ddisgrifio'n cymryd plentyn yn y naill a'r plant yn y llall 'i'w freichiau' (Mc. 9: 36 a 10: 16).

Galwodd blentyn ato

Yn yr hanes cyntaf, sefyllfa debyg i'r un a drafodwyd yn y bennod ddiwethaf – cais mam Iago ac Ioan i'w meibion gael lle o anrhydedd yn y deyrnas – a geir, gyda'r disgyblion yn gofyn i Iesu, 'Pwy sydd fwyaf yn nheyrnas nefoedd?' (Mth. 18: 1). Wrth adael Capernaum am y tro olaf ar gychwyn y daith i Jerwsalem, dywed Marc fod Iesu wedi gofyn i'w ddisgyblion, wedi iddynt gyrraedd y tŷ, 'Beth oeddech chwi'n ei drafod ar y ffordd?' (Mc. 9: 33). Ond tewi a wnaethant gan gywilydd oherwydd buont yn dadlau pwy oedd y mwyaf.

Mae'n bosibl fod y fraint a gafodd Pedr, Iago ac Ioan o gael mynd i fyny i Fynydd y Gweddnewidiad wedi creu rhywfaint o eiddigedd ymhlith y disgyblion ac wedi achosi'r ddadl hon. Neu, gallai'r disgyblion fod yn trafod awgrym Iesu fod dyfodiad y deyrnas yn agos (Mth. 16: 28). Gan dybio eu bod ar fin gweld y brenin yn dod yn ei ogoniant, mae'n bosibl eu bod yn dymuno gwybod pwy fyddai agosaf ato yn y dydd mawr. O gofio bod Iesu wedi dweud wrthynt ddwywaith ar y daith fod Mab y Dyn yn mynd i Jerwsalem 'i ddioddef, i farw ac i atgyfodi', roedd eu cwestiwn yn gwbl annheilwng o agwedd ac aberth eu Harglwydd. Ond roedd y disgyblion yn drwm o dan ddylanwad y traddodiadau Iddewig am natur teyrnas Dduw. Bu'r ysgrifenyddion a'r rabbiniaid yn trafod llawer ar yr un pwnc. Dywedent fod saith gradd o anrhydedd yn y deyrnas, ond bu llawer o ddadlau pwy a gâi le o fewn y gwahanol raddau, a phwy fyddai agosaf at y Meseia. Wrth feddwl am y Meseia, ni fedrent ymryddhau o'r syniadau hyn. Er iddynt fyw yng nghwmni Iesu, a than ddylanwad ei ddysgeidiaeth, glynent yn ystyfnig wrth yr hen syniadau am fawredd, gallu ac anrhydedd.

Mae Iesu'n ailbwysleisio rhai gwirioneddau. Siaradodd yng Nghesarea Philipi am yr angen i ymwadu â'r hunan (Mth. 16: 24–25). Dywedodd beth tebyg mewn ateb i gais mam Iago ac Ioan: 'Pwy bynnag sydd am fod yn fawr yn eich plith, rhaid iddo fod yn was i chwi, a phwy bynnag sydd am fod yn flaenaf yn eich plith, rhaid iddo fod yn gaethwas i chwi, fel Mab y Dyn, na ddaeth i gael ei wasanaethu ond i wasanaethu' (20: 27–28). Ac yn yr hanesion hyn amdano a'r plant, mae'n dweud peth tebyg. Ond yma, os nad oedd geiriau'n tycio, roedd Iesu'n barod i ddefnyddio dull gwahanol o argraffu'r wers ar feddyliau ei ddisgyblion, sef dameg actol, yn yr un ffordd ag y cyflawnai'r proffwydi actau symbolaidd i danlinellu eu cenadwrïau.

Heb ddadlau na dweud dim, 'galwodd Iesu blentyn ato, a'i osod yn eu canol' (Mth. 18: 2). Gosododd y plentyn yn y man lle'r arferai'r athro sefyll. Gallwn ddychmygu effaith hynny ar ddynion a'u hystyriai eu hunain yn bwysig a blaenllaw, ac a oedd yn barod i wrando ar Iesu'n traethu ar natur y deyrnas a'r anrhydeddau a'u disgwyliai o'i mewn. Hwn oedd y dull mwyaf effeithiol o ddangos mor blentynnaidd oedd eu syniadau.

Wrth ddangos yn y stori hon apêl Iesu at y llygad yn ogystal â'r glust, mae E. H. Griffiths, yn ei esboniad ar Efengyl Marc, *Neges i'r Oes ac Efengyl i'r Oesoedd,* yn adrodd hanes y pregethwr Americanaidd Henry Ward Beecher yn ystod y frwydr fawr i ddileu caethwasiaeth yn yr Unol Daleithiauyng nghanol y bedwaredd ganrif ar bymtheg. Er mwyn ceisio argyhoeddi cynulleidfa ei eglwys yn Brooklyn, Efrog Newydd o ddrygioni caethwasiaeth, cymerodd ferch fach ddu ei chroen ato i'r pulpud gan smalio ei gwerthu hi – gwerthu un y bu Crist farw drosti ar ocsiwn mewn lle o addoliad! Cafodd y bregeth actol honno ddylanwad mawr.

Ond roedd yn rhaid wrth eiriau hefyd. Ac meddai Iesu, 'Yn wir, rwy'n dweud wrthych, heb gymryd eich troi a dod fel plant, nid ewch fyth i mewn i deyrnas nefoedd' (Mth. 18: 3). Rhaid wrth 'droi' radical, sef parodrwydd i droi oddi wrth hunanbwysigrwydd a'r dyhead am anrhydedd ac awdurdod, a mabwysiadu agwedd meddwl plentyn. Ni olygir, wrth gwrs, ein bod i feddwl ac ymddwyn yn blentynnaidd, ond yn hytrach ein bod yn meithrin agwedd ostyngedig, ufudd, faddeugar a chariadus. Parodrwydd i ddysgu yn hytrach na bod yn feistr; parodrwydd i wasanaethu eraill yn hytrach na chael eraill i wasanaethu arnom ni; parodrwydd i ufuddhau yn hytrach na mynnu rheoli – dyna'r elfennau sy'n gwneud rhywun yn fawr yn ôl safonau'r deyrnas. A dyna hefyd yw amodau mynediad i'r deyrnas – y bywyd llawn a llawen sy'n eiddo i'r sawl sy'n ei osod ei hun o dan arglwyddiaeth Duw.

Gofalu am y rhai bychain

Y mae person sy'n ei ddarostwng ei hun i lefel plentyn yn canfod mawredd yn nheyrnas nefoedd. Ond mae Iesu'n ychwanegu, 'A phwy bynnag sy'n derbyn un plentyn fel hwn yn fy enw i, y mae'n fy nerbyn i' (18: 5) – 'derbyn' yn yr ystyr o fod yn garedig wrtho a gofalu amdano. Roedd consyrn Iesu am blant yn elfen amlwg o'i weinidogaeth, a byddai hynny'n dylanwadu'n drwm ar agwedd yr Eglwys, nid yn unig at blant, ond at 'y rhai bychain', sef y gwan, y diymadferth, y tlawd a'r di-lais. Rhoddai Iddewiaeth bwyslais ar ofalu am wragedd a phlant. Ond nid felly'r byd paganaidd. Enghraifft enwog o ddibristod y byd o blant oedd llythyr a anfonwyd yn ystod y ganrif gyntaf OC oddi wrth swyddog Rhufeinig o'r enw Hilarion at ei wraig Alis, a hithau'n disgwyl plentyn. Pe digwyddai roi genedigaeth i fab bychan, yr oedd i'w hysbysu ar unwaith gan y byddai hynny'n achos dathlu mawr. Ond os geneth fach a gâi, yr oedd i adael i honno farw a thaflu ei chorff i'r cŵn.

Yn Rhufain, gwerthid plant bach yn gaethweision. Yng Ngwlad Groeg, gadaewid plant nad oedd ar neb eu heisiau ar riniogau'r tai. Ac yn

India, am ganrifoedd, boddid genethod yn yr afonydd. O ganlyniad i agwedd a dysgeidiaeth Iesu o Nasareth y rhoddwyd gwir werth ar blant.

Mae'r cyfeiriad at 'y rhai bychain hyn sy'n credu ynof fi' (18: 6) yn awgrymu bod Iesu'n cyfeirio at gredinwyr syml, gwan yn y ffydd yn ogystal â phlant bach. Mae Paul yn trafod yr un 'broblem' a wynebai'r Eglwys Fore, yn Rhuf. 12 – 15 ac 1 Cor. 8. Pryderu yr oedd Paul am 'frodyr gwan' nad oedd wedi cyrraedd eu llawn dwf fel credinwyr newydd. Mor hawdd oedd peri tramgwydd iddynt, a'u troi oddi wrth lwybr y Ffydd. Mynnai Paul y dylid eu derbyn i mewn i gymdeithas yr Eglwys, eu meithrin a'u helpu i dyfu ac aeddfedu yn y ffydd. Rhybuddiai hefyd rhag peri tramgwydd diachos iddynt. Rhaid i'r Eglwys bob amser fod yn gymdeithas agored a chroesawgar, sy'n derbyn a chynnal pobl yn eu gwendid. Dyna sail y ddadl dros ganiatâu i blant dderbyn y Cymun Bendigaid. Os ydynt yn aelodau llawn o'r gymdeithas trwy fedydd, oni ddylent wedyn gael dod at y bwrdd fel pob aelod arall? Ac os ydym yn cymryd anogaeth Iesu o ddifrif i 'gymryd ein troi a dod fel plant', onid yw hynny'n dangos bod gan blentyn ddigon o grebwyll ysbrydol i synhwyro a gwerthfawrogi grasusau'r sacrament?

Defnyddir geiriau cryfion i ddisgrifio'r gosb a haeddir gan y sawl sy'n euog o wrthod 'y rhai bychain' neu o achosi niwed neu gwymp iddynt. Nid geiriau i'w cymryd yn llythrennol yw'r gorchymyn i grogi maen melin am wddf troseddwr (sef y maen mawr y byddai asyn yn ei droi, nid yr un bach a droid â llaw) a'i foddi yn eigion y môr. Mynegiant – mewn darlun eithafol – ydynt yn hytrach o ddicter cyfiawn Iesu at y rhai sy'n achosi cwymp. Datganiad sydd yma o'r cyfrifoldeb sydd ar bob un ohonom yn yr Eglwys i ofalu am ein gilydd ac, yn arbennig, i ofalu am blant a'u meithrin yn y ffydd.

Gan fod Iesu eisoes wedi rhybuddio rhag y perygl o greu rhwystrau, ychwanega Mathew ddywediad arall mewn geiriau na cheir mohonynt yn unman arall: 'Gwae'r byd oherwydd achosion cwymp; y maent yn rhwym o ddod, ond gwae'r sawl sy'n gyfrifol am achos cwymp' (Mth. 18: 7). Dweud a wna Iesu fod rhwystrau ac anawsterau yn codi'n anochel ar lwybr bywyd. Gwyddai fel pawb arall nad byd delfrydol mo hwn, a bod yn rhaid wynebu'r profiadau caled sy'n cael eu creu gan natur annuwiol cymdeithas. Ond nid yw hyn yn esgusodi neb sy'n peri rhwystrau i eraill. Rhaid i'r sawl sy'n peri rhwystrau trwy ei bechod a'i ymddygiad anfoesol ateb drosto'i hun. Ond nid o du pobl eraill yn unig y daw pob rhwystr; cwyd rhai o galon a chymeriad dyn ei hun.

Yn aml, bydd rhwystrau a phroblemau bywyd yn codi o elfennau negyddol yng nghalon yr unigolyn, ac y mae hynny'n galw am hunanddisgyblaeth ar ei ran. Dyna ystyr y geiriau, 'Os yw dy law neu dy droed yn achos cwymp i ti, tor hi ymaith a'i thaflu oddi wrthyt' (18: 8). *Llaw* un dyn, *troed* neu *lygad* un arall, sy'n rhwystr iddo. Os felly, rhaid iddo ddysgu cyfyngu ar y greddfau a'r nwydau dinistriol hynny sydd yn ei natur. Crëwyd dyn i fod yn fwy na'i amgylchfyd, ac yn feistr ar ei gyneddfau a'i natur ei hun.

Ailadroddir rhybudd Iesu i beidio â pheri tramgwydd i'r 'rhai bychain' yn y geiriau, 'Gwyliwch rhag i chwi ddirmygu un o'r rhai bychain hyn' (18: 10). Pwysleisir bod y rhai sy'n isel a di-nod yng ngolwg y byd yn arbennig o werthfawr yng ngolwg Duw, ac na ddylid eu dirmygu. Dirmygai'r Phariseaid y pechaduriaid na chadwent y Gyfraith; dirmygai'r ysgrifenyddion hwy oherwydd eu hanwybodaeth; dirmygai'r cyfoethogion y tlawd; a dirmygai Iddewon yn gyffredinol y cenedl-ddynion. Amcan Iesu yw rhybuddio ei ddilynwyr rhag y math hwn o ddirmyg yn eu hymwneud â phobl. Yn Iesu, cafodd y 'rhai bychain' gyfaill, ac yn ei gwmni gwelsant urddas eu bywyd; a dysgodd pawb o'i ddysgeidiaeth a'i esiampl ef nad yw neb, yn cynnwys plant bach, yn ddi-nod a dibwys. Y mae i bob un le nodedig yng ngolwg Duw.

Un rheswm dros beidio â dirmygu'r rhai bychain, yn ôl Iesu, yw 'am fod 'eu hangylion hwy yn y nefoedd bob amser yn edrych ar wyneb fy Nhad sydd yn y nefoedd' (18: 10). Dysgai'r Iddewon fod gan bob un o feibion Israel ei angel yn y nefoedd. Trwy'r angylion, gwyddai Duw am hynt ac anghenion pob un ohonynt. Dysgent hefyd fod angel person yn y nefoedd cyn ei eni ar y ddaear. Cyfeiriad at y gred hon sydd yng ngeiriau Iesu. Ystyr yr athrawiaeth Iddewig oedd fod pob un yn werthfawr yng ngolwg Duw, a bod holl ddigwyddiadau ei fywyd yn hysbys i Dduw. Ehangodd Iesu'r athrawiaeth hon i gynnwys holl blant dynion, nid Iddewon yn unig. Pa mor ddi-nod bynnag yw person ar y ddaear, nid yw felly yn y nefoedd. Nid oes yr un dywediad o eiddo Iesu yn datguddio'i syniad am werth yr unigolyn yn eglurach na hwn.

Bendithio plant bach

Yr oedd yn arferiad ymhlith rhieni Iddewig i ddwyn eu plant at athrawon enwog i'w bendithio ganddynt. Er nad oedd Iesu'n athro cydnabyddedig, ac er bod yr awdurdodau yn ei wrthwynebu, teimlai rhieni Jwdea fod Iesu'n berson mor nodedig fel y byddai'n werth cael ei fendith i'w plant. Ond gan fod cynifer o blant 'dechreuodd y disgyblion eu ceryddu' (Lc. 18: 15). Teimlent fod gwaith y deyrnas yn rhy bwysig a difrifol i blant ymyrryd ag ef, ac mai gwastraff o amser y Meistr oedd rhoi sylw iddynt. Ond trodd Iesu atynt a dweud, 'Gadewch i'r plant ddod ataf fi a pheidiwch â'u rhwystro' (Mth. 19: 16). Credai'r disgyblion ei fod ef a hwythau'n rhy fawr a phwysig i roi sylw a lle i blant. Ond dangosodd Iesu ei fod yn ddigon mawr i'w derbyn. A phetai'r disgyblion wedi deall
natur ei deyrnas buasent hwythau hefyd yn eu croesawu, 'oherwydd i rai fel hwy y mae teyrnas Dduw yn perthyn'. Awgrymir nid yn unig fod lle i blant yn y deyrnas, ond bod eu presenoldeb yn atgoffa pawb o amodau mynediad i'r deyrnas.

Y mae sawl gwers o bwys i ni heddiw yn yr hanesyn hwn. Yn gyntaf, cawn ein hatgoffa *o le a phwysigrwydd plant yn ein cymdeithas ac yn yr Eglwys.* Cawn ein hatgoffa'n gyson o amgylchiadau truenus rhai plant bach yn y byd heddiw – y miliynau sy'n brin o fwyd ac ymgeledd, y miloedd sy'n dioddef mewn sefyllfaoedd o ryfel a therfysg, a'r rhai yn ein cymdeithas ni ein hunain sy'n dioddef camdriniaeth a chreulondeb. Ac o fewn yr Eglwys, mae'n bwysig cofio bod plant yn aelodau hollbwysig o deulu'r Ffydd. Ymadrodd anffodus a ddefnyddid yn y gorffennol i ddisgrifio plant oedd 'had yr eglwys'. Nid had yr eglwys mohonynt, ond rhai mor bwysig o ran eu presenoldeb a'u cyfraniad ag aelodau hŷn.

Yn ail, cawn ein hatgoffa trwy'r stori hon o *bwysigrwydd rhoi magwraeth Gristnogol i blant.* Dywed yr hanes i'r rhieni ddod â'u plant at Iesu 'iddo gyffwrdd â hwy' (Mth. 18: 15). Mor hanfodol bwysig yw i blant deimlo cyffyrddiad Iesu ar eu bywydau yn gynnar yn eu hoes. Camsyniad dybryd yw tybio na ddylid 'gorfodi' crefydd ar blant, ond y dylid gadael iddynt benderfynu wedi iddynt dyfu'n hŷn a ydynt am arddel ffydd ac ymuno â theulu'r Eglwys ai peidio. Rhaid i blant wrth arweiniad ac esiampl, a dylai rhieni fod yn gyfrwng 'cyffyrddiad' Iesu Grist ar eu bywydau. Os na fydd rhieni'n gwneud eu rhan i ddylanwadu arnynt ac i fowldio'u cymeriadau bydd holl ddylanwadau niweidiol ein cymdeithas gyfoes a'r cyfryngau modern yn sicr o wneud hynny!

Yn drydydd, rhaid i ni ein hatgoffa'n hunain *o'r nodweddion hynny yn y plentyn sy'n amodau mynediad i'r deyrnas.* Dywed Iesu fod yn rhaid i bob un ohonom dderbyn teyrnas Dduw yn null plentyn; hynny yw, gyda'r gostyngeiddrwydd, yr ufudd-dod, yr ymddiriedaeth a'r ddawn i ryfeddu sy'n gymaint rhan o agwedd plentyn bach tuag at y byd o'i gwmpas.

Cwestiynau i'w trafod:

1. Beth yw'r dadleuon o blaid ac yn erbyn caniatáu i blant dderbyn y Cymun Sanctaidd?

2. Beth oedd ystyr gweithred Iesu yn rhoi plentyn yn y canol?

3. Sut y mae sicrhau magwraeth Gristnogol i blant mewn cymdeithas seciwlar fel hon?

TEITHIO TRWY JERICHO

Marc 10: 46–52; Luc 19: 1–10

Llecyn pwysig ar y daith o Galilea i Jerwsalem oedd tref Jericho. Yno yr oedd rhyd ar draws afon Iorddonen, a dywed Marc a Luc i Iesu a'i ddisgyblion groesi i'r dref a chyfarfod â dyn dall a ofynnodd i Iesu ei iacháu. Marc sy'n rhoi ei enw, sef Bartimeus, mab Timeus. Arwyddocâd gweithred Iesu'n iacháu Bartimeus yw fod cyflwr y dyn dall yn adlewyrchu cyflwr y disgyblion. Maent hwythau hefyd yn ddall, nid yn llythrennol felly, ond yn fewnol ac yn ysbrydol. Roeddent yn dod yn nes at Jerwsalem ac roedd Iesu wedi eu rhybuddio am y trydydd tro y byddai'n cael ei drosglwyddo yno i ddwylo'r Cenhedloedd, ac y byddai'n cael ei watwar, ei gam-drin, ei fflangellu a'i ladd. A dywed Luc, 'Nid oeddent hwy yn deall dim o hyn; yr oedd y peth hwn wedi ei guddio rhagddynt, a'i eiriau y tu hwnt i'w hamgyffred' (Lc. 18: 33–34). Tanlinellir eu cyflwr wrth i Luc gyfeirio ato deirgwaith: '*nid oeddent hwy yn deall*', yr oedd hyn '*wedi ei guddio rhagddynt*', ac yr oedd ei eiriau '*y tu hwnt i'w hamgyffred*'. Ac nid eu harafwch a'u diffyg crebwyll hwy yn unig oedd yn gyfrifol am hyn; roedd 'y peth hwn wedi ei guddio rhagddynt'. Mae Iesu fel pe bai'n fwriadol yn eu gwarchod rhag deall yn llawn yr hyn a oedd o'u blaenau. Ni allent ddeall Calfaria ond yng ngoleuni'r trydydd dydd. Ar ffordd Emaus, dim ond yng ngoleuni dehongliad y Crist atgyfodedig y gallai'r ddau ddisgybl weld bod 'rhaid i'r Meseia ddioddef y pethau hyn, a mynd i mewn i'w ogoniant' (Lc. 24: 26). Deuai'r amser yr agorid eu llygaid i weld a deall ystyr rhyfeddol dioddefaint a marwolaeth eu Harglwydd.

Cardotyn dall ar fin y ffordd

Fel y teithiai'r disgyblion ar y ffordd trwy Jericho yn eu dallineb ysbrydol, gwelsant gardotyn dall yn eistedd ar fin y ffordd. Roedd ei ddallineb ef yn amlwg i bawb, ond ni wyddai neb am ddallineb mewnol y disgyblion. A dallineb mewnol sy'n gyfrifol am gymaint o'r tristwch a'r anhrefn sydd yn y byd. Mae'r ferch ifanc sy'n dechrau ymhél â chyffuriau yn ddall i'r peryglon o syrthio i'w crafangau. Mae'r llanc ifanc sy'n cael ei ddenu gan gwmni drwg yn ddall i ganlyniadau ei ffwlbri a'i gamwri. Mae'r gŵr sy'n anffyddlon i'w wraig yn ddall i effeithiau ei anffyddlondeb ar fywyd ei deulu. Mae llawer ohonom yn ddall i harddwch y byd o'n cwmpas ac i'r bendithion beunyddiol sy'n gwneud bywyd yn werth ei fyw. Ond er gwaethaf ei ddallineb, roedd gan Bartimeus ddoniau a synhwyrau eraill, ac fe'u defnyddiodd i ddenu sylw Iesu. Er gwaethaf ein dallineb ysbrydol, mae'r un synhwyrau gennym ninnau; ac o'u defnyddio medrwn ganfod y Crist byw a phrofi grym ei ras.

Yn gyntaf, mae Bartimeus yn *gwrando:* 'A phan glywodd mai Iesu o Nasareth ydoedd' (Mc.10: 47). Os oedd yn ddall, nid oedd yn fyddar. Ac wrth wrando fe glywodd enw Iesu. Roedd Bartimeus yn gyfarwydd â synau arferol Jericho wrth i bobl fynd a dod ar eu gorchwylion dyddiol. Ond y bore arbennig hwn, fe glywai sŵn gwahanol. Roedd yn amlwg fod rhywbeth yn peri cyffro ymhlith y bobl. Clywodd yngan yr enw 'Iesu o Nasareth', yr un y clywsai sôn amdano fel athro ac iachawr, a'r un a fedrai yn ôl pob sôn agor llygaid deillion, glanhau gwahangleifion a bwrw allan gythreuliaid. Yn yr un modd, y cam cyntaf i ninnau yn y broses o ganfod Iesu yw gwrando amdano – yn nhystiolaeth y Beibl, yn addoliad yr Eglwys, ym mhrofiadau saint yr oesau, ac yn llef ddistaw fain yr Ysbryd Glân yn sibrwd yn nyfnder ein heneidiau. Wrth ymdawelu a gwrando yn y distawrwydd y clywn lais Duw yn ein cyfarch a'n galw.

Yn ail, mae Bartimeus yn *galw:* 'Iesu, Fab Dafydd, trugarha wrthyf' (10: 47). Os oedd yn ddall, nid oedd yn fud. Yr oedd wedi clywed digon am Iesu i fentro ei gyfarch fel 'Mab Dafydd', teitl Meseianaidd nad oes sôn am neb arall yn yr efengylau yn ei ddefnyddio i ddisgrifio Iesu. Ond erbyn hyn roedd gwir natur Iesu yn dod yn hysbys i bawb, ac nid oedd ofn ar Bartimeus roi llais rhag blaen i gân y dyrfa ar Sul y Palmwydd. Er bod y dyrfa wedi ei geryddu a cheisio'i dawelu, galw'n uwch fyth a wnaeth Bartimeus. Roedd yn benderfynol o gael ei glywed. Mae parodrwydd Iesu i wrando arno ac i roi sylw iddo yn ddarlun o agwedd Duw tuag atom fel ei blant. 'Y mae'r Arglwydd yn agos at bawb sy'n galw arno, at bawb sy'n galw arno mewn gwirionedd ... gwrendy ar eu cri, a gwareda hwy' (Salm 145: 18–19). Mae pob perthynas a phob adnabyddiaeth yn datblygu wrth i bobl siarad a gwrando ar ei gilydd. Ac wrth siarad yn gyson ag Iesu y mae ei ganfod a thyfu i'w adnabod. Yn Jericho, ac wedi iddynt gyrraedd Jerwsalem, roedd gan ei ddilynwyr lawer i'w ddysgu am Iesu ac am natur ei weinidogaeth Feseianaidd.

Yn drydydd, mae Bartimeus yn *cerdded*. Os oedd yn ddall, nid oedd yn gloff. Gallai gerdded, ac wrth ymateb i anogaeth rhai o'r dyrfa, 'Cod dy galon a saf ar dy draed; y mae'n galw arnat' (Lc. 10: 49), mae'n cerdded at Iesu. Gofynnodd Iesu iddo, 'Beth yr wyt ti am i mi ei wneud iti?' (Mc. 10: 51). Roedd ei gyflwr a'i angen yn gwbl amlwg i bawb, ond mae Iesu am iddo fynegi ei ddymuniad yn glir. Wrth ateb, 'Rabbwni, y mae arnaf eisiau cael fy ngolwg yn ôl', mae'n rhoi mynegiant diamwys, nid yn unig i'w angen, ond i'w ffydd yn Iesu. Rhaid bod o ddifrif mewn gweddi – a bod yn benodol ac yn ddisgwylgar. Meddai David Watson, wrth drafod gweddi yn ei lyfr *Discipleship*, 'Be serious, be specific, and be expectant'. Ymateb Iesu i'w gais oedd, 'Dos, y mae dy ffydd wedi dy iacháu di' (10: 52), a chafodd y dyn ei olwg yn ôl ar unwaith. Trwy ffydd yn Iesu y cafodd Bartimeus ei iacháu, a ffydd a'i symbylodd i ymuno ag Iesu a'r dorf ar y ffordd i Jerwsalem.

Wrth gerdded gydag Iesu o bentref i bentref ac o le i le, ac wrth ymroi i gerdded gydag ef i Jerwsalem, y daeth ei ddilynwyr yn araf i'w adnabod ac i ddeall ei fwriadau. Yr her i ninnau yw parhau i gerdded ffordd yr Efengyl. Wrth gerdded at Iesu a cherdded yn ei gwmni y mae ei adnabod o hyd. Arwyddocâd hanes Bartimeus, ar wahân i'r ffaith fod dyn dall wedi cael adferiad golwg, yw mai wrth gerdded gydag Iesu y caiff ei ddilynwyr hefyd eu rhyddhau o'u dallineb mewnol i barhau ar y daith. Ar ddechrau'r stori, dywedir bod Iesu'n mynd allan o Jericho gyda'i ddisgyblion a chryn dyrfa. Daw'r hanes i ben gyda'r geiriau, 'A chafodd ei olwg yn ôl yn y fan, a dechreuodd ei ganlyn ef ar hyd y ffordd' (Lc. 10: 52). Dyma un arall wedi ymuno â'r daith. Roedd canfod amgenach ffordd yn golygu codi oddi ar fat y cardotyn ac ymroi i fyw bywyd y deyrnas, troi oddi wrth amcanion bydol i fywyd o wasanaeth, ymwrthod â'r hunan a chodi'r groes i ddilyn Iesu, gan sylweddoli mai ei ddilyn i Galfaria ac i'r groes a wnawn.

Casglwr trethi a gŵr cyfoethog

Luc yn unig sy'n adrodd hanes cyfarfyddiad Iesu â Sacheus, ac mae'n arwyddocaol ei fod yn gosod yr hanes yn union ar ôl hanes iacháu Bartimeus. Yr oedd dau reswm am hynny. Yn gyntaf, digwyddodd y ddau gyfarfyddiad yn yr un man, yn nhref Jericho. 'Wrth iddo nesáu at Jericho' (Lc. 18: 35) y cyfarfu Iesu â Bartimeus. 'Yr oedd wedi dod i mewn i Jericho ac yn mynd trwy'r dref' (Lc. 19: 1) pan welodd Sacheus, y casglwr trethi. Tref hardd a chyfoethog oedd Jericho, yn gorwedd yn nyffryn yr Iorddonen. Roedd yn enwog am harddwch ei hadeiladau, ac fe'i henwyd yn 'Ddinas y Palmwydd' oherwydd yr holl goed palmwydd a dyfai yn y wlad o'i hamgylch. Gan ei bod yn groesffordd rhwng Galilea a Jerwsalem roedd yn dref brysur, gyda theithwyr o bob math yn mynd trwyddi – masnachwyr a chasglwyr trethi, milwyr a lladron, ac offeiriaid a phererinion ar eu ffordd i uchel wyliau yn Jerwsalem. Does ryfedd fod Marc yn cyfeirio at y disgyblion yn mynd allan o'r dref gyda 'chryn dyrfa' (Mc. 10: 46). Oherwydd ei phrysurdeb fel canolfan fasnachol a gweinyddol, roedd hefyd yn gyrchfan i gasglwyr trethi, gyda llawer ohonynt yn eithriadol gyfoethog.

Dywed Luc fod Sacheus yn 'un oedd yn brif gasglwr trethi ac yn ŵr cyfoethog' (Lc. 19: 2). Ond yr hyn a'i cysylltai â Bartimeus oedd ei fod yntau hefyd yn 'ddall' yn fewnol. Roedd yn dymuno 'gweld Iesu'. Ceisiodd 'weld p'run oedd Iesu' (19: 3). Gan fod yno ormod o dyrfa, ac yntau'n ddyn byr o gorff, 'rhedodd ymlaen a dringo sycamorwydden er mwyn *gweld Iesu'.* Fel yr oedd Bartimeus yn dymuno cael iachâd o'i ddallineb er mwyn iddo gael gweld, roedd Sacheus yntau am gael gweld Iesu. Dallineb llythrennol oedd yn rhwystr i Bartimeus; dallineb ysbrydol, mewnol oedd yn poeni Sacheus. Fel yr oedd angen i'r deuddeg disgybl ddod i 'weld' a deall amcan y daith i Jerwsalem, ac fel y dyheodd y cardotyn dall am gael gweld, fe ddringodd Sacheus i ben coeden 'er mwyn gweld Iesu'. Gwelir yma ddau fath o 'weld'.

Yn gyntaf, *roedd angen i Sacheus weld Iesu.* Roedd yn ŵr cyfoethog, ond fel casglwr trethi roedd yn wrthodedig gan ei gyd-Iddewon, ac yr oedd am hynny'n unig iawn. Ystyrid casglwyr trethi yn fradwyr am eu bod yn casglu trethi i'r Rhufeiniaid. Gan fod hawl ganddynt i godi mwy ar y bobl na'r dreth a bennwyd gan Rufain, fe'u hystyrid hefyd yn lladron. Yng ngolwg yr Iddewon, roeddent yn yr un dosbarth â phuteiniaid a phechaduriaid, yn ysgymun ac yn destun atgasedd. Roedd Sacheus yn benderfynol o weld Iesu am iddo glywed ei fod yn cyfeillachu â chasglwyr trethi a phechaduriaid, ac y gallai oherwydd hynny fod â gair da i'w ddweud wrtho yntau. Os oedd ei gyd-ddynion yn ei gasáu, roedd yn bosibl y byddai agwedd yr Iesu hwn yn fwy cyfeillgar ac y gallai lenwi gwacter ac unigrwydd ei fywyd. Roedd yn hollbwysig, felly, i Sacheus fedru gweld Iesu. Gan ei fod yn ddyn byr a'r dyrfa'n rhy fawr, a'r bobl o bosibl yn fwriadol yn ei rwystro rhag cael golwg ar Iesu, penderfynodd ddringo coeden sycamorwydden 'er mwyn gweld Iesu' (Lc. 19: 4). 'Gweld Iesu' oedd ei fwriad, a daeth ei gyfle 'oherwydd yr oedd ar fynd heibio y ffordd honno'. Clywed bod Iesu o Nasareth yn mynd heibio a gododd galon Bartimeus, a deall bod Iesu ar fynd heibio'r ffordd honno a ysgogodd Sacheus i geisio'i weld hefyd. Emyn poblogaidd o eiddo Sankey a Moody, a gyfieithwyd i'r Gymraeg gan Ieuan Gwyllt, yw 'Iesu o Nasareth sy'n mynd heibio'. Mae'n seiliedig ar hanesion Bartimeus a Sacheus. Mae'r emynydd yn ein hatgoffa bod adegau pan aiff Iesu heibio i bob un ohonom, a bod angen i ni fanteisio ar y cyfle i wrando amdano ac i'w weld:

> Mewn llawen hwyl mae'r dall yn gwrando:
> 'Iesu o Nasareth sy'n mynd heibio'.

Yn ail, *roedd angen i Iesu weld Sacheus.* 'Pan ddaeth Iesu at y fan, edrychodd i fyny a dweud wrtho, "Sacheus, tyrd i lawr ar dy union"' (19: 5). Mater o chwilfrydedd arwynebol fyddai i Sacheus fod wedi gweld Iesu'n mynd heibio heb i Iesu ei weld yntau. Ond pan ddaeth Iesu i'r fan 'edrychodd i fyny' ar y dyn bach – un yr edrychai pawb arall i lawr arno. Dyma ddarlun nodweddiadol o agwedd Iesu at bobl, hyd yn oed yr annheilwng a'r pechadurus. Mae'n edrych i fyny atynt ac yn gweld yr hyn a allent fod. Ystyr llythrennol yr enw Sacheus oedd 'yr un cyfiawn'. Ond Iesu'n unig a welai ynddo'r posibilrwydd o gyfiawnder. A phan ddaeth i lawr o'r goeden gwelai yn llygaid Iesu adlewyrchiad o'i wyneb ei hun, a gweld yr hyn a allai fod. Mae'r awdur a'r pregethwr Lloyd Douglas yn dychmygu ymgom rhwng Iesu a Sacheus: '"Zacchaeus," said the carpenter gently, "what did you see that made you desire this peace?" "Good master, I saw, mirrored in your eyes, the face of the Zacchaeus I was meant to be."' (*The Mirror: The American Pulpit Series, 1945,* Cyf. 2).

Amcan y daith

Ar hyd ei weinidogaeth, bu Iesu'n cyfeillachu â chasglwyr trethi a phechaduriaid, ac ar y daith olaf hon yr oedd am ddangos eto mai ei amcan oedd ennill hyd yn oed y mwyaf annhebygol i'w deyrnas. Dyna arwyddocâd ei gais, 'mae'n rhaid imi aros yn dy dŷ di heddiw' (Lc. 19: 6). Nid braidd gyffwrdd â Sacheus a wnaeth Iesu, ond hawlio ei fywyd yn llawn ac yn llwyr. Pan ymwelodd Iesu â'i gartref, fe dreiddiodd i gilfachau dyfnaf ei fywyd a'i ryddhau o afael ei feddiannau a'i drachwant. Cyfaddefodd Sacheus ei fod bellach yn gweld ei gyd-ddyn mewn goleuni gwahanol, a'i fod am drin pawb yn deg a cheisio bod o fendith i eraill yn hytrach na bod yn dreth arnynt: 'Meddai wrth yr Arglwydd, "Dyma hanner fy eiddo, syr, yn rhodd i'r tlodion; os mynnais arian ar gam gan neb, fe'i talaf yn ôl bedair gwaith"' (19: 8). Meddiannwyd ei enaid gan haelioni ei Arglwydd, a meddiannwyd ei gydwybod gan awydd i dalu iawndal. Pan gafodd Iesu groeso i'w gartref a chlywed ei eiriau, meddai, 'Heddiw ... daeth iachawdwriaeth i'r tŷ hwn' (19: 9). Yn groes i farn pawb arall, yr oedd posibilrwydd i Sacheus a'i debyg gael lle yn nheyrnas Dduw, a chanfod bywyd newydd yn rhydd o dwyll a thrachwant a gormes pethau materol.

Yr oedd un cam arall ar ôl, sef datganiad Iesu fod y gŵr hwn wedi adennill ei le fel 'mab i Abraham' (Lc. 19: 9). Credai arweinwyr parchus y genedl fod casglwyr trethi wedi colli pob hawl i gael eu hystyried yn blant i Abraham gan eu bod yn gwasanaethu eu gormeswyr, y Rhufeiniaid, ac yn fwy na dim yn twyllo'u cyd-Iddewon. Canlyniad cyfarfod â Iesu, a'r penderfyniad i newid ei ffordd, a'r ymrwymiad i weithredu'n deg a gwneud iawn am feiau'r gorffennol, oedd i Sacheus gael derbyniad unwaith eto i gymdeithas pobl Dduw. Hyn oedd amcan taith y Meseia: 'Daeth Mab y Dyn i geisio ac i achub y colledig' (19: 10) – dyna grynhoi i un gosodiad ddiben taith Iesu yng Ngalilea, a'i daith tua Jerwsalem.

Cwestiynau i'w trafod:

1. Beth a olygir wrth ddallineb mewnol, ysbrydol?

2. I ba raddau y gellir dweud bod agor llygaid y cardotyn dall, a phrofiad Sacheus yn crynhoi pwrpas ac amcan gweinidogaeth Iesu?

3. Pam, dybiwch chi, y teimlai Sacheus awydd i weld Iesu?

CYRRAEDD JERWSALEM

Luc 19: 28–48

O'r diwedd fe gyrhaeddodd Iesu ddinas Jerwsalem. Ers y cyfeiriad cyntaf ato'n troi ei wyneb i fynd i Jerwsalem (Lc. 9: 51), mae Luc wedi cyfeirio ato ar y ffordd ryw naw o weithiau. Wrth iddo nesâu at ben y daith, mae'r cyfeiriadau'n dwysau. Wrth ragfynegi ei farwolaeth a'i atgyfodiad, meddai, 'Dyma ni'n mynd i fyny i Jerwsalem, a chyflawnir ar Fab y Dyn bob peth sydd wedi ei ysgrifennu trwy'r proffwydi' (Lc. 18: 31). Gwelai Luc arwyddocâd arbennig i Jerwsalem, a cheir 95 o gyfeiriadau ganddo at y ddinas. Ymweliad Iesu â Jerwsalem yw uchafbwynt antur fawr ei genhadaeth. Wrth ymdeithio'n fuddugoliaethus trwy ei phyrth, byddai'n derbyn cymeradwyaeth y dyrfa. Ond yn Jerwsalem hefyd byddai'n cael ei roi ar brawf a'i groeshoelio. Yn Jerwsalem y byddai'n ymddangos yn fyw ymhlith ei ddisgyblion ac yn rhoi comisiwn iddynt i fod yn dystion iddo i'r holl genhedloedd, 'gan ddechrau yn Jerwsalem' (Lc. 24: 46-48). Pa ryfedd felly i Jerwsalem ddod yn bencadlys yr Eglwys Fore wrth i'w chenhadaeth hithau ymledu ar draws yr Ymerodraeth Rufeinig?

Er bod Iesu wrth fynd i mewn i'r ddinas yn gwybod beth fyddai ei dynged, dewisodd fynd o'i wirfodd, a hynny ar ŵyl y Pasg pan fyddai Jerwsalem yn orlawn o bererinion o bob cwr o'r wlad. Yn ôl yr hanesydd Joseffus, byddai tua 2,700,000 o bererinion yn tyrru i'r ddinas ar gyfer y Pasg, a byddai'r offeiriaid yn aberthu dros 250,000 o ŵyn. Ni allai Iesu fod wedi dewis amser pan fyddai'r torfeydd yn fwy. Daeth gan wybod hefyd fod ei elynion eisoes yn disgwyl eu cyfle i'w ddal. Dywed Efengyl Ioan fod y prif offeiriaid a'r Phariseaid wedi rhoi gorchmynion, 'os oedd rhywun yn gwybod lle'r oedd ef, ei fod i'w hysbysu hwy' (In. 11: 57). O safbwynt ei ddiogelwch ei hun, byddai'n ddoethach i Iesu fod wedi cadw draw o Jerwsalem, ond dewisodd yn hytrach wynebu'r bobl a herio'r awdurdodau. Roedd y dyddiau o encilio ac o siarsio'i ddilynwyr i beidio â lledaenu'r sôn amdano wedi mynd heibio. Roedd am farchogaeth i'r ddinas yn awr mewn modd a olygai fod pob llygad arno. Byddai hynny'n creu cyffro ymhlith ei ddisgyblion, ond cyffro hefyd drwy'r ddinas. Yn ôl disgrifiad Luc o ymdaith fuddugoliaethus Iesu, fe'i gwelir yn dod fel tywysog tangnefedd, fel proffwyd galarus yn rhagweld dinistr y ddinas, ac fel barnwr â'i fryd ar lanhau'r deml.

Brenin hedd

Cofnodir hanes ymdaith fuddugoliaethus Iesu i Jerwsalem yn y pedair efengyl, er bod rhywfaint o amrywiaeth ym manylion y pedair fersiwn. Y prif bwynt a wneir gan y pedwar efengylydd yw fod Iesu'n fwriadol wedi dewis marchogaeth i'r ddinas ar gefn ebol asyn er mwyn argraffu ar ei ddilynwyr ac ar y dyrfa ei fod yn dod fel brenin hedd. Mae Luc yn dangos yn eglur ei fod wedi mynd 'gan gerdded ar y blaen' (Lc. 19: 28). Er ei fod yn rhagweld ei dynged, nid oedd am geisio'i hosgoi. Pan anfonodd ddau o'i ddisgyblion i gyrchu'r ebol o bentref Bethffage gyferbyn, roedd yn amlwg ei fod ar ymweliad cynharach wedi gwneud trefniadau i gael benthyg yr anifail gan ffrindiau. Roedd y disgyblion i'w ollwng yn rhydd, a phe bai rhywun yn gofyn pam yr oeddent yn gwneud hynny, yr oeddent i ateb, 'Y mae ar y Meistr ei angen' (19: 31). Iesu oedd yn rheoli'r sefyllfa drwyddi draw. Roedd yn amlwg mai ei fwriad oedd cyflawni proffwydoliaeth Sechareia o'r brenin oedd i ddod yn marchogaeth i'r ddinas, nid fel brenin milwrol ar farch rhyfel, ond yn ostyngedig ar gefn creadur mor ddi-nod ag asyn: 'Llawenha'n fawr, ferch Seion; bloeddia'n uchel, ferch Jerwsalem. Wele dy frenin yn dod atat â buddugoliaeth a gwaredigaeth, yn ostyngedig ac yn marchogaeth ar asyn, ar ebol, llwdn asen' (Sech. 9: 9). Trwy adleisio proffwydoliaeth Sechareia roedd Iesu'n fwriadol yn dod i mewn i'r ddinas ar hyd ffordd tangnefedd er mwyn cyflwyno neges y ffordd honno i'r ddinas ac i'r byd.

Roedd y dyrfa'n deall y neges, a chan ychwanegu at ddrama'r digwyddiad aethant ati i daenu eu dillad ar gefn yr asyn ac ar y ffordd gan lawenhau a moli gyda geiriau o Salm 118: 26: 'Bendigedig yw'r un sy'n dod yn enw'r Arglwydd'. Luc yn unig sy'n cynnwys y gair 'brenin' yn y cyfarchiad (Lc. 19: 38) gan ychwanegu hefyd, 'yn y nef, tangnefedd, a gogoniant yn y goruchaf' – adlais sicr o weledigaeth y bugeiliaid o'r llu nefol wrth foli Duw: 'Gogoniant yn y goruchaf i Dduw, ac ar y ddaear tangnefedd' (2:14). Gwelodd y disgyblion fod tangnefedd ar y ddaear yn tarddu o'r tangnefedd 'yn y nef' (19: 38). Dwyn tangnefedd Duw i'n daear ni oedd amcan mawr y brenin Iesu.

Roedd y Phariseaid yn gresynu at y fath ymddygiad afreolus, ac meddai rhai ohonynt, 'Athro, cerydda dy ddisgyblion' (Lc. 19: 39). Ateb Iesu oedd y byddai'r cerrig yn gweiddi pe byddent hwy yn tewi – adlais o eiriau'r proffwyd Habacuc, 'gwaedda'r garreg o'r mur, ac etyb trawst o'r gwaith coed' (Hab. 2: 11).

Gwyddom fod adegau pan fydd cerrig fel petaent yn gweiddi. Mewn rhaglen radio, disgrifiodd y cyn Brif Rabbi, Jonathan Sacks, ei ymweliad cyntaf â gwersyll-garchar Auchwitz. Meddai, 'Ar y prynhawn hwnnw o haf, a'r lle'n rhyfeddol o dawel, fe deimlais fod cerrig y lle ofnadwy hwnnw fel petaent yn gweiddi arnaf, dros y gwŷr, y gwragedd a'r plant a laddwyd yno wrth eu miloedd.' Roedd cerrig Auchwitz yn gweiddi yn erbyn gormes a chreulondeb, fel yr oedd cerrig dinasoedd fel Dresden a Coventry yn gweiddi yn erbyn barbareiddiwch a ffolineb rhyfel, ac fel y mae capeli ac eglwysi adfeiliedig Cymru'n gweiddi yn erbyn difaterwch ac esgeulustod ysbrydol ein hoes ninnau. Rhaid i ni, fel y disgyblion gynt, godi ein llais mewn gweddi, tystiolaeth a moliant, a chroesawu Iesu, brenin tangnefedd, unwaith eto.

Proffwyd galar

Wrth ddod trwy bentrefi Bethania a Bethffage, byddai Iesu a'i ddisgyblion yn troi heibio Mynydd yr Olewydd, ac o'r fan honno'n gweld holl ogoniant dinas Jerwsalem yn dod i'r golwg. Wrth iddynt ddod yn nes, ac wrth i floeddiadau'r dyrfa ddechrau gostegu, er syndod i bawb dechreuodd Iesu wylo. Trwy ei ddagrau, roedd yn cyhoeddi galarnad broffwydol dros y ddinas, gan ragweld y byddai Jerwsalem yn cael ei chwalu: 'daw arnat ddyddiau pan fydd dy elynion yn codi clawdd yn dy erbyn, ac yn dy amgylchynu ac yn gwasgu arnat o bob tu' (Lc. 19: 43). Byddai'r ddinas yn cael ei dymchwel hyd at ei seiliau. Y rheswm a roddodd am y chwalfa i ddod oedd ei methiant i 'adnabod ffordd tangnefedd' (19: 42). Hynny yw, nid oedd wedi deall pwrpas Duw ar ei chyfer nac ymwneud Duw â hi. Yn fwy na dim, nid oedd wedi adnabod yr amser pan ymwelwyd â hi gan Dduw. O'r dechrau, bu Luc yn pwysleisio bod Duw yn Iesu Grist yn 'ymweld â'i bobl' (1: 6–8; 7: 16), ac yn ei ymdaith fuddugoliaethus i mewn i'r ddinas methodd y bobl â deall bod Duw ei hun wedi dod i gyfannu, i iacháu ac i waredu.

Am nad oedd y ddinas wedi adnabod Iesu, na synhwyro arwyddocâd ei ddyfodiad, fe droes yr ymweliad iddi hi yn rhagfynegiad o farn a distryw. Trwy wrthod ffordd tangnefedd Iesu, dewisodd Israel ffordd trais a rhyfel. Er mai trwy law'r Rhufeiniaid y digwyddodd dinistr Jerwsalem yn y flwyddyn OC 70, gwelai Luc y digwyddiad yn rhan o'r hanes dwyfol a oedd ar waith yng nghenhadaeth ac aberth Iesu. Canlyniad gwrthod brenin tangnefedd fu dinistrio dinas tangnefedd, sef Jerwsalem, y ddinas y bwriadodd Duw iddi fod yn dyst i'r cenhedloedd ac yn gyfrwng i ddwyn tangnefedd y deyrnas i olwg y byd. Roedd hyn oll nid yn unig yn fynegiant o farn, ond yn achos galar a cholli dagrau i Iesu. Y mae barn ddwyfol yn real ac yn frawychus, ond y mae'r Duw sy'n barnu hefyd yn Dduw sy'n galaru ac yn wylo. Dwyn dinistr a barn arno'i hun y mae dyn wrth gefnu ar ffordd cariad a thangnefedd. Y mae hynny wedi bod yn amlwg yn hanes pob rhyfel a phob gweithred o drais a gormes dros y canrifoedd, gyda'r canlyniad mai wylo a cholli dagrau sy'n dilyn. Y mae'r hanes am Iesu'n wylo dros ddinas Jerwsalem yn ein hatgoffa bod llygaid Duw ei hun yn llawn dagrau wrth iddo rannu yn nhristwch a thrallod dynoliaeth sy'n troi cefn ar ffordd tangnefedd.

Barn ar y deml

Mynd i mewn i'r deml oedd y peth cyntaf a wnaeth Iesu ar ôl cyrraedd Jerwsalem. Dywed Marc ei fod wedi mynd i fyny i'r deml ac 'edrych o'i gwmpas ar bopeth' (Mc. 11: 11). Yna, gan ei bod yn hwyr, aeth allan o'r ddinas dros nos gyda'r disgyblion. Cafodd amser i feddwl am yr hyn a welsai, ac am yr hyn oedd wedi ei dramgwyddo, yn benodol y ffordd yr oedd y deml wedi'i throi'n farchnad – y lle mwyaf cysegredig yng nghrefydd Israel wedi ei droi'n lle i fasnachwyr brynu a gwerthu a chynnal busnes. Roedd y cyfnewidwyr arian yn y deml yn delio â threth y deml, a'r marchnatwyr a werthai ddefaid a gwartheg a cholomennod ar gyfer aberthau yn gwneud arian mawr, yn yr un modd â'r archoffeiriaid a oedd yn cymryd mantais ar y pererinion ac yn codi pris uchel am aberthau.

Wrth fynd i mewn i'r deml, roedd Iesu'n cyflawni proffwydoliaeth Malachi: 'yn sydyn fe ddaw'r Arglwydd yr ydych yn ei geisio i mewn i'r deml ... Pwy a all ddal dydd ei ddyfodiad, a phwy a saif pan ymddengys? Y mae fel tân coethydd ac fel sebon golchydd' (Mal. 3: 1–2). Er nad yw Luc yn cyfeirio at eiriau'r proffwyd, mae'n dangos yn glir mai amcan Iesu oedd glanhau'r deml.

Yn Efengyl Ioan y ceir y disgrifiad manylaf o'r digwyddiad. Dywed Ioan fod Iesu wedi estyn chwip – y math o chwip a fddefnyddid fel arfer i yrru anifeiliaid: 'a gyrrodd hwy oll allan o'r deml, y defaid a'r ychen hefyd' (In. 2: 15). Yn ychwanegol, trodd fyrddau'r cyfnewidwyr arian a'r rhai oedd yn gwerthu colomennod, a rhwystrodd bobl rhag cludo eu nwyddau trwy gynteddau'r deml. Roedd ei weithred yn gwireddu gweledigaeth Sechareia o holl genhedloedd y ddaear yn dod i fyny i Jerwsalem ac yn ymuno yn addoliad y deml: 'Ni fydd marchnatwr yn nhŷ Arglwydd y Lluoedd ar y dydd hwnnw' (Sech. 14: 21). Wrth fwrw'r marchnatwyr a'r cyfnewidwyr arian allan fe ddychwelodd Iesu'r deml i'w phrif ddiben, sef bod yn dŷ gweddi i'r holl genhedloedd.

Cyfuniad o ddyfyniadau o Eseia 56: 7 a Jeremeia 7: 11 yw'r geiriau, 'A bydd fy nhŷ i yn dŷ gweddi, ond gwnaethoch chwi ef yn ogof lladron' (Lc. 19: 46). Ychwanega Marc y cymal 'tŷ gweddi *i'r holl genhedloedd'* (Mc. 11: 17), sy'n gyfeiriad at gyd-destun geiriau Eseia, sef ei weledigaeth o'r dieithriaid a'r bobloedd yn cael eu dwyn i fynydd sanctaidd Jerwsalem: 'a rhof iddynt lawenydd yn fy nhŷ gweddi' (Es. 56: 7). Dywed Ioan fod y disgyblion wedi cofio geiriau'r Ysgrythur, sef Salm 69:9, 'Y mae sêl dy dŷ di wedi fy ysu'.

Yr oedd i weithred Iesu'n glanhau'r deml arwyddocâd Meseianaidd. Yr oedd disgwyl y byddai'r Meseia yn diwygio defodau'r deml a'i harferion crefyddol. Ond y mae i'w weithred arwyddocâd i'r Eglwys heddiw. Hawdd yw colli golwg ar brif ddiben yr Eglwys, sef bod yn 'dŷ gweddi'.

Ac nid yr Eglwys fel adeilad a olygir wrth hyn, ond fel cymdeithas o weddïwyr yn cynnal ei gilydd, yn un â'i gilydd ar draws y byd ac yn un â'r Eglwys yn y nef. Yn ei emyn 'Y dydd a roddaist Iôr a giliodd' (a gyfieithwyd gan R. D. Roberts), mae John Ellerton yn ymfalchïo bod yr Eglwys yn effro ac yn cyflwyno mawl a gweddi 'heb orffwys byth na dydd na nos':

Dros bob rhyw ynys a chyfandir,
yn gyson megis gwawr y dydd,
ei chân o fawl i ti a glywir,
ac nid oes baid ar weddi'r ffydd.
(*Caneuon Ffydd* 45)

Tŷ gweddi yw'r Eglwys o flaen popeth arall, yn amgylchu'r holl ddaear ac yn cysylltu'r holl genhedloedd. Gweledigaeth y proffwydi oedd y byddai Jerwsalem yn dod yn gyrchfan i'r cenhedloedd, ac y deuai holl bobloedd y byd yno i gydnabod a moli Duw. Ond collodd Israel olwg ar y weledigaeth hon a'i hynysu ei hun fwyfwy oddi wrth y cenhedloedd. Yn nyfodiad Iesu, a thrwy ei waith a'i weinidogaeth ef, daeth Israel newydd, yr Eglwys, i fod, a throsglwyddwyd iddi hi'r dasg genhadol aruchel o dywys cenhedloedd y ddaear i adnabod a charu Duw. Hi bellach oedd i fod yn 'dŷ gweddi i'r holl genhedloedd'.

Dicter sanctaidd Iesu

Mae'r darlun a gyflwynir gan y pedair efengyl o Iesu'n glanhau'r deml yn rhoi golwg wahanol i ni arno. Roedd wedi marchogaeth i mewn i Jerwsalem mewn gostyngeiddrwydd fel brenin hedd, ac wedi wylo dros y ddinas oherwydd ei dallineb ysbrydol. Yna, mae'n estyn am chwip o gordenni i fwrw allan yr anifeiliaid, y cyfnewidwyr arian a'r masnachwyr. Roedd wedi ei gynhyrfu o weld tŷ Dduw yn cael ei lygru, y diamddiffyn yn cael eu twyllo ac arweinwyr crefydd yn manteisio ar ŵyl gysegredig y Pasg i wneud elw. Nid yw'n glir a ddefnyddiodd Iesu'r chwip ar y bobl ai peidio, ond er bod chwip yn ei law yr oedd hefyd ddagrau yn ei lygaid. Meddai Jerôm am y digwyddiad hwn, 'Yr oedd grym moesol y goleuni tanllyd a fflachiai yn ei lygaid, a'r gogoniant dwyfol a ddisgleiriai yn ei wyneb, yn ddigon i yrru'r marchnatwyr euog i ffwrdd'. Roedd ei ddicter sanctaidd yn ddigon i beri i'r troseddwyr ffoi.

Caed dau ymateb gwahanol i weithred Iesu. Ar y naill law, fe benderfynodd y prif offeiriaid a'r ysgrifenyddion, ynghyd ag arweinwyr y bobl fod yn rhaid canfod ffordd i'w ladd (Lc. 19: 47). Ar y llaw arall, rdeuai llu o'i gefnogwyr o blith y bobl i wrando arno 'yn dysgu o ddydd i ddydd yn y deml'. Roedd yr awdurdodau swyddogol yn ei wrthod, ond parhaodd y bobl ddal ar ei eiriau a'i gefnogi.

Cwestiynau i'w trafod:

1. Wylodd Iesu dros Jerwsalem oherwydd iddi gefnu ar 'ffordd tangnefedd'. Beth a olygir wrth 'adnabod ffordd tangnefedd'?

2. Beth yw arwyddocâd y geiriau, 'A bydd fy nhŷ i yn dŷ gweddi' i'r Eglwys heddiw?

3. Beth yw'r gwahaniaeth rhwng gwylltineb a dicter sanctaidd?

YR ORUWCHYSTAFELL

Luc 22: 7–23; Ioan 13: 1–17

Erbyn dydd Iau wythnos olaf ei fywyd, gwyddai Iesu fod y diwedd yn agosáu. Y noson honno, trefnodd i fwyta ei bryd olaf gyda'r Deuddeg yn yr oruwchystafell yn Jerwsalem. O ufudd-dod i orchymyn Iesu yn y swper olaf hwn y datblygodd Sacrament Swper yr Arglwydd, neu'r Cymun Bendigaid, y brif weithred yn addoliad yr Eglwys Gristnogol dros y canrifoedd. Yn ôl y tri efengylydd – Mathew, Marc a Luc – hon oedd gwledd y Pasg, y wledd a ddilynai aberthu ŵyn y Pasg. Dywed Luc (22: 15) mai dymuniad Iesu ei hun oedd cael rhannu'r wledd gyda'i ddisgyblion: 'Mor daer y bûm yn dyheu am gael bwyta gwledd y Pasg hwn gyda chwi cyn imi ddioddef!'

I'r Iddewon, deuai'r dydd i ben nid am hanner nos, ond gyda'r machlud. Felly, byddai diwrnod newydd yn cychwyn am chwech o'r gloch yr hwyr. Dyna pryd y cynhelid gwledd y Pasg. Ar y dydd Iau, a elwid yn Ddydd y Bara Croyw, neu Ddydd y Paratoad, o hanner dydd tan ddiwedd y prynhawn, lleddid ŵyn y Pasg yn y deml, i'w bwyta yn y wledd a fyddai'n dilyn gyda'r hwyr. Yn ôl y tair efengyl gyfolwg, gwledd y Pasg oedd y Swper Olaf. Dywed Mathew a Marc i Iesu anfon ei ddisgyblion 'ar ddydd cyntaf gŵyl y Bara Croyw' (Mth. 26: 17; Mc. 14: 12) i wneud y paratoadau angenrheidiol. 'Gyda'r nos daeth yno gyda'r Deuddeg' (Mc. 14: 17) er mwyn dathlu'r Pasg.

Mae rhai esbonwyr yn dadlau bod Efengyl Ioan yn gosod y croeshoeliad *o flaen* y Pasg, a hynny'n rhannol ar sail y geiriau, 'Ar *drothwy* gŵyl y Pasg, yr oedd Iesu'n gwybod bod ei awr wedi dod, iddo ymadael â'r byd hwn a mynd at y Tad' (In. 13: 1). Honnir mai bwriad Ioan oedd gosod croeshoeliad Iesu ar yr un adeg yn union ag aberthu ŵyn y Pasg yn y deml. Wrth adrodd hanes Iesu o flaen Pilat, meddai Ioan, 'Dydd Paratoad y Pasg oedd hi, tua hanner dydd' (19: 14). Mae nifer o ymdrechion wedi eu gwneud i gysoni'r ddwy fersiwn. Yn ôl a welaf, y gorau y gellir ei ddweud yw mai bwriad y tair efengyl gyntaf yw adrodd ffeithiau'r digwyddiad, ond bod Ioan yn cynnig dehongliad diwinyddol ohono trwy ddangos, mewn modd symbolaidd, mai Iesu yw Oen y Pasg a ddarparwyd gan Dduw i ddwyn gwaredigaeth i'w bobl. Y tebygrwydd, felly, yw fod y tair efengyl gyntaf yn rhoi i ni ddisgrifiad ffeithiol o'r hanes, a bod Ioan wedi ad-drefnu rhywfaint ar y ffeithiau er mwyn rhoi i ni esboniad diwinyddol symbolaidd o ystyr aberth Iesu ar y groes.

Paratoi ar gyfer y wledd

Yn ôl Mathew a Marc, y disgyblion a holodd gyntaf pa le y dylent baratoi gwledd y Pasg. Ond yn ôl Luc, Iesu a roddodd orchymyn i Pedr ac Ioan, 'Ewch a pharatowch inni gael bwyta gwledd y Pasg' (Lc. 22: 8). Iesu a gymerodd y cam cyntaf yn Efengyl Luc, ac ef sy'n rheoli a threfnu'r paratoadau. Roedd yn amlwg ei fod eisoes wedi dechrau gwneud y trefniadau oherwydd addawodd fod goruwchystafell eisoes wedi ei threfnu. Pan holodd y ddau ddisgybl sut y deuent o hyd i'r ystafell hon, rhoddodd gyfarwyddyd od iddynt: 'fe ddaw dyn i'ch cyfarfod, yn cario stenaid o ddŵr' (22: 10). Peth anarferol iawn fyddai gweld dyn yn cario dŵr ar ei ben gan mai gwragedd a fyddai'n gwneud hynny fel arfer. Ar ôl cael hyd i'r oruwchystafell, aeth y disgyblion ati i ddarparu'r bara croyw, y gwin a'r llysiau ar gyfer gwledd y Pasg.

'Pan ddaeth yr awr' (22: 14), rywdro rhwng machlud haul a thoriad gwawr ar ŵyl y Pasg, fe ymgasglodd Iesu a'i ddisgyblion o amgylch y bwrdd. Luc sy'n pwysleisio awydd Iesu i fwyta gwledd y Pasg gyda'i ddisgyblion. Pam y dyhead hwn? Am ei fod yn sylweddoli y byddai yntau, fel ŵyn y Pasg yn y deml, wedi cael ei ladd cyn pen dim, ac am ei fod yn dyheu i'w ddisgyblion ddeall y byddai ei farwolaeth yn waredigaeth, fel y waredigaeth fawr o'r caethiwed yn yr Aifft. Coffáu a dathlu'r waredigaeth honno – yr *ecsodus* – oedd diben gwledd y Pasg.

Cynhelid Gŵyl y Pasg yn flynyddol gan yr Iddewon i ddathlu rhyddhad eu cyndadau o gaethiwed yr Aifft. Yno, buont yn gaethion dan draed eu meistri. Ond gyda'r waredigaeth fawr o'u caethiwed, fe'u codwyd ar eu traed drachefn a'u gwneud yn genedl. Diolch i Dduw am eu gwaredu, ac ymhyfrydu yn eu rhyddid a'u hurddas fel cenedl, a wnâi'r Iddewon ar y Pasg dros y canrifoedd. Ond nid coffáu digwyddiad hanesyddol yn y gorffennol yn unig a wnaent, ond dathlu bod effeithiau'r digwyddiad hwnnw'n dal i gyrraedd atynt, yn yr ystyr dod Duw yn rhoi urddas arnynt fel pobl ac yn eu rhyddhau o bob gormes o hyd. Yn ei hanfod gŵyl i ddathlu eu rhyddid a'u statws fel pobl Dduw oedd y Pasg.

Er eich mwyn chwi

Yng nghyd-destun y dathliad hwn o'r waredigaeth o'r Aifft, roedd Iesu am i'w ddilynwyr ddeall ei fod yntau, trwy ei farwolaeth, yn cyflawni gwaredigaeth arall, trwy ei roi ei hun yn aberth i'w rhyddhau hwythau a'u dwyn i gyfamod newydd â Duw. Yn unol ag arfer gwledd y Pasg cymerodd fara, ac wedi ei fendithio trwy ddiolch i Dduw amdano, fe'i torrodd a'i roi i'w ddisgyblion. Ond rhoddodd ystyr newydd i'r weithred pan ddywedodd, 'Hwn yw fy nghorff, sy'n cael ei roi er eich mwyn chwi' (Lc. 22: 19). Luc sy'n nodi mai rhoi ei gorff 'er eich mwyn chwi' a wnaeth Iesu. Hynny yw, trwy gyfranogi o'r bara gallent ymborthi trwy ffydd arno ef, sef derbyn ei fywyd ef fel anadl einioes iddynt hwy – a daw ei anian, ei ffordd o fyw, ei ysbryd a'i hunanymwadiad ef yn eiddo iddynt hwy. Trwy gyfranogi o'i gorff, fe gaent eu rhyddhau o gaethiwed pechod, anobaith ac angau, ac fe ddeuent yn rhan o gymdeithas o bobl a gâi hadnabod yn ddiweddarach fel 'corff Crist'. Dyma'r corff a fyddai'n cynnal y ddefod hon er cof amdano, yn cyd-addoli dan arweiniad ei Ysbryd, yn rhannu yn ei fywyd ac yn cael ei arfogi i weithio dros ei deyrnas. Dyma gofio sy'n dwyn y digwyddiad hanesyddol i'r presennol er mwyn iddo effeithio arnom ni heddiw.

Ar ôl swper cymerodd Iesu gwpan ac ynddo win, ac meddai, 'Y cwpan hwn yw'r cyfamod newydd yn fy ngwaed i, sy'n cael ei dywallt er eich mwyn chwi' (22: 20). Luc yn unig sy'n nodi'r 'cyfamod newydd', a dyfynnir y geiriau hefyd gan Paul, 'Y cwpan hwn yw'r cyfamod newydd yn fy ngwaed i' (1 Cor. 11: 25). Gair a ddefnyddir yn yr Hen Destament i ddynodi perthynas Duw â'i bobl yw 'cyfamod'. Yr oedd dwy ochr i'r cyfamod, sef cariad Duw a'i ffyddlondeb i'w bobl ar y naill law, a ffyddlondeb y bobl i Dduw ac ufudd-dod i ofynion ei Gyfraith ar y llaw arall. Ond er holl ffyddlondeb cariad Duw tuag atynt, ni fu pobl Israel mor ffyddlon i'w Duw. Am iddynt gefnu arno, troes eu gwynfyd yn adfyd a'u rhyddid yn gaethiwed. Er hynny, credai'r proffwydi mawr fel Eseia a Jeremeia fod cariad Duw yn drech nag anffyddlondeb ei bobl, ac y byddai ryw ddydd yn gwneud cyfamod newydd â hwy. '"Y mae'r dyddiau'n dod," medd yr Arglwydd, "y gwnaf gyfamod newydd â thŷ Israel ac â thŷ Jwda"' (Jer. 31: 31). Dyma'r addewid a wireddwyd yn aberth Iesu ac a goffeir yn Swper yr Arglwydd. Trwy dywallt ei waed ar y groes, rhyddhawyd einioes Iesu i fod ar gael i'w bobl. Yn y Swper Olaf cafodd y disgyblion ragflas o'r bywyd dwyfol hwn.

Ym mhob gweinyddiad o Swper yr Arglwydd yn yr Eglwys bydd pobl Dduw yn derbyn y bywyd newydd hwn i'w bywydau. Meddai Isaac Thomas yn ei gyfrol *Trosom Ni,* 'Gellid aralleirio geiriau'r Iesu fel hyn: Fel yr ymborthwch ar fara, ymborthwch ar fy mherson i; fel yr ymborthwch ar win, ymborthwch ar fy marwolaeth i; dyma'r ffordd i chwi ddod yn rhydd o ormes pechod ac i afael y cyfamod graslon y myn Duw ei wneud â phawb.' Canlyniad tywallt gwaed Crist, 'er eich mwyn chwi' fu rhyddhau ei fywyd a'i anian i fod yn fywyd i'w bobl. Pery hynny'n wir hyd heddiw:

O! Iesu byw, dy fywyd di
Fo'n fywyd yn fy mywyd i.
(J. E. Davies, *Rhyddwawr)*

I grynhoi, mae tri pheth i'w nodi am y Swper Olaf. Yn gyntaf, *mae marwolaeth Iesu'n gwbl ganolog.* Roedd am i'w ddisgyblion fwyta'r bara ac yfed y cwpan er cof amdano. Roedd y bara a'r gwin i arwyddo bod ei gorff wedi ei roi drostynt a'i waed wedi ei dywallt drostynt. Roedd Iesu am gael ei gofio'n bennaf am ei farwolaeth. Yn ail, *pwrpas marwolaeth Iesu oedd sefydlu cyfamod newydd rhwng Duw a'i bobl.* Yn Swper yr Arglwydd, dethlir a chadarnheir y berthynas newydd â Duw a sefydlwyd drwy dywalltiad ei waed drosom. Yn drydydd, *rhaid i bob un yn bersonol feddiannu rhin a gwerth marwolaeth Iesu.* Mae bwyta'r bara ac yfed y gwin yn gyfrwng i dderbyn Crist fel ein gwaredwr, a derbyn ei fywyd ef i'n bywyd ni. Wrth i Iesu sefydlu Swper yr Arglwydd, nid cychwyn defod na ffurf o wasanaeth a wnaeth, ond cyflwyno dameg weithredol sy'n parhau o hyd yn gyfoethog ei hystyr a'i heffeithiau i gredinwyr.

Golchi traed y disgyblion

Nid yw Efengyl Ioan yn adrodd hanes sefydlu Swper yr Arglwydd. Nid diffyg diddordeb yn y sacrament oedd y rheswm am hynny, ond am fod ganddo fwy o ddiddordeb yn ystyr ysbrydol y ddefod na'r dull o'i gweinyddu. Efallai ei fod yn ystyried hefyd fod y traddodiad ynglŷn â sefydlu'r Swper yn ddigon adnabyddus i aelodau'r Eglwys fel nad oedd angen iddo yntau ei ail-ddweud. Yn lle hynny, mae Ioan yn cynnwys hanesyn na cheir mohono yn yr efengylau eraill, sef gweithred Iesu'n golchi traed y disgyblion.

Ceir dau sylw arwyddocaol yn yr adnod gyntaf (In. 13: 1), sef *bod ei awr wedi dod* iddo ymadael â'r byd, a'i fod wedi caru'r rhai oedd yn eiddo iddo *hyd yr eithaf,* neu, *i'r diwedd.* Gwyddai fod ei awr wedi dod – a'i bod wedi ei phenodi, nid ganddo ef ei hun ond gan Dduw. Roedd y dyrfa wedi cefnu, y groes yn agos, ei genhadaeth yn dibynnu bellach ar ei ddilynwyr, a'r dyfodol felly'n ansicr. Roedd yn eithriadol o bwysig fod ei ddisgyblion yn awr yn deall amcan ei weinidogaeth a'r rheswm dros ei aberth. Trwy gydol ei weinidogaeth, roedd wedi eu caru hyd yr eithaf, a byddai'n parhau i wneud hynny i'r diwedd. Amcan ei weinidogaeth, o'i dechrau i'w diwedd, oedd amlygu cariad diderfyn Duw, a dyna oedd ei fwriad hyd y diwedd. Yng nghyd-destun y datganiad aruchel hwn y'i gwelir yn golchi traed ei ddisgyblion ac yn eu dysgu mai ar lwybr gostyngeiddrwydd a hunanymwadiad y mae canfod a mynegi gwir ystyr cariad.

Tasg a gyflawnid fel arfer gan gaethwas, neu gan yr ieuengaf yn y cwmni, oedd golchi traed gwesteion. Pan ddeuai pobl i mewn i ystafell, wedi cerdded ffyrdd llychlyd mewn sandalau, y peth cyntaf a wneid oedd golchi eu traed. Gellir dychmygu'r disgyblion yn edrych ar ei gilydd, a phob un yn amharod i blygu i gyflawni gwaith mor wasaidd. Wrth iddynt hwy oedi, rhoes Iesu ei ddillad o'r neilltu, rhwymo tywel am ei ganol a phlygu i olchi eu traed. Cyflawnodd y gwasanaeth hwn yn gwbl ymwybodol o'i urddas unigryw a'i awdurdod fel Mab Duw: 'dyma

Iesu, ac yntau'n gwybod bod y Tad wedi rhoi pob peth yn ei ddwylo ef, a'i fod wedi dod oddi wrth Dduw a'i fod yn mynd at Dduw ...' (13: 3) – yr un sydd wedi dod oddi wrth Dduw, ac sydd ar fin dychwelyd i'w le dyrchafedig wrth ochr ei Dad, yw'r un sy'n cymryd tywel a'i glymu am ei ganol er mwyn cyflawni gwaith caethwas a dysgu i'w ddisgyblion yr urddas a'r mawredd sydd mewn gostyngeiddrwydd – gwers yr oedd ei hangen arnynt, a hwythau wedi bod yn dadlau pwy ohonynt oedd y mwyaf.

Roedd golchi traed y disgyblion yn fwy na gwers mewn gostyngeiddrwydd. Roedd hefyd yn ddameg achubol. Ar y dechrau, roedd Pedr yn gwrthod caniatáu i Iesu olchi ei draed. Os felly, meddai Iesu, ni chai Pedr unrhyw gymdeithas ag ef. O ganlyniad, y mae Pedr yn gofyn am gael golchi ei ddwylo a'i ben hefyd. Ymateb Iesu yw, 'Y mae'r sawl sydd wedi ymolchi drosto yn lân i gyd, ac nid oes arno angen golchi dim ond ei draed' (13:10). Mae'n glir, felly, fod y golchi yn ddarlun o iachawdwriaeth, a bod hynny'n digwydd mewn dwy ran. Wrth ddod at Iesu Grist yn y lle cyntaf mewn edifeirwch a ffydd, mae gras yn golchi'r credadun cyfan. Y gair a ddefnyddir mewn diwinyddiaeth i ddisgrifio'r cam cyntaf hwn yw 'cyfiawnhad', ac fe'i mynegir unwaith yn unig mewn bedydd. Ond oherwydd bod dyn yn parhau i syrthio mewn pechod ac yn cael ei faeddu gan aflendid y byd, rhaid iddo wrth 'sancteiddhad', sef maddeuant dyddiol. Nid ymolchi drosto sydd ei angen mwyach, ond edifeirwch a maddeuant cyson. Gwnaeth Pedr ddau gamgymeriad. Protestiodd yn erbyn yr angen i gael ei olchi o gwbl. Ac yna gofynnodd am gael ei olchi'n llwyr, er mai'r cwbl oedd ei angen arno oedd golchi ei draed.

Wedi cyflawni swydd y gwas trwy olchi traed ei ddisgyblion mae Iesu'n ymwisgo ac yn cymryd ei le wrth y bwrdd fel meistr ac Arglwydd. Y meistr yw'r gwas, a'r gwas yw'r meistr. Mae'n chwyldroi yn llwyr y syniad cyffredin am urddas ac awdurdod. Ond wedi'r weithred symbolaidd, mae'n troi at ei hystyr ymarferol fel esiampl o'r gostyngeiddrwydd a'r gwasanaeth a ddisgwylir oddi wrth ei ddisgyblion. Roedd y disgyblion wedi dangos eu hawydd i ddiogelu eu hurddas a'u pwysigrwydd trwy geisio blaenori ei gilydd. Ond y mae Iesu'n dangos eto nad mater o statws yw gwir urddas ond mater o wasanaeth – gwers nad ydym eto wedi ei dysgu ym mywyd a chenhadaeth yr Eglwys.

Cwestiynau i'w trafod:

1. 'Nid coffáu Iesu marw a wnawn mewn Gwasanaeth Cymun, ond dathlu buddugoliaeth Crist byw, a derbyn ei fywyd ef i'n bywyd ni.' A ydych yn cytuno?

2. Beth yw ystyr 'cyfamod â Duw', a sut y mae'r Cymun yn cadarnhau'r cyfamod hwnnw?

3. O gofio amharodrwydd Pedr i Iesu olchi ei draed, a yw'n wir dweud bod rhaid wrth ostyngeiddrwydd i dderbyn gwasanaeth yn ogystal ag i'w roi?

GWEDDI'R CYSEGRU

Ioan 17: 1–26

Un o'r gwahaniaethau amlycaf rhwng Efengyl Ioan a'r efengylau eraill yw fod Ioan, wedi iddo adrodd hanes golchi traed y disgyblion, yn cynnwys cyfres o ymgomion neu fyfyrdodau a elwir 'Yr Ymddiddanion Ffarwel' (penodau 14–17). Yn awyrgylch dwys yr oruwchystafell y nos Iau cyn y Groglith – y noson a elwir yng nghalendr y Flwyddyn Gristnogol yn Nos Iau Cablyd - wedi iddo olchi traed ei ddisgyblion, mae Iesu'n rhoi gorchymyn newydd iddynt garu ei gilydd, ac yna – trwy gyfrwng nifer o ymddiddanion – mae'n eu rhybuddio am yr hyn oedd ar fin digwydd, ac yn trafod yr hyn a fyddai'n gysur ac yn galondid iddynt ynghanol profiadau o dristwch a thrallod. Er nad oes rhaid derbyn yr Ymddiddanion hyn fel adroddiadau *verbatim* o union eiriau Iesu i'w ddilynwyr, eto nid cynnyrch dychymyg Ioan mohonynt ond yn hytrach fyfyrdodau ar ddywediadau Iesu, neu ar rannau o'i ddysgeidiaeth a draddodwyd ar wahanol achlysuron. Er bod dylanwad defosiwn yr Eglwys Fore i'w weld yn amlwg ddigon ar eu cynnwys a'u harddull, nid oes amheuaeth nad yw'r ymddiddanion hyn yn cynnwys rhai o rannau pwysicaf dysgeidiaeth Iesu, a bod y themâu a drafodir yn greiddiol i'w genadwri.

Maent yn cynnwys rhai o'r adrannau mwyaf adnabyddus a mwyaf cyfoethog yn y Testament Newydd, er enghraifft, 'Iesu, y Ffordd at y Tad' (In. 14: 1–14), 'Addo'r Ysbryd Glân' (14: 15–31), 'Iesu, y Wir Winwydden' (15: 1–17) a 'Gwaith yr Ysbryd' (16: 1–15). Yna, down at un o'r adrannau mwyaf cysegredig yn hanes a phrofiad Iesu, sef y weddi a offrymodd yn yr oruwchystafell y noson cyn y croeshoeliad. Er mai Ioan yn unig sy'n ei chofnodi, nid yw hynny'n rheswm dros amau ei dilysrwydd. Mae'n anodd meddwl y byddai Iesu'n gadael yr ystafell honno heb weddïo gyda'r disgyblion a throstynt. A byddai cynnwys y weddi ar adeg mor dyngedfennol yn sicr o fod wedi aros ar gof y disgyblion. Er na allwn ddisgwyl y byddai Ioan wedi cofio'r weddi ar ei hyd, air am air, gallwn fod yn sicr ein bod yn cael ynddi feddwl a theimladau Iesu fel y mynegwyd hwy ar drothwy'r groes.

Rhoddwyd gwahanol enwau ar y weddi o bryd i'w gilydd. Yr enw a roes yr esgob a'r esboniwr B. F. Westcott, arni oedd 'Gweddi'r Cysegru,' am fod Iesu ynddi yn ei gysegru ei hun i'r gwaith aberthol a roddodd Duw iddo i'w gyflawni. Ynddi hefyd y mae'n gweddïo ar i'r disgyblion gael eu cysegru i'r genhadaeth y galwyd hwythau i'w chyflawni ar ôl ei ymadawiad ef i'r nefoedd. Yr enw mwyaf cyffredin arni yw'r 'Weddi Archoffeiriadol', a hynny am ddau reswm. Byddai'r archoffeiriad yn offrymu gweddi pan fyddai'n cysegru offrwm yn aberth dros bechodau'r bobl. Mae Iesu'n ei gysegru ei hun i fod yn aberth achubol ar y groes dros bawb. Yn ail, rhan o waith yr archoffeiriad oedd eiriol dros y bobl. Yn y weddi hon, mae Iesu'n eiriol dros ei ddilynwyr, a'i weddi'n rhagfynegi ei eiriolaeth barhaol yn y nefoedd dros ei Eglwys (1 In. 2: 1; Rhuf. 8: 34). Enw arall a roed arni yw 'Gweddi'r Eiriol', am fod Iesu ynddi'n gweddïo drosto'i hun (In. 17: 1–5), dros ei ddisgyblion (6–19), a thros ei ddilynwyr ym mhob oes ac ym mhob gwlad.

Gweddi Iesu drosto'i hun

Yn wahanol i'r hyn a gofnodir yn yr efengylau eraill, lle yr â o'r oruwchystafell i ardd Gethsemane i weddïo, ac yntau mewn ing a gwewyr ac yn deisyf ar i'r cwpan gael ei gymryd oddi wrtho, yn Ioan offrymir y weddi wedi'r swper yn yr ystafell. Ac nid oes unrhyw sôn ynddi am y posibilrwydd o Iesu'n cael ei arbed rhag wynebu dioddefaint a'r groes. Nid dioddefwr anfodlon, yn ysglyfaeth i gynllwynion ei elynion ac yn ennyn tosturi a chydymdeimlad, yw'r darlun a gawn ohono gan Ioan, ond un sy'n mynd i'w groes o'i wirfodd, fel brenin newydd ei goroni yn esgyn i'w orsedd.

Mae Iesu'n codi ei lygaid i'r nef, yn cyfarch ei Dad, 'O Dad *(Abba)'*, sef gair plentyn wrth gyfarch ei dad daearol. Dyma'r ffordd y dysgodd Iesu ei ddisgyblion i gyfarch Duw hefyd. Mae'n datgan, 'y mae'r awr wedi dod' (In. 17: 1), sef awr ei ddarostyngiad sydd hefyd yn awr ei oruchafiaeth a'i ddyrchafiad. Dyma'r awr a apwyntiwyd iddo gan Dduw.

Dyma'r awr y caiff y Mab ei ogoneddu, er mwyn iddo yntau ogoneddu Duw. Yr oedd Iesu wedi gogoneddu Duw trwy ei fywyd o ufudd-dod perffaith: 'Yr wyf fi wedi dy ogoneddu ar y ddaear trwy orffen y gwaith a roddaist imi i'w wneud' (17: 4). Yn awr y mae Duw yn gogoneddu Iesu trwy roi yn ôl iddo'r awdurdod a'r anrhydedd yr oedd wedi eu rhoi heibio wrth ddod yn ddyn – gogoniant oedd yn eiddo iddo gyda'r Tad cyn creu'r byd. Cyfrwng i ogoneddu Iesu fydd y groes. Bydd Duw'n gogoneddu ei Fab trwy wneud y groes, sy'n ymddangos ar y dechrau yn ddim ond achos cywilydd a methiant trychinebus, yn fodd i ddwyn gwaredigaeth i'r holl fyd. Wrth i'r Mab gael ei ogoneddu trwy ei farwolaeth a'i atgyfodiad, gogoneddir y Tad hefyd, oherwydd dyma'r datguddiad goruchaf o Dduw, a thrwy'r groes a'r atgyfodiad cyflawnir pwrpas Duw i roi bywyd tragwyddol i'r rhai sy'n derbyn y Mab ac yn ymateb iddo mewn ffydd.

Yna ceir golwg ar ystyr bywyd tragwyddol: 'A hyn yw bywyd tragwyddol: dy adnabod di, yr unig wir Dduw, a'r hwn a anfonaist ti, Iesu Grist' (17: 3). Yn ei hanfod, dod i adnabyddiaeth bersonol o Dduw yw bywyd tragwyddol, a thrwy Iesu ei Fab y deuir i adnabod y Tad ac i ganfod y bywyd y mae ef yn ewyllysio'i roi i'r credadun. Nid mater o dyfu mewn gwybodaeth o ffeithiau a ddaw trwy'r meddwl yw'r adnabyddiaeth hon, ond bod mewn perthynas fywiol â pherson. Mae gwahaniaeth rhwng gwybod ac adnabod.

Ar rai adegau, sonnir am fywyd tragwyddol yn y Testament Newydd fel profiad yn y presennol, ac ar adegau eraill fel rhywbeth i ymgyrraedd ato yn y dyfodol. Nid cyflwr statig i'w ganfod unwaith ac am byth mohono, ond proses o dyfu ac aeddfedu. Y mae i'w brofi yn awr, ond yn y byd a ddaw y profir ef yn ei lawnder.

'O am dreiddio i'r adnabyddiaeth
o'r unig wir a bywiol Dduw'

yw gweddi Ann Griffiths. Ystyr hynny yw treiddio i fywyd Iesu, dyfnhau ein perthynas ag ef, ymagor fwyfwy i'w anian, aros yn ei gwmni, tyfu yn ein cariad tuag ato ac yn ein profiad o'i gariad ef tuag atom, a thrwy hynny gael ein tywys i ddirgelwch a gogoniant Duw ei hun.

Trwy orffen y gwaith a roddodd Duw iddo i'w gyflawni ar y ddaear, mae Iesu wedi gogoneddu ei Dad. Yn awr, mae'n ymbil ar Dduw i adfer iddo'r gogoniant a fu'n eiddo iddo o'r dechrau. Mae'n sôn am y gwaith a ymddiriedwyd iddo gan y Tad fel petai wedi ei gyflawni'n barod, ac yn edrych ar y groes fel petai eisoes y tu cefn iddo, sy'n awgrymu'n gryf fod Ioan yn edrych ar ddioddefaint a chroeshoeliad Iesu trwy lygaid yr Eglwys Fore. Wedi'r atgyfodiad a buddugoliaeth y trydydd dydd y gwelir y croeshoeliad fel gogoniant Iesu. Trwy gyflawni'n berffaith ewyllys Duw, mae Iesu wedi gogoneddu'r Tad ar y ddaear, ac ar sail hynny gall eiriol yn hyderus ar y Tad i'w ogoneddu ef trwy ei ddyrchafu unwaith eto i'w ddeheulaw, sef y lle a berthynai iddo o dragwyddoldeb. Gellir deall mai yn y termau hynny y byddai'r Eglwys Fore, yn ei phregethu a'i chenhadaeth, yn cyflwyno'r Crist croeshoeliedig i'r byd. Fel arall, byddai neges am Feseia wedi ei groeshoelio 'yn dramgwydd i'r Iddewon ac yn ffolineb i'r Cenhedloedd; ond i'r rhai a alwyd, yn Iddewon a Groegiaid, y mae'n Grist, gallu Duw a doethineb Duw' (1 Cor. 1: 24).

Gweddi Iesu ar ran ei ddisgyblion

Mae Iesu'n mynd ymlaen yn ei weddi i eiriol dros ei ddisgyblion a gaiff eu gadael yn y byd i barhau ei genhadaeth. Dyma gnewyllyn ei Eglwys a blaenffrwyth y gymdeithas o gredinwyr y byddai'r Tad yn ei rhoi iddo. Mae Iesu eisoes wedi datguddio iddynt 'enw' Duw, sef ei natur a'i gymeriad, ac wedi eu dysgu mai Duw a roddodd iddo ei genhadaeth, ac mai gwaith Duw ei hun yw gwaith Iesu. Cawsant eu paratoi yn ystod gweinidogaeth Iesu ar y ddaear trwy iddo ddatguddio'r Tad iddynt, a dysgu iddynt ei eiriau: 'yr wyf wedi rhoi iddynt hwy y geiriau a roddaist ti i mi, a hwythau wedi eu derbyn, a chanfod mewn gwirionedd mai oddi wrthyt ti y deuthum, a chredu mai ti a'm hanfonodd i' (In. 17: 8).

Rhaid cofio bod Ioan yn ysgrifennu yn niwedd y ganrif gyntaf a bod y disgyblion erbyn hynny wedi eu profi eu hunain yn deilwng o'u galwad, fel bod Iesu'n gallu ymddiried ei genhadaeth i'w gofal. Dywedir tri pheth amdanynt. Yn gyntaf, eu bod *wedi eu galw gan Dduw.* Yn ail, eu bod *wedi eu dysgu gan Iesu*. Yn drydydd, eu bod *wedi derbyn y datguddiad dwyfol a ddaeth iddynt trwy Iesu Grist.*

Y maent hwy wedi ymgysegru i'r gwaith, ac yn ei gyflawni'n deilwng ac yn effeithiol. Er hynny, mae gan Iesu gonsyrn amdanynt ac y mae'n gweddïo drostynt, ar i Dduw eu cadw'n ddiogel trwy ei enw, sef trwy ei nerth a'i anian ei hun. 'Drostynt hwy yr wyf fi'n gweddïo. Nid dros y byd yr wyf yn gweddïo, ond dros y rhai a roddaist imi, oherwydd mai eiddot ti ydynt' (17: 9). Nid yw hyn yn golygu nad oedd gan Iesu gonsyrn am y byd, ond mai ei gonsyrn yn y rhan hon o'i weddi oedd anghenion ei ddisgyblion oedd yn wynebu byd gelyniaethus. Erbyn ysgrifennu'r efengyl hon, yr oedd Iesu wedi ei ogoneddu trwy dystiolaeth a chenhadaeth yr Apostolion, ond yr oeddent hwy, fel cenhadon yr Efengyl, yn wynebu gwrthwynebiad ac erledigaeth o du'r byd. Gwyddai Iesu y byddai angen amddiffynfa arnynt rhag gelyniaeth y byd. Roeddent wedi eu galw gan Dduw ac wedi eu dysgu ganddo ef, ond nid oedd hynny'n golygu y byddent yn osgoi ymosodiadau ac erledigaeth o du gelynion. Yn wir, yr oeddent yn fwy agored o lawer i elyniaeth a chasineb, ond yr oedd yr amddiffyn a'r gallu dwyfol bob amser ar gael i'w cadw'n ddiogel.

Y mae gelyniaeth ac erledigaeth yn wynebu llawer iawn o Gristnogion heddiw, yn enwedig mewn gwledydd lle y maent yn y lleiafrif. Ond y maent hwythau, fel y disgyblion cyntaf, yn profi nerth a chymorth Duw wrth iddynt ymgysegru i'r gwirionedd. Y mae'r adran hon (17: 6–19) yn ein hatgoffa bod yr Eglwys yn bod i adlewyrchu gogoniant Crist i'r byd, ond mae hefyd yn ein hatgoffa ein bod mor aml yn cuddio ei ogoniant yn hytrach nag yn ei ddatguddio.

Gweddi Iesu dros ei ddilynwyr ym mhob man ac ym mhob oes

Nid dros ei ddisgyblion yn unig y mae Iesu'n gweddïo, ond tros ei ddilynwyr drwy'r canrifoedd. Mae'n gweddïo ar iddynt fod yn un: 'Rwy'n gweddïo ar iddynt oll fod yn un, ie, fel yr wyt ti, O Dad, ynof fi a minnau ynot ti, iddynt hwy hefyd fod ynom ni, er mwyn i'r byd gredu mai tydi a'm hanfonodd i' (17: 21). Mae'r Tad a'r Mab mewn undeb perffaith, diwahân â'i gilydd. Mae'r Tad yn y Mab ac yn gweithio trwy'r Mab, ac mae'r Mab yntau yn cyflawni ewyllys ei Dad. Mae hwn yn undod mewn natur, gweinidogaeth a chariad.

Yn yr un modd mae dilynwyr Iesu, aelodau o'i Eglwys, i fod yn un mewn cenhadaeth ac mewn cariad. Duw yng Nghrist, Crist yn ei Eglwys, aelodau ei Eglwys yn un ag ef ac â'i gilydd: 'hwythau felly wedi eu dwyn i undod perffaith, er mwyn i'r byd wybod mai tydi a'm hanfonodd i' (17: 23).

Sefydlwyd yr Eglwys er mwyn hysbysu'r byd o gariad Duw yng Nghrist, a thrwy hynny barhau ei chenhadaeth. Yr hyn a wnaiff ei thystiolaeth yn effeithiol ac yn gredadwy fydd undod ei haelodau. Heb iddynt hwy fod yn un â'i gilydd, ni fydd yn bosibl iddynt dystio mewn modd credadwy i gariad achubol Duw yn ei Fab Iesu Grist. Geiriau Iesu yn y weddi hon yw'r testun clasurol ar undeb eglwysig sydd wedi rhoi bod i'r mudiad ecwmenaidd yn ein dyddiau ni. Y patrwm i undeb rhwng Cristnogion a'i gilydd yw perthynas y Tad a'r Mab. Mae Cristnogion yn un â'i gilydd ac yn un â Duw trwy Iesu Grist. Y mae undod organig rhwng enwadau a'i gilydd yn deillio o'r undod dwfn, ysbrydol hwn sydd wedi'i wreiddio yn y Drindod ei hun. Ffactor trist yn hanes eglwysi Cymru yn ystod y deugain mlynedd diwethaf fu ein methiant i symud tuag at undod rhyngom fel eglwysi ac fel enwadau. A'r methiant hwnnw, yn fwy na dim arall, fu'n gyfrifol am y trai a'r dirywiad sydd mor amlwg bellach yn ein bywyd crefyddol.

Yn ystod ei weddi bu Iesu'n ymbil ar i'w Eglwys gael ei chynnal, ar iddi fod yn un a chyflawni ei chenhadaeth yn y byd. Cafodd y disgyblion cyntaf y fraint o weld gogoniant Iesu yn nyddiau ei gnawd. Fe'i gwnaed yn amlwg trwy ei berson a'i waith ac fe gyrhaeddodd ei uchafbwynt ar groes Calfaria. Mae Iesu hefyd yn mynegi ei ddymuniad i aelodau ei Eglwys ym mhob oes gael bod gydag ef a gweld y gogoniant a berthynai iddo gyda'r Tad o'r dechreuad, ac a adferir iddo wedi'r groes a'r atgyfodiad. Y mae'r Eglwys filwriaethus ar y ddaear yn cyfranogi o'r gogoniant sydd ym mywyd y Duwdod, ond y mae'r Eglwys fuddugoliaethus yn y nef yn gweld y gogoniant dwyfol i fesur helaethach nag y gellir byth ei sylweddoli ar y ddaear. 'O Dad, am y rhai yr wyt ti wedi eu rhoi i mi, fy nymuniad yw iddynt hwy fod gyda mi lle'r wyf fi, er mwyn iddynt weld fy ngogoniant, y gogoniant a roddaist i mi oherwydd i ti fy ngharu cyn seilio'r byd' (17: 24).

Cael bod yn ei gwmni ef yn dragwyddol, a chael syllu ar ei ogoniant dwyfol yw dyhead Iesu i'w Eglwys, oherwydd, meddai William Temple: 'This is the Vision of God, the Beatific Vision, the infinite joy of the finite soul'. Dyna ddymuniad Iesu Grist i'w ddisgyblion cyntaf, a'i ddymuniad i ninnau hefyd.

Cwestiynau i'w trafod:

1. *Os adnabod Duw yw hanfod bywyd tragwyddol, sut y mae tyfu yn yr adnabyddiaeth honno?*

2. *Ai ein hamharodrwydd i symud tuag at undeb eglwysig yw prif achos y trai a'r dirywiad crefyddol sy'n nodweddu ein cyfnod ni?*

3. *A ydym fel eglwysi heddiw yn llwyddo i adlewyrchu gogoniant Iesu Grist?*

YNG NGARDD GETHSEMANE

Mathew 26: 36–46

Yn union wedi i Iesu offrymu ei weddi archoffeiriadol fawr, dywed Ioan, 'Wedi iddo ddweud hyn, aeth Iesu allan gyda'i ddisgyblion a chroesi nant Cidron. Yr oedd gardd yno, ac iddi hi yr aeth ef a'i ddisgyblion' (In. 18: 1). Yr ardd honno oedd Gethsemane.

Mae teithio gydag Iesu o'r oruwchystafell i ardd Gethsemane yn galw am ddychymyg byw a myfyrdod gweddigar yn hytrach nag esboniad. Golygai'r daith i Gethsemane gerdded o ran uchaf y ddinas, trwy heolydd culion i lawr i'r dyffryn a thros afon Cidron. Gellir dychmygu mai mewn gwewyr meddwl yr âi Iesu ar hyd y ffordd honno. Cyn ymadael â'r oruwchystafell roedd y fintai wedi canu emyn (Mth. 26: 30). Roedd yn arferiad gan Iddewon ganu yr *Hallel,* sef Salmau 113 i 118, wrth godi o wledd y Pasg. Geiriau o ddiolch ac o orfoledd am y waredigaeth o'r Aifft a geid yn yr *Hallel:* 'Molwch yr Arglwydd. Molwch, chwi weision yr Arglwydd, molwch enw'r Arglwydd' (Salm 113: 1); 'Chwi sy'n ofni'r Arglwydd, ymddiriedwch yn yr Arglwydd. Ef yw eu cymorth a'u tarian' (Salm 115: 11). A daw'r moliant i ben gyda'r geiriau, 'Diolchwch i'r Arglwydd, oherwydd da yw, ac y mae ei gariad hyd byth' (Salm 118:1).

Unigrwydd Iesu

Er bod Iesu mewn gwewyr meddwl, a bod ofn a dychryn yn llenwi ei galon wrth wynebu dioddefiadau'r croeshoeliad, a bod ei ysbryd yn isel wrth iddo boeni am anwadalwch ei ddisgyblion, gallai ganu cân o orfoledd. Gwyddai mai cefnu a ffoi fyddai hanes ei ddisgyblion, a daeth proffwydoliaeth Sechareia yn fyw i'w gof: 'Taro'r bugail, a gwasgerir y praidd, a rhof fy llaw yn erbyn y rhai bychain' (Sech. 13: 7). Trwy ddyfynnu'r geiriau hyn, mae Iesu'n dangos y byddent oll yn ei adael y noson honno. Ond protestio a wnaeth y Pedr brwdfrydig, a mynnu na fyddai ef yn cwympo byth. Ond roedd Iesu yn ei adnabod yn well nag yr oedd yn ei adnabod ei hun: 'Yn wir, rwy'n dweud wrthyt y bydd i ti heno, cyn i'r ceiliog ganu, fy ngwadu i deirgwaith' (Mth. 26: 34). Protestiodd Pedr drachefn, a dywedodd gweddill y disgyblion beth tebyg. Ond gwireddwyd geiriau Iesu amdanynt; a phan ddaeth y prawf, ffoi a'i adael ar ei ben ei hun a wnaethant.

Hoffai Iesu gwmni ei ddisgyblion, ac er mor ddiddeall oeddent yn aml bu eu cymdeithas yn gymorth iddo ar sawl achlysur. Ac yr oedd arno fwy o'u hangen yn awr nag erioed. Wrth ragfynegi y byddent yn cefnu arno a ffoi, nid cerydd na chondemniad oedd yn ei eiriau, ond ymdeimlad o'r unigrwydd ofnadwy oedd o'i flaen. Ychydig mewn nifer fu'r rhai yn Israel a gadwai'n ffyddlon i Dduw ac i ofynion y Gyfraith ar hyd yr oesau, ac erbyn hyn nid oedd mwy nag un ar ddeg ar ôl, a gwelai Iesu hyd yn oed y rheini'n diflannu. Rhan o ing y Meseia oedd gweld y Gweddill yn Israel yn darfod yn llwyr, a neb ond ef ei hun yn mynd ymlaen, a'r groes yn ei ddisgwyl yntau.

Ni ellir meddwl am ymdeimlad dyfnach o fethiant ac unigrwydd. Ac eto, y darlun a gawn yw o wroldeb tawel Iesu yng nghanol terfysg ei ing a'i ofnau. Hon yw ffydd y Salmydd: 'Er imi gerdded trwy ddyffryn tywyll du, nid ofnaf unrhyw niwed, oherwydd yr wyt ti gyda mi, a'th wialen a'th ffon yn fy nghysuro' (Salm. 23: 4). Profiad credinwyr yr oesau yw mai yn nyffrynnoedd tywyllaf bywyd y mae canfod Duw. Ceisio osgoi'r dyffryn tywyll a wnawn ni gan amlaf. Ond fel y bydd dŵr yn llifo trwy ffos neu sianel, mae bendithion bywyd yn aml yn llifo trwy'r dyffrynnoedd a gerfir gan brofiadau anodd a chwerw bywyd. Cyfrinach gwroldeb Iesu wrth gerdded dyffryn Cidron i ardd Gethsemane yw ei brofiad o agosrwydd ei Dad nefol, 'a'i wialen a'i ffon' yn ei gysuro.

'Yna daeth Iesu gyda hwy i le a elwir Gethsemane' (Mth. 26: 36). Ystyr Gethsemane yw 'lle ac ynddo olewydd'. Ni cheir yr enw gan Luc nac Ioan, ond dywed Ioan fod yno ardd. Mae'n bur debyg y bu'r lle ar un adeg yn olewyddlan, a bod rhai coed olewydd yn dal yno. Wrth ddod i mewn i'r ardd, roedd Iesu'n wynebu'r groesffordd olaf ar ei ffordd i'r groes. Yn y Temtiad dewisodd lwybr ei weinidogaeth, ac yn Gethsemane dewisodd lwybr ei farwolaeth. Gallai newid ei lwybr o hyd, a throi'n ôl ac osgoi'r groes, ond nid oedd am wneud hynny. Mae yma mewn gwewyr rhwng, ar y naill law, ei ddyhead dynol i ganfod ffordd arall yn hytrach na ffordd dioddefaint a'r groes, ac, ar y llaw arall, ei ddyhead i gyflawni ewyllys ei Dad.

Yn ei wewyr, roedd angen cwmni a chefnogaeth weddigar ei gyfeillion. Daeth gyda'r ychydig weddill i'r ardd. Gadawodd rai ohonynt i orffwys, a chymerodd y tri agosaf ato – Pedr, Iago ac Ioan – i mewn ymhellach i'r ardd. Ceir y gair '*gyda'* deirgwaith yn yr hanes: *gyda hwy* (Mth. 26: 36), *gyda mi* (26: 38 a 40). Roedd Iesu wedi dewis ei ddisgyblion i ddechrau 'fel y byddent gydag ef' (Mc. 3: 14), ac yr oedd angen eu cwmni yn awr yn ei ing mwyaf, er na allent hwy fynd yr holl ffordd gydag ef.

Gwewyr ei weddi

'Eisteddwch yma tra byddaf fi'n mynd fan draw i weddïo' (Mth. 26: 36), meddai wrthynt. Er iddo fynd â Pedr, Iago ac Ioan gydag ef ymhellach i'r ardd, gadawodd hwythau a mynd ymlaen ychydig yn bellach. Roedd y baich oedd ar ei enaid yn rhy drwm i'w rannu hyd yn oed â'i ffrindiau agosaf. Dywedodd wrthynt am wylio, ac aeth ef ymlaen i geisio cymdeithas ei Dad. Yn ei weddi, gwyddai ei fod yn sefyll ar groesffordd. O'i flaen yr oedd unigrwydd, ing ac angau, diwedd ei genhadaeth, a neb ar ôl i barhau ei waith. Gweddïodd am i'r cwpan chwerw fynd heibio heb iddo orfod yfed ohono. Nid oedd arno eisiau marw'n fethiant.

Yn ei gyfrol *Yr Hen Gwpan Cymun* mae E. Tegla Davies yn ceisio treiddio i feddwl Iesu yng nghanol ei ing: 'Beth allai ymateb yr Arglwydd fod i hyn oll? Onid gofyn mewn anobaith a oedd y fath wehilion yn werth eu hachub, er ei holl barodrwydd i'w roi ei hun er eu mwyn? A dyna ddyfnder eithaf pob ing, nid aberthu er mwyn yr annheilwng ond tywallt enaid i farwolaeth dros y diwerth ... Dyma wewyr Gethsemane: ei weld ei hun yn taflu ei fywyd dros y diwerth. Yna'r llam gogoneddus: "O Dad, ni welaf fi unrhyw ystyr mewn aberthu er mwyn rhai fel hyn, gan y dengys pob arwydd mai ofer fydd y cwbl, ond os wyt ti yn gweld yn wahanol, parod wyf fi i wynebu'r cwbl yn ôl dy weledigaeth di." Cadwodd ei ffydd yn ei Dad' (t. 76).

Ymdrech fawr yn ei enaid oedd yr ing hwn, ac ni allai geiriau byth fynegi'r hyn a deimlai. Ond yn ei wewyr a'i unigrwydd ofnadwy, yr oedd un peth na allai ei ollwng o'i olwg, costied a gostio, sef ewyllys Duw ei Dad: 'nid fel y mynnaf fi, ond fel y mynni di' (Mth. 26: 39). Gweddïodd Iesu gyda'r fath ddwyster fel, yn ôl Luc, 'yr oedd ei chwys fel dafnau o waed yn diferu ar y ddaear' (Lc. 22: 44). Yn ôl Marc, 'arswyd a thrallod dwys' oedd achos ei wewyr, ac yn ôl Mathew 'dechreuodd deimlo tristwch a thrallod dwys' (Mth. 26: 37). Y mae'n dristwch llethol am ei fod yn dymuno troi oddi ar lwybr dioddefaint a marwolaeth. Ond nid ofn yn bennaf oedd yn peri iddo dristau. Bu llawer farw yn ddi-ofn, ac nid oedd Iesu'n llai dewr na hwy, er y gellid deall y byddai ei holl natur yn gwrthryfela wrth feddwl am wewyr a gwaradwydd croeshoeliad. Yr hyn yn arbennig a barai ing i'w enaid oedd meddwl am bechod a gwrthryfel dynion. Roedd y cwpan yr oedd yn dyheu am gael ei osgoi wedi ei lenwi, nid â phoen corfforol croeshoeliad, nac ychwaith â'r poen meddyliol o gael ei adael gan ei gyfeillion, ond â'r arswyd ysbrydol o gymryd arno'i hun holl bechod y byd.

Mathew yn unig sy'n gwahaniaethu rhwng tair gweddi Iesu yn yr ardd (Mth. 26: 39, 42, 44). Yn y weddi gyntaf, gofynnodd onid oedd rhyw ffordd arall iddo fedru cyflawni ewyllys ei Dad? Yna dychwelodd at ei ddisgyblion 'a'u cael hwy'n cysgu' (26: 40). Yr oedd wedi mynd yn rhy bell ar ei lwybr iddynt fedru ei ddilyn. Ni allent wylio na gweddïo gydag ef bellach, ac yr oedd yntau yn deall eu cyflwr. Yn lle eu ceryddu dangosodd ei gydymdeimlad â hwy: 'Y mae'r ysbryd yn barod ond y cnawd yn wan' (26: 41). Dychwelodd drachefn i weddïo'r ail waith. Yr oedd y weddi y tro hwn ychydig yn wahanol. Os na ellid cyflawni bwriad Duw heb yfed o'r cwpan, yr oedd yn barod i'w yfed i'r gwaelod. Yr oedd bellach heibio'r groesffordd, ac wedi dewis ei lwybr gan ymgyflwyno'n llwyr i gyflawni ewyllys ei Dad. Dychwelodd eilwaith at y disgyblion, a chafodd hwy'n cysgu eto. Nid oedd ganddo unrhyw gwmni yn awr ond cwmni ei Dad nefol. Yn y drydedd weddi (26: 44), defnyddia'r un geiriau eto gan ei gyflwyno'i hun yn derfynol i gyflawni ewyllys ei Dad. Yma y gwelir y ffydd fawr a nodweddai ei fywyd a'i weinidogaeth o'r dechrau yn dod allan yn fuddugoliaethus. Aeth at ei ddisgyblion a oedd wedi methu â chadw'n effro oherwydd blinder corff a phryder meddwl. Meddai wrthynt, 'Codwch ac awn. Dyma fy mradychwr yn agosáu' (26: 46). Roedd y Meseia ar ei draed. Nid oedd am i'w elynion ddod i'w ddal, yn hytrach roedd am fynd allan yn eofn i'w cyfarfod.

Yn yr adnodau hyn darlunnir brwydr ysbrydol na fedr neb ohonom amgyffred ei chwerwder a'i hing. Un yn unig a fedrai wynebu'r awr dyngedfennol hon, ac ni all y gorau ohonom wneud mwy na sefyll o hirbell ac edrych arno mewn syndod. Gwelwn un a fedrodd aberthu popeth oedd yn werthfawr yng ngolwg y byd – ei fywyd, ei berthynas â'i gyfeillion, ei lwyddiant a'i boblogrwydd – er mwyn ymroi i gyflawni gwaith Duw, a hynny yn ffordd Duw. Ac ni fedrwn lai nag edmygu dawn a ffyddlondeb awduron yr efengylau sy'n adrodd yr hanes yn gynnil, yn gywir ac yn sensitif, heb ychwanegu eu sylwadau na'u dehongliadau eu hunain.

Gwersi gweddi

Y mae sawl peth i'w ddysgu am weddi yng nghwmni Iesu yng Ngardd Gethsemane. Yn gyntaf, *rhaid wrth weddi i'n cynnal ym mhrofiadau anodd bywyd.* Ni allai Iesu ddod i delerau â'r hyn a oedd o'i flaen heb iddo geisio nerth ei Dad nefol, a heb iddo hefyd geisio deall a dehongli ystyr yr hyn oedd ar fin digwydd iddo. Yn yr un modd, daw profiadau anodd bywyd i'n bwrw ninnau i ddryswch ac ing meddwl. Ar adegau o'r fath, rhaid i ni droi at Dduw mewn gweddi.

Yn ail, *rhaid wrth gwmni i weddïo.* Gofynnodd Iesu i Pedr, Iago ac Ioan ddod yn gwmni iddo i'r ardd. Meddai wrthynt, 'Gwyliwch, a gweddïwch na ddewch i gael eich profi' (Mth. 26: 41). Yn ei hanfod, mae gweddi'n berthynas rhwng yr enaid unigol a Duw. A gorchymyn Iesu i'w ddisgyblion oedd iddynt fynd i mewn i'w hystafell 'ac wedi cau dy ddrws gweddïa ar dy Dad sydd yn y dirgel' (Mth. 6: 6) – geiriau sy'n awgrymu'n gryf mai perthynas bersonol â Duw yw gweddi. Rhaid wrth yr elfen breifat a'r orig dawel rhwng dyn a Duw. Ar yr un pryd, y mae angen cwmni a chefnogaeth cyfeillion yn y ffydd i'n cynnal ac i weddïo gyda ni a throsom. Meddai Iesu, 'lle y mae dau neu dri wedi dod ynghyd yn fy enw i, yr wyf yno yn eu canol' (Mth. 18: 20). Ond pan oedd angen cefnogaeth a chymorth y ddau neu dri ar Iesu, cafodd ei siomi o'u gweld yn cysgu. Gwerth y cyfarfod gweddi neu'r cylch gweddi, mewn eglwys neu mewn cartref, yw ein bod yn elwa o gael cwmni eraill i weddïo gyda ni.

Yn drydydd, *y mae gwerth yn y weddi a ailadroddir.* Gweddïodd Iesu deirgwaith yng Ngardd Gethsemane, a'r un oedd ei ddeisyfiad bob tro, sef i gwpan dioddefaint gael ei gymryd oddi wrtho ac iddo gael nerth i ddeall a derbyn ewyllys ei Dad nefol. Y mae byd o wahaniaeth rhwng deisyfiad taer a ailadroddir yn ddwys, o waelod enaid ar y naill law, a'r pentyrru geiriau 'fel y mae'r Cenhedloedd yn gwneud', a gondemnir gan Iesu, ar y llaw arall (Mth. 6: 8). Hawdd yw offrymu gweddïau yn ddifeddwl ac amleiriog. Peth arall yw ymbil yn ddwys ac o ddifrif calon fel y gwnaeth Iesu yng Ngardd Gethsemane – y math o ymbil sy'n ailadrodd ond yn dangos i Dduw ein bod yn dyheu amdano ac am ei gymorth.

Y mae un ffactor arall o'r pwys mwyaf mewn perthynas â gweddi Iesu, sef *problem y weddi ddiateb.* Er bod Iesu mor agos at ei Dad, a pherthynas o gariad dwyfol yn eu clymu wrth ei gilydd, ni chafodd Iesu ateb i'w weddi. Neu, a bod yn gywir, ni chafodd yr ateb a ddymunai. Roedd yn ymddiried ei hun yn llwyr i'w Dad nefol, yn ufuddhau yn llwyr i'w ofynion, ac yn dibynnu'n llwyr arno am gymorth ac arweiniad i wneud ei waith, ac eto ni chafodd ateb cadarnhaol. 'Na' oedd ateb Duw. Ac ni allai roi ateb arall, neu byddai'r cyfan a ddysgodd Iesu am y deyrnas yn ddiystyr ac ni fyddai iachawdwriaeth i neb o'r hil ddynol. Gweddi Iesu'r trydydd tro oedd, 'Fy Nhad, os nad yw'n bosibl i'r cwpan hwn fynd heibio heb i mi ei yfed, gwneler dy ewyllys di' (Mth. 26: 42). Ildio i ewyllys Duw oedd i gael y flaenoriaeth, ac o ganlyniad roedd yn rhaid bodloni ar yr ateb 'Na'.

Dywed William Barclay yn un o'i esboniadau fod un o bedwar ateb posibl i weddi: 'Yes, No, Wait, If'. Mae yna adegau pan fydd Duw yn ateb ein gweddïau yn gadarnhaol. Mae yna adegau eraill pan yfydd yn gorfod ein gwrthod, neu ddweud wrthym am aros. Mae yna adegau wedyn pan fydd yn gofyn i ni wneud ein rhan i ateb ein gweddïau ein hunain. Mae gweddi Iesu yn Gethsemane yn dangos y medrwn fod mewn perthynas agos â Duw, gweddïo'n daer ac mewn ysbryd disgwylgar, ac eto ganfod nad yw Duw yn ateb ein gweddi fel y dymunwn ni iddo wneud. Dyna yw dirgelwch y weddi ddiateb.

Cwestiynau i'w trafod:

1. Beth oedd ystyr ac arwyddocâd brwydr fewnol Iesu yng Ngardd Gethsemane? Ar wahân i'w ofn naturiol o boenau erchyll croeshoeliad, beth arall oedd yn peri gofid iddo?

2. Beth a ddysgwn am weddi o esiampl a phrofiad Iesu yng Ngardd Gethsemane? A fydd Duw bob amser yn ateb gweddi?

3. Trafodwch ystyr y geiriau, 'y mae'r ysbryd yn barod ond y cnawd yn wan.'

IESU A JWDAS ISCARIOT

Mathew 26: 14–25, 47–56; 27: 3–10

Wedi i Iesu ddweud wrth ei ddisgyblion yn yr ardd am godi, am fod yr amser wedi dod iddo ei ildio ei hun i ddwylo'i elynion, clywyd sŵn traed y gelynion yn nesáu. Jwdas Iscariot, 'un o'r Deuddeg', oedd ar y blaen, ac o'i ôl yr oedd tyrfa fawr 'yn dwyn cleddyfau a phastynau' (Mth. 26: 47). Roeddent wedi eu hanfon gan yr archoffeiriaid ac arweinwyr y bobl. Swyddogion a chefnogwyr y Sadwceaid, ynghyd â mintai o filwyr, oedd y dorf. Eu bwriad oedd dal Iesu a'i roi i farwolaeth yn y dirgel, yn ystod y nos, a hynny ar frys rhag codi cynnwrf ymysg y bobl. Trefnwyd i Jwdas eu harwain gan ei fod yn gyfarwydd â'r lle, ac er mwyn iddo ddangos pa un o'r cwmni bach oedd Iesu trwy roi cusan iddo. Arferiad cyffredin oedd i ddisgyblion roi cusan i'w hathro, yn arwydd o'u perthynas ag ef a'u hedmygedd ohono.

Cusan y bradwr

Beth oedd bwriad Jwdas wrth fradychu ei Arglwydd â chusan? Mae'n bosibl fod Jwdas wedi ei siomi yn Iesu, a'i fod o drachwant llwyr yn barod i dderbyn arian am ei fradychu. Ar y llaw arall, os ceisio gorfodi Iesu i weithredu ac i sefydlu ei deyrnas yng ngŵydd y byd oedd ei gymhelliad, mae'n bosibl nad oedd am un eiliad yn credu y byddai ei weithred yn arwain at ddienyddio ei Arglwydd. Pan ddywedodd Jwdas wrth y fintai arfog y byddai'n dangos pwy y dylent ei arestio trwy roi cusan iddo, fe ddefnyddiodd y gair Groeg *philein*, sef y gair arferol am gusan. Ond pan ddaeth y foment iddo ei fradychu, y gair a ddefnyddir am ei gusan yw *kataphilein,* sef cusan y carwr – cusan dwys a thyner yn cyfleu cariad.

Y mae'n debygol fod Jwdas felly yn mynegi ei hoffter – yn wir, ei gariad – tuag at ei Feistr, a bod ei gyfarchiad, 'Henffych well, Rabbi' (26: 49) yn gwbl ddiffuant, a'i fod wedyn wedi camu'n ôl a disgwyl i Iesu weithredu o'r diwedd i arddangos ei allu dwyfol a gwasgaru ei elynion.

Ond er syndod i Jwdas, trodd Iesu ato a'i gyfarch yn gynnes fel y byddai athro yn cyfarch disgybl a dweud, 'Gyfaill, gwna'r hyn yr wyt yma i'w wneud' (26: 50). Neu, gellir cyfieithu'r geiriau fel cwestiwn, 'Gyfaill, beth yr wyt yma i'w wneud?' Gwyddai Iesu'r ateb, a gwyddai Jwdas hefyd, ond trwy ofyn y cwestiwn gorfodwyd Jwdas i sefyll am eiliad wyneb yn wyneb ag Iesu, gyda holl fwriadau dirgel ei galon yn eglur. Mewn un eiliad eirias, ysgytiol, gwelodd fel yr oedd wedi camddehongli neges ei Arglwydd ac wedi ei drosglwyddo i ddwylo ei elynion. Ciliodd o'r dyrfa wedi ei sigo gan ei ffolineb.

Wedi iddynt ddeall pa un o'r cwmni bychan oedd Iesu, rhoddodd y swyddogion eu dwylo arno a'i ddal. Er iddynt ddod ato wedi eu harfogi â chleddyfau a ffyn, nid oedd yn fwriad ganddo wneud dim i'w amddiffyn ei hun, ac nid oedd am i'w ddisgyblion wneud dim chwaith. Ond methodd un ohonynt ag ymatal (Pedr oedd hwnnw yn ôl Ioan), a thynnodd ei gleddyf a tharo gwas yr archoffeiriad (Malchus wrth ei enw, meddai Ioan), a thorri ei glust i ffwrdd. Ond ceryddodd Iesu ef gan fod defnyddio arfau yn groes i ysbryd ac amcanion ei deyrnas: 'Rho dy gleddyf yn ôl yn ei le, oherwydd bydd pawb sy'n cymryd y cleddyf yn marw trwy'r cleddyf' (26: 52). Os oedd Jwdas yn disgwyl i Iesu alw ar lu nefol i'w amddiffyn ac i lansio ei deyrnas, roedd Pedr yr un mor euog o feddwl y gallai ddefnyddio'i gleddyf i amddiffyn ei Arglwydd. Bwriad Iesu oedd creu cymdeithas wahanol na fyddai angen cleddyf i'w chynnal nac i hybu ei hamcanion. Pe bai wedi penderfynu brwydro â'r cleddyf byddai wedi colli'r frwydr ysbrydol. Seiliwyd sawl cymdeithas yn y byd ar y cleddyf, ond nid oedd lle yng nghymdeithas newydd Iesu i athroniaeth o'r fath.

Fel petai'n ymwybodol o'r fath syniad cyfeiliornus – bod yn rhaid dibynnu ar y cleddyf – ymysg ei ddisgyblion, dywed Iesu, 'A wyt yn tybio na allwn ddeisyf ar fy Nhad, ac na roddai i mi yn awr fwy na deuddeg lleng o angylion?' (26: 53). Yn ystod ei weinidogaeth bu ganddo ddeuddeg o ddynion gydag ef, ond bellach mae un ohonynt yn fradwr ac un ar ddeg yn ffoaduriaid. Ac yn eu lle, gallai Duw – pe dymunai – ddarparu lleng o angylion i'w achub ac i sefydlu ei deyrnas. Ond nid oedd Iesu'n galw am gymorth llu nefol yn y frwydr oedd o'i flaen, ac nid oedd am bwyso ar ddim ond ffydd yn ei Dad.

Trodd Iesu wedyn at y dyrfa, a gofyn pam y daethant allan i'w ddal gyda chleddyfau a phastynau. Pam nad oeddent wedi ei ddal cyn hynny, ac yntau'n troi yn eu mysg bob dydd wrth ddysgu yn y deml? Ac meddai, 'Ond digwyddodd hyn oll fel y cyflawnid yr hyn a ysgrifennodd y proffwydi' (26: 56). Credai fod un mwy na'i elynion ar waith yn y digwyddiadau hyn, ac y gallai Duw ddefnyddio hyd yn oed eu cynllwynion hwy i sylweddoli ei bwrpas mawr.

Aeth Iesu yn ei flaen i wynebu ei dynged, yn gwbl ar ei ben ei hun. Meddai Mathew, 'Yna gadawodd y disgyblion ef bob un, a ffoi' (26: 56). Nid oedd gan hyd yn oed ei ddisgyblion agosaf y gwroldeb i fynd gydag ef. Ac eto, roedd rhagluniaeth ar waith. Am iddynt ffoi, fe achubwyd achos Iesu rhag cael ei ddifodi. Bodlonodd yr awdurdodau ar ddal yr arweinydd yn unig, gan gredu y byddai hynny'n ddigon i roi pen ar ei waith. Ond gwnaethant gamgymeriad. Y disgyblion hyn a adawyd a ddaeth, maes o law, yn gnewyllyn yr Eglwys Gristnogol.

Cymhellion y brad

Beth oedd rôl Jwdas Iscariot yn hyn i gyd? Ai cyfrwng diarwybod yn llaw Duw i gyflawni ei fwriadau oedd Jwdas? Os felly, a oedd bai arno am fradychu ei Arglwydd? Neu, a oedd wedi ei ddallu gan ei sêl wleidyddol a'i gred y dylai Iesu godi byddin i oresgyn gelynion Israel? Neu a oedd arian, a'r addewid o lwgrwobr gan y prif offeiriaid a henuriaid y bobl, yn ddigon i'w ddenu i werthu ei Feistr i'w elynion? I ateb y cwestiynau hyn, rhaid edrych yn ôl ar ddigwyddiadau cyn y weithred o fradychu Iesu yng Ngardd Gethsemane, ac edrych ymlaen at ganlyniadau trist ei ddichell.

Yn rhestr disgyblion Iesu yn efengylau Mathew, Marc a Luc enwir Jwdas Iscariot yn olaf, a chyfeirir ato fel 'yr un a'i bradychodd ef' (Mth. 10: 4; Mc. 3: 19) ac fel un 'a droes yn fradwr' (Lc. 6: 16). Mae disgrifiad Ioan o gymeriad Jwdas yn cynnwys yr eglurhad canlynol o enau Iesu ei hun: "'Onid myfi a'ch dewisodd chwi'r Deuddeg? Ac eto, onid diafol yw un ohonoch?" Yr oedd yn siarad am Jwdas fab Simon Iscariot, oherwydd yr oedd hwn, ac yntau'n un o'r Deuddeg, yn mynd i'w fradychu ef' (In. 6: 70–71).

Y mae'n amlwg fod yr Eglwys Fore yn ystyried brad Jwdas fel cyflawniad o'r Ysgrythur (gweler In. 17: 12), a bod hynny wedi digwydd ar ôl i'r diafol ei gymell a mynd i mewn iddo: 'Yn ystod swper, pan oedd y diafol eisoes wedi gosod yng nghalon Jwdas fab Simon Iscariot y bwriad i'w fradychu ef...' (In. 13: 2). Ac wedi i Iesu ragfynegi y byddai un o'r Deuddeg yn ei fradychu, dywedir i Satan fynd i mewn i Jwdas (13:27).

Ond nid yw'r esboniad hwn yn esgusodi Jwdas mewn unrhyw fodd. Nid yw proffwydoliaeth Feiblaidd na dylanwad y diafol yn dwyn y cyfrifoldeb personol oddi arno. Ar y funud olaf yn yr oruwchystafell ceisiodd Iesu ei gael i ystyried pa mor ysgeler oedd ei fwriad, a phan wrthododd Jwdas wrando, meddai Iesu, 'Yr hyn yr wyt yn ei wneud, brysia i'w gyflawni' (13: 27). Yn ôl Efengyl Mathew fe ddywedodd Iesu, 'Gwae'r dyn hwnnw y bradychir Mab y Dyn ganddo! Da fuasai i'r dyn hwnnw petai heb ei eni' (Mth. 26: 24). Nid offeryn diarwybod yn llaw Duw, neu yn llaw'r diafol, yn ysglyfaeth ffawd wedi ei dynghedu i fradychu Iesu mohono, ond un a oedd yn gwbl gyfrifol am ei weithred.

Beth felly oedd cymhelliad Jwdas? Yn ôl Ioan, ef oedd trysorydd y cwmni o ddisgyblion, ond trysorydd anonest a oedd yn defnyddio'r arian i'w ddibenion ei hun (In. 12: 4–6). Yn hanes Mair o Fethania yn eneinio traed Iesu, cyfeirir at rôl Jwdas fel trysorydd. Doedd ryfedd ei fod yn anghymeradwyo gweithred hael Mair. Gwrthgyferbynnir Mair a Jwdas, gan ddangos haelioni anghyffredin Mair a bargen oeraidd Jwdas. Mae'n bosibl mai awch am arian a dim arall oedd ei gymhelliad. Mae'n arwyddocaol fod Mathew a Marc yn gosod yr hanes amdano'n mynd at y prif offeiriaid, i gynnig bradychu Iesu, yn union ar ôl yr eneinio ym Methania. Cytunwyd i dalu iddo ddeg ar hugain o ddarnau arian, sef y pris a ddisgwylid fel arfer am ryddhau caethwas cyffredin.

Posibilrwydd arall yw fod cymhelliad gwleidyddol y tu ôl i weithred Jwdas. Bu llawer o ddyfalu ynglŷn ag ystyr cyfenw Jwdas, sef Iscariot. Ystyr mwyaf tebygol 'Iscariot' yw 'gŵr o Cerioth', a oedd yn Jwdea. Byddai hynny'n golygu mai Jwdas, felly, oedd yr unig un o'r Deuddeg nad oedd yn Galilead. Mae eraill yn credu bod Iscariot yn ffurf arall ar y gair *sikarios,* sy'n cyfeirio at lofrudd (o *sika,* cleddyf), a bod Jwdas yn aelod o'r *sikari* - grŵp o genedlaetholwyr eithafol a gwrthryfelwyr yn erbyn Rhufain – y cyfeirir atynt gan Joseffus, hanesydd Iddewig o'r ganrif gyntaf. Eu hamcan hwy oedd rhyddhau Israel o reolaeth Rhufain. Yn ôl y gred hon, roedd Jwdas o'r farn mai bwriad Iesu oedd rhoi cychwyn i wrthryfel o'r fath, ond gan fod Iesu mor araf yn cychwyn y gwrthryfel milwriaethus hwnnw, roedd Jwdas o bosibl yn credu y gallai ei orfodi i weithredu trwy ei drosglwyddo i ddwylo ei elynion. Beth bynnag oedd ei gymhelliad, ni allai Jwdas osod y bai ar neb arall am ei frad. Ef ei hun, a neb arall, oedd yn gyfrifol am fradychu ei Arglwydd.

Nid myfi yw, Arglwydd?

Y peth cyntaf a wnaeth Jwdas oedd mynd o'i wirfodd at y prif offeiriaid a chynnig bradychu ei Arglwydd iddynt. Wedi i Iesu a'r Deuddeg ymgynnull yn yr oruwchystafell ar gyfer y Swper Olaf, meddai Iesu, 'Yn wir, rwy'n dweud wrthych y bydd i un ohonoch fy mradychu i' (Mth. 26: 21). Nid oedd ddwywaith na chafodd y Deuddeg sioc eu bywyd o glywed ei eiriau. Yr arlunydd sydd wedi llwyddo i gyfleu syndod a dychryn y Deuddeg yw Leonardo da Vinci, yn ei bortread enwog o'r Swper Olaf. Yn y llun hwnnw, mae rhai o'r disgyblion yn codi eu dwylo mewn braw; rhai yn edrych o'u hamgylch fel petaent yn ceisio dyfalu pwy ohonynt a allai fod yn fradwr; ambell un yn cyfeirio ato'i hun fe petai'n gofyn, 'Nid myfi yw, Arglwydd?' (26: 22). Rhaid syllu'n ofalus ar y llun er mwyn gweld p'run yw Jwdas wrth y bwrdd; ond yno y mae, yn cydio'n dynn yn ei fag arian dan ei gesail. Hawdd yw dychmygu awyrgylch trydanol yr oruwchystafell. Y cwmni bach yn cael eu syfrdanu o glywed bod eu Meistr yn mynd i gael ei gipio oddi wrthynt gan ei elynion, ond heb wybod pwy fyddai yn ei fradychu.

Un peth diddorol am y llun yw nad yw'r disgyblion yn edrych yn benodol at Jwdas. Mae hynny'n gyson â'r hyn a ddigwyddodd yn yr oruwchystafell. Nid oedd y naill yn pwnio'r llall ac yn sibrwd, 'Sôn y mae am Jwdas!' I'r gwrthwyneb, roedd pob un yn edrych i'w galon ei hun ac yn gofyn yn bryderus, 'Nid myfi yw, Arglwydd?' Fe ofynnodd Jwdas yr un cwestiwn, ac ateb Iesu iddo oedd, 'Ti a ddywedodd hynny' (26: 25) – geiriau y gellid eu cyfieithu, 'Fe ddywedaist y gwir'. Nid beirniadu Jwdas na'i atal mewn unrhyw ffordd rhag cyflawni ei fwriad a wnaeth Iesu. Yn hytrach, gofynnodd iddo ystyried yr hyn yr oedd ar fin ei wneud, gan wynebu ei gymhellion a'i gynlluniau ei hun, a gwnaeth un apêl derfynol ato i droi oddi wrth lwybr y bradwr: 'love's final appeal', chwedl William Barclay. Nid ei gondemnio na'i dynghedu i fod yn fradwr a wnaeth Iesu. Jwdas ei hun a ddewisodd ei lwybr. Dywed Efengyl Ioan iddo fynd allan yn union wedi cymryd y bara oddi wrth Iesu, gan ychwanegu, 'Yr oedd hi'n nos' (In. 13: 30). Yr oedd yn nos yn llythrennol, ond yn nos hefyd yng nghalon Jwdas. Aeth o bresenoldeb yr un a oedd yn 'Oleuni'r Byd', a dewisodd gerdded llwybr a arweiniai i dywyllwch llwyr.

Marwolaeth y bradwr

Yn Efengyl Mathew yn unig yr adroddir hanes marwolaeth Jwdas. 'Yna pan welodd Jwdas, ei fradychwr, fod Iesu wedi ei gondemnio, bu'n edifar ganddo' (Mth. 27: 3). Nid oedd wedi bwriadu i bethau fynd mor bell, ond rhoddodd ei weithred gychwyn i gwrs o ddrygioni a aeth allan o'i reolaeth ef. Gorfodwyd ef i sefyll ac edrych ar ei frad, a gweld y cyfan yn arwain at ddedfryd o farwolaeth ar ei Arglwydd, ac ni fedrai wneud dim i'w hatal. Aeth ar frys i'r deml at yr archoffeiriaid gyda'i ddeg darn arian ar hugain yn ei law i geisio ymryddhau oddi wrth ei euogrwydd. Ond nid oedd ganddynt ddim i'w gynnig iddo. Y cwbl a fedrent ei ddweud oedd mai ei fusnes ef ei hun oedd ei bechod a'i ganlyniadau: 'Beth yw hynny i ni? ... Rhyngot ti a hynny' (27: 4). O flaen ei gyd-fradychwyr, a heb obaith am na thrugaredd nac iawn am ei gamwri, gwelodd Jwdas nad bradychu Iesu o Nasareth yn unig a wnaethai, ond bradychu ei enaid ei hun. 'A thaflodd Jwdas yr arian i lawr yn y deml ac ymadael; aeth ymaith, ac fe'i crogodd ei hun' (27: 5). Gwnaeth Jwdas gamgymeriad enfawr wrth fradychu Iesu, ond gwnaeth gamgymeriad mawr arall wrth ei grogi ei hun cyn buddugoliaeth y trydydd dydd. Meddai Gwenallt yn ei gerdd 'Iwdas Isgariot:

Gresyn dy grogi cyn codi Mab y Dyn
A rhannu eilwaith win a bara croyw,
Y groes yn codi'r brad oddi ar dy fin
A golchi d'arian brwnt yn berffaith loyw;
Gallaset fel Pedr wylo'n chwerw dost
A gweld y gist yn llawn ar Bentecost.

Cwestiynau i'w trafod:

1. Beth, yn eich barn chi, oedd amcanion Jwdas wrth iddo werthu Iesu i'r prif offeiriaid?

2. Ai ar Jwdas yr oedd y bai am fradychu Iesu, neu ai'r cyfan oedd Jwdas oedd offeryn yn nhrefn a bwriad Duw?

3. 'Gwraidd pob drwg yw cariad at arian' (1 Tim. 6: 10). A oedd hynny'n wir yn achos Jwdas?

Y BRENIN AR BRAWF

Mathew 26: 57–75; Luc 23: 1–25

Yn ei lyfr *The Trial of Jesus of Nazareth* (1968), dywed S. G. F. Brandon, 'Gellid hawlio mai prawf Iesu o Nasareth oedd yr achos llys pwysicaf i'w gynnal erioed yn holl hanes y ddynoliaeth. Bu ei effeithiau ar hanes y byd yn bellgyrhaeddol. O'i ganlyniad tyngedfennol angheuol, tarddodd ffydd grefyddol a ymledodd ar draws y byd ac a ddaeth yn sail ac yn ysbrydoliaeth i ddiwylliant y Gorllewin. Ond ohono hefyd y llifodd canlyniadau erchyll i bobl Iddewig a ystyrid gan genedlaethau o Gristnogion, yn euog o lofruddio Crist.' Y mae haneswyr a diwinyddion yn parhau i drafod manylion y profion a ddioddefodd Iesu – gerbron y Sanhedrin, Herod a Pilat. Ond bwriad y pedair efengyl wrth adrodd yr hanes oedd dangos bod Iesu'n ddieuog ac wedi dioddef o ganlyniad i elyniaeth gibddall yr awdurdodau Iddewig, er bod y Rhufeiniaid, a gynrychiolir gan Pilat, yn dymuno peidio â'i ddienyddio ond bod amgylchiadau a'r bygythiad o derfysg yn eu gorfodi i ildio i gynllwynion yr arweinwyr Iddewig.

Yn hanes y prawf a'r croeshoeliad gwelir dwy elfen yn plethu i'w gilydd. Yn gyntaf, ceir hanes yr awdurdodau Iddewig yn cynllwynio i symud Iesu o'u ffordd. Ac yn ail, gwelir Iesu'n cyflawni cynllun tragwyddol ei Dad. Ysgrifennwyd yr efengylau gan awduron a welai'r ddau fwriad ar waith. Mewn mannau disgrifiant yr awdurdodau yn symud gan lwyr gredu eu bod yn cyflawni eu bwriadau'n llwyddiannus. Ond trwy'r cwbl dangosant Iesu yn cerdded y ffordd a osodwyd iddo gan Dduw. 'Digwyddodd hyn oll fel y cyflawnid yr hyn a ysgrifennodd y proffwydi. Yna gadawodd y disgyblion ef bob un, a ffoi' (Mth.26: 56). Yr oedd yn angenrheidiol iddynt fynd gan na fedrai neb ond y Meseia ei hun gerdded ymhellach ar y llwybr.

Y prawf gerbron y Sanhedrin

Aed ag Iesu 'ymaith i dŷ Caiaffas yr archoffeiriad' (26: 57). Bu Caiaffas yn archoffeiriad o'r flwyddyn 18 hyd 36 OC. Yr oedd yn fab-yng-nghyfraith i'r cyn-archoffeiriad Annas. Dywed Ioan (In. 18: 12) i Annas holi Iesu cyn iddo ymddangos gerbron Caiaffas. Bu pum mab i Annas yn archoffeiriaid a phob un ohonynt mor llwgr â'i dad, fel bod 'Tŷ Annas' yn ddiarhebol yn Israel am ei anfoesoldeb a'i anghyfiawnder. Daethai'r Sanhedrin ynghyd i lys Caiaffas, er ei bod yn anghyfreithlon i lys y Sanhedrin gyfarfod i farnu achos yn ystod Gŵyl y Pasg. Ond nid oedd torri rheolau o'r fath yn ddieithr i aelodau Tŷ Annas pan symudent i gyflawni eu bwriadau amheus.

Ceisiwyd cael tystiolaeth tystion, nid er mwyn sicrhau tegwch i'r diffynnydd, ond i gadarnhau'r ddedfryd y penderfynwyd arni eisoes. Ar y dechrau methwyd â chael tystion a gytunai â'i gilydd – yr oedd tystiolaeth gyson dau dyst yn angenrheidiol yn ôl y Gyfraith Iddewig i sicrhau dedfryd marwolaeth (gweler Deut. 17: 6; 19: 15; Num. 25: 30). O'r diwedd cafwyd hyd i ddau dyst o blith nifer o gau dystion. Eu honiad oedd i Iesu ddweud, 'Gallaf fwrw i lawr deml Duw, ac ymhen tridiau ei hadeiladu' (Mth. 26: 61). Roedd Iesu wedi rhagfynegi dinistr y deml (Mth. 24: 2), ond heb ddatgan mai ef fyddai'n ei dinistrio. Ond roedd geiriau'r gau dystion yn ddigon i'r awdurdodau hawlio bod Iesu'n fygythiad i'w crefydd ac i'w teml. Dyna'n sicr y rheswm pennaf am eu dymuniad i gael gwared ag ef.

Galwodd Caiaffas ar Iesu i ymateb i'r cyhuddiad a'i amddiffyn ei hun, ond gwrthododd Iesu ddweud dim. Nid oedd dim i'w ennill wrth ddadlau â gau dystion gerbron Caiaffas gan y gwyddai'n iawn eu bod yn benderfynol o'i roi i farwolaeth. Wedi methu â'i brofi'n euog o'r cyhuddiad cyntaf, galwodd Caiaffas arno yn enw Duw i ddweud ai ef oedd y Meseia ai peidio: "Yr wyf yn rhoi siars iti dyngu yn enw'r Duw byw a dweud wrthym ai ti yw'r Meseia, Mab Duw" (Mth. 26: 63). Diben yr awdurdodau oedd ei gael i gydnabod yn gyhoeddus ar ei lw mai ef oedd y Meseia fel y gellid ei gyhuddo o gabledd. Atebodd Iesu, 'Ti a ddywedodd hynny' (26: 64). Gellir cyfieithu hyn, 'Fe ddywedaist y gwir'. Dyfynnodd Iesu o Salm 110: 1: 'O hyn allan fe welwch Fab y Dyn yn eistedd ar ddeheulaw'r Gallu ac yn dyfod ar gymylau'r nef'. Nid oedd wedi datgan yn gyhoeddus cyn hyn mai ef oedd y Meseia, ond nid oedd angen celu'r ffaith mwyach. Gerbron ei elynion cyffesodd hynny'n glir ac yn groyw.

Roedd yr ateb yn ddigon i'r archoffeiriad rwygo ei ddillad a chyhoeddi bod Iesu'n euog o gabledd. Mewn gwirionedd, nid oedd hawlio bod yn Feseia yn gabledd o gwbl yn ôl y Gyfraith. Ystyr cabledd oedd hawlio bod yn gydradd â Duw neu ei ddiraddio. Ond yr oedd cyffes Iesu yn ddigon i'r Cyngor gydsynio i'w ddedfrydu i farwolaeth. O'i ddechrau i'w ddiwedd nid oedd yr achos ond ffug-brawf. Ond i'w ddedfrydu i farwolaeth roedd yn rhaid cael cydsyniad Pilat, ac felly rhwymwyd ef er mwyn ei drosglwyddo i'r rhaglaw Rhufeinig. Roedd llys y Sanhedrin am roi Iesu i farwolaeth am ei fod yn fygythiad i'w crefydd ac felly i'w bywoliaeth.

Pedr yn gwadu Iesu

Roedd Iesu wedi wynebu ei brawf gerbron y Sanhedrin gydag urddas tawel. Ond methodd Pedr â wynebu ei brawf yntau. Fel yr oedd ef a'i gyfeillion wedi methu deirgwaith ag aros yn effro a gwylio yng Ngardd Gethsemane, mae'n awr yn gwadu Iesu deirgwaith. Ar ei ffordd i Fynydd yr Olewydd, roedd Iesu wedi rhagfynegi y byddai Pedr yn ei wadu: 'Ac meddai Iesu wrtho, "Yn wir, rwy'n dweud wrthyt y bydd i ti heno nesaf, cyn i'r ceiliog ganu ddwywaith, fy ngwadu deirgwaith"' (Mc. 14: 30). Ond taerai Pedr y byddai'n marw cyn gwadu Iesu byth. Ond fe wnaeth yr union beth y mynnodd na fyddai byth yn ei wneud.

Ceir yr hanes yn y pedair efengyl. Mae'r gwadu'n dwysáu bob tro. Yn gyntaf, yn y cyntedd, mae Pedr yn gwadu wrth wasanaethferch iddo fod yn un o ddilynwyr Iesu. Yna caiff ei herio gan y ferch a honnai gerbron gweddill y cwmni ei fod yn ddisgybl i Iesu. Roedd yn rhaid felly iddo wadu'n gyhoeddus am yr eildro. Y trydydd tro, fe'i cyhuddwyd, ar sail ei acen, o fod yn Galilead ac yn ddisgybl i Iesu. Y tro hwn, mae'n ymateb yn ffyrnig, gan regi a thyngu ar lw nad yw'n adnabod Iesu hyd yn oed. Gyda hynny, ar doriad gwawr, canodd y ceiliog a throes Iesu ac edrych ar Pedr. Cofiodd eiriau Iesu, ond yn fwy na hynny gwelodd y siom a'r cyhuddiad yn ei wyneb. Dan faich ei wendid a'i gywilydd aeth Pedr allan ac wylo'n chwerw.

Nid yw'n hawdd gwybod pam y gwadodd Pedr ei Arglwydd. Ei fwriad oedd aros i weld y diwedd. Aeth i ganol gelynion Iesu ac yr oedd angen cryn wroldeb i'w osod ei hun mewn sefyllfa mor beryglus. Ond dilyn o hirbell a wnaeth, a phan welodd fod ei berthynas ag Iesu'n hysbys daeth ofn drosto rhag iddo yntau gael ei ddal fel ei Feistr. Yn ei ofn collodd ei ben. Adroddwyd yr hanes yn y pedair efengyl, nid er mwyn bychanu dim ar Pedr na'i feirniadu, ond er mwyn rhybuddio aelodau'r Eglwys Fore, a chenedlaethau o Gristnogion wedi hynny, am beryglon gwrthgilio. Ond adroddwyd yr hanes hefyd er mwyn rhoi cysur o gofio bod Pedr wedi cael ei adfer. Yn ôl In. 21: 15–19, fe'i hadferwyd deirgwaith, a daeth yn un o arweinwyr pwysicaf yr Eglwys Fore ac yn bennaeth yr eglwys yn Rhufain.

Y prawf gerbron Pilat

Yr oedd llysoedd barn Rhufain yn enwog yn fyd-eang am eu tegwch. Enghraifft o hynny oedd i'r achos yn erbyn Iesu gael ei glywed o'r cychwyn yn ddiduedd. Gofynnodd Pilat i'r erlynwyr, sef y fintai o'r Sanhedrin a oedd wedi arwain Iesu ato, beth oedd y cyhuddiad yn erbyn y carcharor. Roedd y Sanhedrin wedi cynllunio tri chyhuddiad yn ofalus: 'Cawsom y dyn hwn yn arwain ein cenedl ar gyfeiliorn, yn gwahardd talu trethi i Gesar, ac yn honni mai ef yw'r Meseia, sef y brenin' (Lc. 23: 2). Er bod y ddau gyhuddiad cyntaf yn amwys, roedd y trydydd yn un o deyrnfradwriaeth. Gwelwn fod y Sanhedrin wedi newid rhywfaint ar y cyhuddiad wrth ddod ag Iesu at Pilat. Rhaid cofio mai sicrhau condemniad oedd eu bwriad, nid cynnal prawf teg. Roedd y cyhuddiad erbyn hyn yn wleidyddol. Dehonglwyd y gair 'Meseia' i olygu 'brenin' gan obeithio y byddai hynny'n cyffroi Pilat i gondemnio Iesu. Ond ystyr y gair 'Meseia' yw 'eneiniog', er y gellid rhoi iddo ystyr gwleidyddol. Ond gwyddai'r Sanhedrin yn iawn nad terfysgwr oedd Iesu. Nid oedd unrhyw dystiolaeth ei fod wedi ceisio cyffroi'r genedl yn erbyn y Rhufeiniaid. I'r gwrthwyneb, roedd wedi annog pobl i garu eu gelynion a cheisio ffordd tangnefedd. Roedd hyd yn oed wedi dweud wrthynt am dalu 'pethau Cesar i Gesar' (Lc. 20: 20–26). Mewn gwirionedd, wrth gwrs, y ffaith fod Iesu wedi gwrthod arddel y syniad o Feseia milwriaethus a barodd i rai o'r Iddewon ei wrthod.

Yr oedd dwy agwedd, felly, i'w cyhuddiad yn erbyn Iesu. Yn gyntaf, fe'i cyhuddwyd o gabledd. Dyna'r cyhuddiad a gynhyrfodd yr Iddewon. Ond nid oedd gan Pilat diddordeb o gwbl mewn ffrae grefyddol Iddewig. Yr hyn a'i poenai ef oedd y cyhuddiad fod Iesu'n wrthryfelwr. Roedd ateb Iesu i gwestiwn Pilat, 'Ai ti yw Brenin yr Iddewon?' (Lc. 23: 3), yn amwys. Ni allai wadu'r teitl, ond nid oedd am arddel yr ystyr poblogaidd a roddid iddo.

Ni welai Pilat unrhyw sail i'r cyhuddiad. Beth bynnag arall y gellid ei ddweud am Iesu, prin ei fod yn derfysgwr peryglus, a hynny oedd craidd y mater i Pilat. Roedd yn gwbl amlwg hefyd mai malais ac atgasedd pur oedd cymhelliad y Sanhedrin wrth gyhuddo Iesu, a hynny'n bennaf am resymau crefyddol. Ac nid oedd gan Pilat ddim awydd o gwbl cael ei dynnu i mewn i ddadleuon crefyddol yr Iddewon. Ond dal i daeru a wnâi'r cyhuddwyr.

Wrth eu clywed yn sôn am Galilea, penderfynodd Pilat anfon Iesu at Herod Antipas a oedd yn digwydd bod yn Jerwsalem ar gyfer yr ŵyl, gan fod Galilea dan ei awdurdod. Luc yn unig sy'n sôn am brawf Iesu gerbron Herod, ond nid oes rheswm dros amau'r digwyddiad. Yn araith Pedr wedi'r Pentecost cyfeirir at 'Herod a Pontius Pilat ynghyd â'r Cenhedloedd a phobloedd Israel' (Ac. 4: 27) fel y rhai a fu'n gyfrifol am gondemnio Iesu. Roedd Herod yn awyddus i weld Iesu'n cyflawni gwyrthiau, ond nid oedd Iesu yn barod i borthi chwilfrydedd y brenin. Nid atebodd yr un gair i gwestiynau Herod, ac ar ôl i'w filwyr ei drin yn sarhaus, anfonwyd ef yn ôl at Pilat. Nid oedd Herod chwaith yn ei ddyfarnu'n euog. Prin ei fod yn cymryd Iesu na'r cyhuddiadau yn ei erbyn o ddifrif o gwbl. Ffŵl diniwed oedd Iesu yn ei olwg ef.

Yn hanes prawf Iesu, yr argraff a gawn yw fod Iesu'n cael ei anfon yn ôl ac ymlaen o'r naill awdurdod i'r llall am eu bod yn gwybod nad oedd y cyhuddiadau yn ei erbyn yn wir, ond hefyd am fod pawb am osgoi'r cyfrifoldeb am ei ddedfrydu. Roedd yn amlwg fod Pilat a Herod yn ystyried Iesu'n ddieuog, ond nid oedd y naill na'r llall yn barod i wneud ymdrech i sicrhau cyfiawnder iddo.

Dewis rhyddhau Barabbas

Roedd Pilat yn amlwg yn barod i ryddhau Iesu, ond roedd wedi gwamalu gormod trwy ei anfon at Herod yn hytrach na chyhoeddi'n glir fod Iesu'n ddieuog. Hefyd roedd arno ofn. Nid oedd yn boblogaidd o bell ffordd ymhlith yr Iddewon, a buasai'n ddigon hawdd iddynt anfon adroddiad anffafriol amdano i Rufain i gwyno nad oedd yn delio'n effeithiol â gwrthryfelwyr yn erbyn yr Ymerodraeth. Prif nod Rhufain oedd cadw'r taleithiau'n heddychlon ac mewn trefn. Roedd hynny'n sicr yn bwysicach na mynnu cyfiawnder i saer di-nod o Galilea. Ond ar y llaw arall, yr oedd yn sicr nad oedd Iesu 'wedi gwneud dim sy'n haeddu marwolaeth'. Felly awgrymodd gymrodedd 'Gan hynny, mi ddysgaf wers iddo â'r chwip a'i ollwng yn rhydd' (Lc. 23: 15–16). Gan fod arferiad i ryddhau un carcharor ar y Pasg, roedd Pilat fwy neu lai dan orfodaeth i'w ddilyn. Byddai rhyddhau carcharor, yn enwedig carcharor 'gwleidyddol' ar adeg gŵyl pan fyddai Jerwsalem yn llawn pererinion, yn ffordd gymharol rwydd o gadw trefn ac osgoi helynt. Ond yn groes i dybiaeth Pilat, nid oedd y bobl am iddo ryddhau Iesu, ond yn hytrach Barabbas: 'Dyn oedd hwnnw wedi ei fwrw i garchar o achos gwrthryfel a llofruddiaeth oedd wedi digwydd yn y ddinas' (23: 19). Mae'n ddigon posibl fod nifer o Selotiaid yno yn manteisio ar y cyfle i fynnu rhyddid i un o'u pobl hwy. Mae'n hawdd dychmygu hefyd y byddai'r prif offeiriaid yn cyffroi'r bobl i weiddi dros Barabbas er mwyn sicrhau y byddai Iesu'n cael ei groeshoelio.

Dengys agwedd y bobl hyn yn gweiddi am ryddhau Barabbas mor anwadal oeddent. Ar ôl cyhuddo Iesu o fod yn wrthryfelwr yn erbyn Rhufain, dyma weiddi am ei groeshoelio ac am ryddhau yn ei le un a oedd yn wrthryfelwr ac yn llofrudd go iawn. Ar ôl rhoi tri chynnig arni, dyma Pilat yn ildio, gan ddatgan 'Ond pa ddrwg a wnaeth ef? Ni chefais unrhyw achos i'w ddedfrydu i farwolaeth' (23: 22).

Ceir disgrifiad trist o sefyllfa lle y gwelir pechod dyn yn ei holl hylltra yn crynhoi i wrthod Iesu: 'yr oeddent yn pwyso arno â'u crochlefain byddarol, gan fynnu ei groeshoelio ef, ac yr oedd eu bonllefau yn ennill y dydd' (23: 23). A dyna a enillodd y dydd, nid y cyfiawnder yr honnai Rhufain ei bod yn sefyll drosto. Rhyddhaodd Pilat Barabbas a thraddodi Iesu i'w groeshoelio. Bu Iesu farw 'yn lle' Barabbas yn llythrennol. Hwyrach fod Luc yn awgrymu'n gynnil nad dros Barabbas yn unig y bu farw, ond dros bob pechadur ledled y byd.

Cwestiynau i'w trafod:

1. Pam y bu i Pilat ildio i alwadau'r Sanhedrin a'r bobl am roi Iesu i farwolaeth?

2. Pam y gwadodd Pedr Iesu yn llys Pilat?

3. Pam y dewisodd y dyrfa Barabbas yn lle Iesu? Pa un o'r ddau a ddewisai tyrfa o Gymry heddiw?

Y FFORDD I'R GROES

Ioan 19: 1–16; Luc 23: 26–33

Bob tro y bydd cynulleidfa o Gristnogion yn cyffesu eu ffydd trwy adrodd Credo'r Apostolion mewn gwasanaeth o addoliad byddant yn dweud am Iesu, 'Dioddefodd dan Pontius Pilat'. Anfarwolwyd enw Pilat yn y cymal hwn o'r credo fel yr un a fu'n bennaf cyfrifol am farwolaeth Iesu Grist. Ond un o'r pethau trawiadol yn nisgrifiadau'r pedair efengyl o brawf a dioddefaint Iesu yw'r ffaith i Pilat gyhoeddi droeon fod Iesu'n ddieuog. Wedi'r gwrandawiad cyntaf, mae'n dweud, 'Nid wyf yn cael dim trosedd yn achos y dyn hwn' (Lc. 23: 4). Wedi i Iesu ddychwelyd, yn dilyn ei brawf gerbron Herod, mae Pilat yn cyhoeddi, 'Yn awr, yr wyf fi wedi holi'r dyn hwn yn eich gŵydd chwi, a heb gael ei fod yn euog o unrhyw un o'ch cyhuddiadau yn ei erbyn' (23: 14–15). Pan fynnodd y dyrfa fod Iesu'n cael ei ddienyddio, Pilat atebodd, 'Ni chefais unrhyw achos i'w ddedfrydu i farwolaeth'. Ar ben hynny, anfonodd gwraig Pilat neges at ei gŵr. 'Paid â chael dim i'w wneud â'r dyn cyfiawn yna' (Mth. 27: 19). Y rheswm am y neges oedd idi gael breuddwyd am Iesu a aflonyddodd hi. Yn y diwedd estynnodd Pilat am gawg o ddŵr, gan olchi ei ddwylo o flaen y dyrfa a dweud, 'Yr wyf fi'n ddieuog o waed y dyn hwn; chwi fydd yn gyfrifol' (27: 24).

Ar bum achlysur gwahanol, cyhoeddodd Pilat fod Iesu yn ei farn ef yn ddieuog. Gellir deall pam y mae awduron yr efengylau'n awyddus i symud unrhyw fai am farwolaeth Iesu oddi ar ysgwyddau Pilat, y rhaglaw Rhufeinig. Gan fod yr Eglwys ar y pryd o dan erledigaeth, yr oeddent am bwysleisio bod Iesu'n ddieuog ac nad terfysgwr ydoedd. Gwnaed hynny trwy ddyfynnu neb llai na rhaglaw Rhufeinig Jwdea. Ond a oedd Pilat mewn gwirionedd yn ddieuog o waed Iesu?

Roedd yn gwybod bod Iesu'n ddieuog. Ar yr un pryd, roedd ganddo ofn mynd yn groes i ddymuniad y dyrfa. Roedd am ryddhau Iesu a chadw'r dyrfa'n fodlon yr un pryd, ond gwelodd nad oedd y ddau beth yn bosibl. Ceisiodd fwy nag un ffordd o ddatrys y benbleth. Yn gyntaf, ceisiodd drosglwyddo'r cyfrifoldeb i rywun arall. Anfonwyd Iesu at Herod am ddyfarniad gan ei fod yn dod o Galilea, rhanbarth Herod. Ond ni chafodd ef unrhyw reswm i ddwyn cyhuddiad yn ei erbyn. Yn ail, ceisiodd wneud y peth iawn, sef rhyddhau Iesu, ond am y rheswm anghywir. Roedd yn barod i ryddhau carcharor, ond fel gweithred o drugaredd yn hytrach na gweithred o gyfiawnder. Methiant fu'r cynnig hwnnw, gan i'r dyrfa alw am Barabbas. Yn drydydd, tybiodd y gallai fodloni'r dyrfa trwy ddedfrydu Iesu i'w fflangellu yn hytrach na'i groeshoelio.

'Wele'r dyn'

Gweithred hynod greulon, a oedd yn rhan arferol o weinyddu'r gosb eithaf, oedd fflangellu. Fel arfer, byddai'r fflangell ledr wedi'i rhannu'n dair, a darnau o asgwrn a metel wedi eu clymu ar y tri stribyn, er mwyn rhwygo'r croen ac achosi poen dirdynnol i'r dioddefwr. Dilynwyd hyn gan y gwawdio cyhoeddus. Arwydd o sarhad am iddo honni bod yn frenin oedd gosod coron o ddrain ar ben Iesu. Yn yr un modd, yr oedd ei wisgo mewn mantell borffor yn ddull o'i wawdio; ond yn hytrach na phlygu iddo, ei gernodio a wnaeth y milwyr a'i gyfarch, 'Henffych well, Frenin yr Iddewon' (In. 19: 3).

Mae'r pedair efengyl yn cyfeirio at y milwyr yn poenydio Iesu, ond mae Ioan yn ychwanegu un olygfa ddramatig, sef arddangos Iesu i'r dyrfa y tu allan i'r Praetorium, ac yntau wedi ei wisgo mewn rhwysg brenhinol. Gellir dychmygu'r olygfa. Y ffigur pathetig – wedi ei fflangellu a'i watwar gan y milwyr, prin yn medru sefyll ar ei draed, dafnau gwaed yn llifo i lawr ei gefn a'i freichiau, y goron ddrain ar ei ben a mantell borffor rad dros ei ysgwyddau. Meddai Pilat, wrth gyfeirio ato, 'Dyma'r dyn' (19: 5) – *Ecce homo*, yn Lladin – geiriau sydd wedi eu hanfarwoli gan eu heironi. Roedd y truan gostyngedig hwn, cyff gwawd y milwyr a'r dyrfa, yn 'ddyn' mewn gwirionedd. Mae'r Iesu dioddefus hwn yn chwalu'n deilchion ein syniadau ffôl ac arwynebol ni am yr hyn yw gwir ogoniant dyn. Mae'n dangos inni fod a wnelo gwir ddyndod â thosturi, gwyleidd-dra, cariad, gwasanaeth i eraill a pherthynas agos â Duw.

Yn nyfnder gostyngeiddrwydd Iesu y gwelir gogoniant ei ddwyfoldeb.

Uchelderau mawr ei dduwdod
a dyfnderoedd ei ufudd-dod
sy'n creu synnu fyth ar synnu
i drigolion gwlad goleuni.
(David Charles, Caerfyrddin)

Ond nid dau beth ar wahân yw uchelderau ei dduwdod a dyfnderoedd ei ufudd-dod. Yn nyfnder ei ufudd-dod y gwelir gliriaf uchder a gwir ogoniant ei dduwdod.

Yn Iesu y mae dynoliaeth ar ei ffurf uchaf yn cael ei hamlygu. Mae'n debyg mai'r hyn a olygai Pilat oedd, 'Edrychwch ar y dyn truenus hwn; a yw hwn yn edrych fel brenin neu fel terfysgwr peryglus?' Roedd yn gobeithio na fyddai'r dyrfa'n dal i alw am ei groeshoelio. Ond mae Ioan yn bachu ar arwyddocâd eironig ei eiriau. Nid oedd y dyrfa yn barod i ryddhau Iesu. Gwaeddent am ei groeshoelio, er i Pilat ddadlau eto, 'Nid wyf fi'n cael achos yn ei erbyn' (In. 19: 6).

Dau beth a barodd i Pilat ailystyried ac ildio i alwad y dyrfa. Yn gyntaf, clywodd yr Iddewon yn dadlau bod Iesu wedi torri'r Gyfraith Iddewig trwy ei alw ei hun yn Fab Duw. Sail grefyddol, felly, oedd i wrthwynebiad y Sanhedrin o'r dechrau, ond sylweddolodd Pilat fod ymhlygiadau gwleidyddol ynghlwm wrth y cyhuddiad, gan fod *Divi Filius* (Mab Duw) yn un o'r teitlau a roed i'r Ymerawdwr. Os oedd Iesu'n herio awdurdod yr Ymerawdwr ei hun, ni ellid ei ryddhau. Yn ail, atgoffwyd Pilat gan y dyrfa na fyddai'n gyfaill i Gesar pe bai'n rhyddhau dyn a oedd yn hawlio bod yn frenin. Sylweddolodd Pilat y gallai ef ei hun gael ei gyhuddo o frad a diffyg teyrngarwch i'r Ymerawdwr pe gadawsai Iesu'n rhydd.

Daeth ag Iesu i sefyll ar 'Y Palmant' (19: 13), sef y cyntedd agored o flaen y Praetorium lle y cyhoeddwyd y ddedfryd. Mae Ioan yn nodi'n ofalus y dydd a'r awr: 'Dydd Paratoad y Pasg oedd hi, tua hanner dydd' (19: 14), sef yr union adeg yr oedd ŵyn y Pasg yn cael eu lladd ar gyfer eu hoffrymu yn y deml. Mewn un apêl olaf, mae Pilat yn gofyn i'r bobl, 'A wyf i groeshoelio eich brenin chwi?' (19: 15). Ond ateb y prif offeiriaid oedd 'Nid oes gennym frenin ond Cesar', a dyna arweinwyr crefyddol Israel yn derfynol ac yn swyddogol yn gwrthod Meseia Duw.

Simon o Cyrene

Ers dechrau ei weinidogaeth yng Ngalilea, bu Iesu ar daith. Ar ôl teithio trwy drefi a phentrefi Galilea, 'troes ef ei wyneb i fynd i Jerwsalem' (Lc. 9: 51). Dro ar ôl tro, bu Luc yn atgoffa'i ddarllenwyr ei fod ar ei ffordd i Jerwsalem. Bellach fe gyrhaeddodd gamre olaf y daith anorfod honno ar hyd ffordd y dioddefaint i'r groes. Bu'n rhybuddio'i ddisgyblion y byddai angen codi'r groes a'i ganlyn (9: 23; 14: 26). Erbyn hyn, daethai hynny'n ffaith weladwy. Ond wrth gerdded o'r Praetorium trwy'r ddinas i gyfeiriad Golgotha, yr oedd pwysau'r groes yn ormod iddo ac yntau wedi ei wanhau gan y fflangellu creulon a ddioddefodd. Gorfodwyd gŵr o'r enw Simon, o Cyrene, a oedd ar ei ffordd o'r wlad, i gario'r groes, neu efallai'r trawsbren, yn ei le. Tref yng ngogledd Affrica, yn Libya heddiw, oedd Cyrene, ac felly dyn du ei groen oedd y Simon hwn. Roedd yn Iddew o ran ei grefydd, ac yr oedd yn Cyrene gymuned gref o Iddewon – Affricanwyr wedi eu hennill i'r grefydd Iddewig. Gan ei bod yn agos at ŵyl y Pasg, mae'n bur debyg fod Simon ar y ffordd i Jerwsalem i ymuno yn y dathliadau. Mae'n bosibl mai hwn oedd y tro cyntaf i Simon ymweld â Jerwsalem.

Wrth iddo agosáu at y ddinas, gwelodd fintai o filwyr a phobl o'r dref yn arwain gŵr ifanc allan i'w ddienyddio trwy groeshoeliad. Gallwn ei ddychmygu'n gwthio ymlaen drwy'r dyrfa i weld yr olygfa'n well, pan faglodd y gŵr ifanc a syrthio o dan bwysau'r groes. Yna, teimlodd Simon law ar ei ysgwydd a milwr Rhufeinig yn ei wthio ymlaen i gario croes y gŵr ifanc. Gallwn dybio bod Simon yn flin o gael ei orfodi fel hyn i gario croes dyn hollol ddieithr iddo, ac yntau wedi blino'n lân ar ôl ei daith. Ond ni allai wrthod na phrotestio. Hyd y gwyddai Simon, gwrthryfelwr peryglus neu lofrudd oedd y troseddwr. Nid oedd yn sylweddoli ar y pryd ei fod, wrth godi'r groes, yn gwasanaethu Mab Duw ei hun. Roedd Iesu wedi dysgu bod gwasanaeth i gyd-ddyn yn gyfystyr â gwasanaeth iddo ef: 'Yn wir, rwy'n dweud wrthych, yn gymaint ag ichwi ei wneud i un o'r lleiaf o'r rhain, fy nghymrodyr, i mi y gwnaethoch' (Mth. 25: 40). Daw'r cyfle yn aml i ni godi croes rhywun arall; o wneud hynny byddwn hefyd yn gwasanaethu Mab Duw.

Wedi'r weithred hon o gario croes Iesu, mae Simon o Cyrene yn diflannu o hanes yr Eglwys Fore, ond mae Marc yn ei fersiwn ef o'r stori yn cyfeirio ato fel 'tad Alexander a Rwffus' (Mc. 15: 21). Pam y cyfeiriad hwn at ei feibion? Does ond un eglurhad yn bosibl, sef bod y ddau'n adnabyddus fel aelodau o'r Eglwys Fore. Mae'n bosibl fod Simon wedi dod o dan gyfaredd y gŵr y bu'n cario'i groes, ei fod wedi oedi yn Jerwsalem ar ôl y Pasg, wedi dod i adnabod y Cristnogion cynnar, a thrwyddynt wedi dod i ddysgu mwy am Iesu, a dod i gredu ynddo. Wrth gario croes Iesu, daeth dylanwad newydd i'w fywyd a gafodd effaith ar ei deulu a'i feibion yn ogystal.

Wrth godi croes Iesu a'i ddilyn, mae'n dod i'w adnabod. Meddai Thomas a Kempis, un o saint mawr eglwys y Canol Oesoedd, yn ei glasur, De Imitatione Christi': 'Amcana i efelychu Iesu trwy ddwyn ei groes yn wrol, yr hwn o'i gariad a fu farw drosot … Yn y groes y mae ffordd y bywyd. Yn y groes y mae iachawdwriaeth. Yn y groes y mae diogelwch rhag pob gelyn. Yn y groes y mae nerth y meddwl. Yn y groes y mae llawenydd yr ysbryd. Yn y groes y mae coron pob rhinwedd … Cod y groes, felly, a dilyn Iesu, a bydd yn dy arwain i ffordd ragorach a mwy diogel.'

Y mae sawl esboniwr wedi tynnu sylw at y berthynas rhwng tri o brif gymeriadau hanes dioddefaint Iesu. Jwdas oedd yr un *a achosodd y groes* trwy fradychu Iesu. Barabbas oedd yr un a *ddihangodd rhag y groes* gan i Iesu farw yn ei le. Simon o Cyrene oedd yr un a *gariodd y groes* a chanfod bywyd newydd wrth wneud hynny. Yr ydym ninnau bob un yn ymdebygu i un o'r tri chymeriad. Ond fel Simon, gelwir arnom i godi'r groes bob dydd a dilyn Iesu.

Wylofain merched Jerwsalem

Dywed Luc fod tyrfa fawr yn dilyn Iesu ar ffordd ei ddioddefaint, 'ac yn eu plith wragedd yn galaru ac yn wylofain drosto' (Luc. 23: 27). Y mae Luc, fwy nag unwaith, yn pwysleisio bod y dyrfa'n cefnogi Iesu (gweler

Lc. 23: 35, 48). Ac y mae'n debygol mai o blith y rhain y gwelwyd miloedd yn ymateb i bregethu'r apostolion wedi'r Pentecost, ac yn ymuno â'r Eglwys. Ond roedd eraill yn sicr yn elyniaethus iddo.

Nid meddwl amdano'i hun yn bennaf a wnaeth Iesu, yn gymaint â meddwl am y merched a'u plant. Dywedodd wrthynt y dylent wylo, nid drosto ef, ond drostynt eu hunain: 'Ferched Jerwsalem, peidiwch ag wylo amdanaf fi; wylwch yn hytrach amdanoch eich hunain ac am eich plant' (Lc. 23: 28). Mae'n bur debyg fod Iesu'n rhagweld cwymp Jerwsalem a'r amser ofnadwy a oedd i ddod pan fyddai'r diniwed, yn wragedd a phlant, yn dioddef, fel sy'n digwydd ymhob sefyllfa o ryfel a therfysg. A dyna a ddigwyddodd yn y flwyddyn OC 70 pan ddinistriwyd y deml a'r ddinas gan wasgaru'r Iddewon i bob cyfeiriad. Pan ddigwyddai'r gyflafan, byddai'r amgylchiadau mor erchyll fel y byddai pobl yn dweud mor ffodus oedd y mamau di-blant. Byddai pobl yn dyheu am gael eu difodi yn hytrach na gorfod dioddef y fath greulonderau. Ac yng ngeiriau Hosea, byddent yn dweud 'wrth y mynyddoedd, "Cuddiwch ni", ac wrth y bryniau, 'Syrthiwch arnom"' (Hos. 10: 8).

Ceir sawl cyfeiriad yn yr Hen Destament at ddinistr dinas Jerwsalem oherwydd anffyddlondeb ac anufudd-dod y bobl. Ai gweld dinistr eto a wnâi Iesu fel cosb am i'r ddinas wrthod Meseia Duw a'i groeshoelio? Mae'n sicr mai fel yna yr oedd llawer o'r Cristnogion cynnar yn dehongli cwymp Jerwsalem pan ddigwyddodd. Ond y mae'n fwy cyson â meddwl ac ysbryd Iesu i ddehongli ei eiriau i olygu ei fod yntau hefyd, yn ei ddioddefaint a'i farwolaeth greulon, yn ei uniaethu ei hun â holl boen a dioddefaint y byd – y dioddefaint a fu a'r dioddefaint a oedd eto i ddod. Yr unig ffordd o allu credu yn Nuw, er gwaethaf yr Holocost, Hiroshima ac erchyllterau eraill ein cyfnod ni, yw ei weld yn Iesu Grist yn ei uniaethu ei hun â'r cyflwr dynol yn ei holl boen a'i gymhlethdod – y Crist sy'n wylo gyda mamau Jerwsalem fel y mae'n wylo gyda mamau trallodus ein byd heddiw.

Y lle a elwir Y Benglog

Diwedd y daith anorfod – o Fethlehem i Nasareth, i drefi a phentrefi Galilea, i Jericho ac ymlaen i Jerwsalem – oedd 'lle a elwir Y Benglog' (Lc. 23: 33). Golgotha oedd yr enw Aramaeg am y lle, a'i ystyr oedd penglog, hwyrach am fod y bryn ar ffurf penglog. Dywed Ioan ei fod yn agos i'r ddinas (In. 19: 20),a nodir yn y Llythyr at yr Hebreaid (Heb. 13: 12) ei fod 'y tu allan i'r porth'. Roedd y lleoliad yn arwyddocaol. Bu'r Meseia farw y tu allan i Jerwsalem, wedi ei fwrw o'r ddinas sanctaidd gan ei phrif offeiriaid, ei llywodraethwyr a'r bobl. Ni chroeshoeliwyd Iesu ar ei ben ei hun. Croeshoeliwyd dau wrthryfelwr gydag ef. Priodol oedd i un a elwid yn gyfaill i bublicanod a phechaduriaid gael ei groeshoelio rhwng dau droseddwr.

Cwestiynau i'w trafod:

1. Beth oedd ym meddwl Pilat pan gyfeiriodd at Iesu â'r geiriau 'Dyma'r dyn'?

2. Beth sydd gan stori Simon o Cyrene i'w ddysgu i ni am gario'r groes?

3. Ym mha ystyr y mae geiriau Iesu wrth ferched Jerwsalem yn berthnasol i'n cyfnod ni?

CROESHOELIO IESU

Marc 15: 22–39; Luc 23: 39–43; Ioan 19: 16–30

Disgrifiwyd croeshoelio gan yr awdur Rhufeinig Cicero fel 'y poenydio mwyaf creulon ac erchyll' (*Contra Verres, V.64*), gan ychwanegu bod y gair 'croes' yn cyfleu'r fath ddarlun o greulondeb ac artaith fel y dylid tynnu'r gair o eirfa pob enaid byw. Mae'n ymddangos mai o Persia y tarddodd y dull hwn o ddienyddio, ond i'r Rhufeiniaid ei fabwysiadu i gosbi caethweision a gwrthryfelwyr. Nid yw'n syndod fod awduron yr efengylau yn ymatal wrth ysgrifennu am y digwyddiad. Y cyfan y maent yn barod i'w ddweud, heb ychwanegu unrhyw fanylion disgrifiadol, yw fod Iesu wedi ei groeshoelio. Ond gwyddom rywfaint am y dull o groeshoelio o ffynonellau eraill. Byddai dioddefwr yn cael ei glymu wrth y trawsbren, sef y darn o'r groes a gariodd Simon. Yna fe'i gosodid i orwedd tra cysylltwyd y trawsbren wrth y pren fertigol â pheg pren. Wedyn eid ati i fwrw hoelion trwy ei ddwylo a'i draed cyn codi'r groes gyfan, a'r dioddefwr yn hongian arni, ac yna ei bwrw i dwll yn y ddaear. Byddai'r poen yn annisgrifiadwy. Dyna pam y caniateid i ferched o'r ddinas gynnig gwin a myrr i leddfu ychydig ar y poen. Cynigiwyd cymysgedd o'r fath i Iesu ond fe'i gwrthododd. Yr oedd am wynebu holl erchylltra a phoen croeshoeliad yn gwbl hunanfeddiannol.

Saith ymadrodd Iesu

Nid yw awduron yr efengylau yn rhoi i ni eglurhad diwinyddol o ystyr marwolaeth Iesu, ond trwy adrodd manylion yr hanes ac wrth groniclo'i eiriau oddi ar y groes, cawn awgrymiadau cynnil o ystyr ac arwyddocâd y digwyddiad. Rhwng y pedair efengyl, ceir saith ymadrodd o enau Iesu, a phob un o'r saith yn dweud rhywbeth wrthym am ystyr y groes. Yn gyntaf, croniclodd Luc, a Luc yn unig, eiriau Iesu wrth iddynt fwrw'r hoelion trwy ei ddwylo a'i draed, sef *'O Dad, maddau iddynt, oherwydd ni wyddant beth y maent yn ei wneud'* (Lc. 23: 34). Ar yr union adeg pan fyddai'r rhan fwyaf o droseddwyr yn sgrechian mewn poen ac yn rhegi a melltithio eu poenydwyr, mae Iesu'n cyfarch Duw fel 'Abba,

Dad' ac yn gweddïo am i'w ddienyddwyr gael maddeuant. Trwy gydol ei weinidogaeth bu'n dysgu bod Duw yn maddau, ac y dylem ninnau faddau i'n gilydd. Yna, ac yntau'n wynebu angau, mae'n marw fel y mae wedi byw â maddeuant yn ei galon ac ar ei enau. Trwy ei eiriau, dangosodd fod maddeuant i'w gael am y pechodau gwaethaf, a dangosodd hefyd i'w ddilynwyr mor bwysig oedd ymateb i anfri a cham, nid â dialedd ond â maddeuant. Ond nid gadael esiampl iddynt yn unig a wnaeth, ond rhoi'r gras a'r nerth iddynt allu ei efelychu. Fe ddigwyddodd hynny yn achos Steffan (Act. 7: 60), ac yn hanes miloedd o ferthyron ac o ddioddefwyr hyd heddiw. Un o effeithiau'r groes, felly, yw ei bod yn estyn inni faddeuant Duw ac yn ein dysgu i faddau i'n gilydd.

Yn ail, meddai Iesu wrth un o'r troseddwyr a groeshoeliwyd gydag ef, *'Yn wir, rwy'n dweud wrthyt, heddiw byddi gyda mi ym Mharadwys'* (Lc. 23: 47). Roedd y troseddwr arall wedi ymuno ag aelodau'r Cyngor a'r milwyr i wawdio Iesu gan ei herio, 'Os ti yw Brenin yr Iddewon, achub dy hun' (23: 37). Ond dod i achub eraill, nid i'w achub ei groen ei hun a wnaeth Iesu. Luc sy'n ychwanegu adwaith y ddau droseddwr a groeshoeliwyd gydag ef. Roedd un yn ei gablu, ond roedd y llall yn edifeiriol, yn cydnabod ei drosedd ac yn barod i dystio yng nghlyw pawb, 'Ond ni wnaeth hwn ddim o'i le' (23: 41). Yna gofynnodd am gael cyfranogi o'r deyrnas lle y byddai Iesu'n frenin. Roedd yn dymuno bod yn ymyl Iesu, nid yn unig ar y groes, ond hefyd mewn gogoniant. Cafodd addewid am fwy nag a ofynnodd amdano; 'Yn wir, rwy'n dweud wrthyt, heddiw byddi gyda mi ym Mharadwys' – nid mewn rhyw ddyfodol pell, annelwig, ond 'heddiw'. Gwyddai Iesu y byddai'n cael mynediad yn fuan i gymdeithas ei Dad nefol, a bod yr addewid o Baradwys yn un y gallai ei gynnig 'heddiw'. Gwyddai hefyd mai ei genhadaeth oedd arwain y ddynoliaeth yn ôl i'r Baradwys a gollodd, i gymod â Duw ac i ogoniant bywyd tragwyddol. Bu'r troseddwr edifeiriol yn atgof byth wedyn o drugaredd Duw – trugaredd a all ein gwaredu, hyd yn oed yn ein heiliadau olaf, ond i ni droi at Iesu.

Mae'r trydydd ymadrodd i'w gael yn Efengyl Ioan, sef geiriau Iesu wrth ei fam a'r 'disgybl yr oedd yn ei garu'; *'Wraig, dyma dy fab di'* – gan gyfeirio at y disgybl; a '*Dyma dy fam di*' – gan gyfeirio at Mair (In. 19: 26, 27). Ioan yw'r disgybl y dywedir amdano fod Iesu'n ei garu. Y mae rhai esbonwyr wedi awgrymu bod awdur yr efengyl yn fwriadol yn cyferbynnu Iddewiaeth a Christnogaeth yn y weithred hon. Hynny yw, bod Iddewiaeth, a gynrychiolir yma gan Mair, i fod i ddod drosodd at Gristnogaeth ac i'r Eglwys Fore a gynrychiolir gan Ioan. Ond mae'r ystyr yn llawer symlach a mwy uniongyrchol na hynny, sef bod Iesu wrth gyflwyno'i fam i ofal ei gyfaill mynwesol yn meddwl, nid am ei boen ei hun, ond am ei phoen hi. Mae'n anodd dychmygu ei galar hi wrth wylio'i mab yn dioddef. Hi oedd ei fam. Hi oedd wedi ei genhedlu yn ei chroth. Hi oedd wedi ei fagu a gofalu amdano trwy ei blentyndod. Hi oedd wedi ei garu a'i gynnal hyd yr eiliadau olaf hyn. Gweithred o gariad oedd rhoi ei fam yng ngofal Ioan, ac mae'n rhoi i ni olwg ar gariad Duw tuag atom a phwysigrwydd caru a gofalu am ein gilydd. Mynegiant o gariad Duw o flaen popeth arall yw'r groes. Meddai'r diwinydd James Denney, wrth gyfeirio at y groes, 'God loves like that'.

Erbyn y pedwerydd ymadrodd mae Iesu'n gwybod bod y diwedd yn agos. Meddai, 'Y mae arnaf syched' (In. 19: 28). Yn ôl Ioan, llefarodd y geiriau er mwyn cyflawni'r Ysgrythur. Mae'r digwyddiad yn cael ei broffwydo ddwywaith yn y Salmau (22: 15 a 69: 21). Mewn ymateb, mae rhai o'r bobl wrth y groes yn estyn iddo ychydig o win sur, gan ei godi ar ddarn o isop at ei wefusau. Hyd yn oed yng nghanol y gwatwar a'r dioddefaint enbyd, roedd grŵp bychan yn barod i ddangos tosturi. Roedd ymadrodd Iesu yn mynegi ei boen corfforol ingol. Yn gynharach, roedd wedi dweud, 'Pwy bynnag sy'n sychedig, deued ataf fi' (In. 7: 37). Ond y mae'r un sy'n ateb ein syched ysbrydol bellach yn profi syched ar y groes, ac yn dangos felly ei fod yn ei uniaethu ei hun â dyfnder poen a thrallod dyn. Ar y groes gwelir Mab Duw yn plymio i waelod tywyll pob dioddefaint.

Ei uniaethu ei hun â thrallod ysbrydol gwaethaf dyn y mae Iesu yn ei bumed ymadrodd, sef '"*Eli, Eli, lema sabachthani*", hynny yw, "*Fy Nuw, fy Nuw, pam yr wyt wedi fy ngadael?*"' (Mth. 27:46). Dyfyniad yw'r geiriau o Salm 22: 1. Llefarwyd y geiriau yn Aramaeg, iaith pob dydd Iesu, ac nid yn yr Hebraeg a ddyfynnir gan Mathew. Mae'n anodd meddwl bod y geiriau hyn yn gri o anobaith llwyr sy'n codi o ymwybyddiaeth o fethiant. Wedi'r cyfan, gwyddai Iesu fod ei farw'n angenrheidiol fel mynegiant o'i ogoniant Meseianaidd. Ar yr un pryd, rhaid derbyn bod y geiriau'n mynegi'r ymdeimlad real o gael ei adael gan Dduw. Fe'i huniaethodd ei hun mor agos â phechaduriaid, a phrofi o ofnadwyaeth pechod i'r fath raddau, fel y torrwyd am gyfnod agosrwydd ei gymundeb â'i Dad nefol. Eto, mae'n medru dweud, 'Fy Nuw, fy Nuw'. Os oedd ei ddioddefaint yn cymylu wyneb Duw, fel pe bai wedi ei adael, ni chollodd ei ffydd ynddo. Mae ei eiriau'n dangos mewn ffordd ryfeddol y gwahaniaeth rhwng teimlad a ffaith. Teimlai yn ei ing ei fod yn wrthodedig. Ond fe welwn ni fod Duw yno, yn fwy nag erioed. Yr ymadrodd hwn, yn fwy na'r un arall, sy'n dangos fel y teimlai Iesu dywyllwch brawychus yn cau amdano o fod yn ymwybodol o holl bechod y byd yn pwyso arno. Ni allai ei uniaethu ei hun yn llwyrach â'r cyflwr dynol na thrwy'r geiriau hyn a'r profiad a fynegir ynddynt.

Yn ôl Efengyl Luc, geiriau olaf Iesu wrth farw, a'r chweched ymadrodd oddi ar y groes oedd, *'O Dad, i'th ddwylo di yr wyf yn cyflwyno fy ysbryd'* (Lc. 23: 46). Mae'r geiriau hyn eto'n ddyfyniad o'r Salmau (Salm. 31: 5), ond bod Iesu'n ychwanegu 'Fy Nhad'. Sylwodd William Barclay mai dyma weddi plentyn Iddewig cyn noswylio, a'r weddi gyntaf y byddai tad neu fam Iddewig yn ei dysgu i'w plant. Dywed fod Iesu wedi marw, hyd yn oed ar y groes, fel plentyn bach yn mynd i gysgu ym mreichiau ei dad. Ond nid geiriau o'i blentyndod yn unig oedd y rhain, ond geiriau o'i brofiad. Trwy ei fywyd a'i weinidogaeth, roedd wedi cerdded yng nghwmni ei Dad, wedi pwyso arno am gymorth ac arweiniad, wedi treiddio i adnabyddiaeth ddofn ohono, a phan ddaeth y diwedd gallai ei ymddiried ei hun yn dawel i'w ofal. I Luc, uchafbwynt yr holl hanes oedd hunangyflwyniad Iesu i'w Dad. Cyflwynodd ei ysbryd i'r hwn a'i rhoes, gyda'i anadliad olaf. Dywed yr esboniwr Eduard Schweizer, 'Nid cri o anobaith oedd geiriau olaf Iesu ond mynegiant o ymddiriedaeth lwyr. Yr oedd wedi ei draddodi o'r blaen i ddwylo dynion, ond yn awr y mae'n ei gyflwyno'i hun i ddwylo ei Dad.' Sylwodd y canwriad ei fod yn marw yn rhydd o gasineb, dialedd a hunan dosturi, a datganodd, 'Yn wir, dyn cyfiawn oedd hwn' (Lc. 23: 47). Ei ymddiried ei hun yn dawel i'w Dad oedd penllanw buddugoliaeth Iesu dros y pwerau marwol. Elfen bwysig yn neges y groes i ni, felly, yw fod Iesu wedi gorchfygu angau, ac nad yw angau i'w ofni, na'i osgoi, ond i'w wynebu trwy ein hymddiried ein hunain – fel y gwnaeth Iesu – i ofal ein Tad nefol.

Bloedd o fuddugoliaeth oedd gair olaf, a seithfed ymadrodd Iesu, sef '*Gorffennwyd*' (In. 19: 30). Yr un gair hwn sy'n mynegi'r fuddugoliaeth y mae wedi ei hennill drosom ni. Nid cri wan un yn marw yw hon, ond gwaedd uchel, yn ôl Mathew a Marc, yn cyhoeddi bod y gwaith y daeth i'w wneud wedi'i gwblhau. Daeth y gair yn gnawd er mwyn cymodi dyn â Duw ac er mwyn sicrhau iachawdwriaeth dyn. Yn awr, ar y groes, y mae'r gwaith mawr hwnnw wedi ei gyflawni. Nid colled yw'r groes ond buddugoliaeth – goruchafiaeth ar bechod, methiant ac angau. Sut bynnag y ceisiwn egluro'r hyn a ddigwyddodd ar y groes, ei neges ganolog yw fod y gwaith o waredu'r ddynoliaeth wedi ei gwblhau unwaith ac am byth.

Digwyddiadau symbolaidd

Y mae ymadroddion Iesu oddi ar y groes yn ffenestri y medrwn weld drwyddynt ystyr ac arwyddocâd y croeshoeliad. Ond mae'r ymadroddion hynny wedi eu plethu i mewn i ddigwyddiadau. Ac mae'r digwyddiadau hefyd yn ein cyfeirio mewn modd symbolaidd at hanfod mewnol, ysbrydol yr oriau tyngedfennol hynny a dreuliodd Iesu'n dioddef ar y groes. Y mae tri ohonynt yn arbennig o arwyddocaol.

Yn gyntaf, *gwatwar Iesu.* Gweithred o watwar oedd gosod ar y groes hysbysfwrdd pren ac arno'r geiriau yn cynnwys y cyhuddiad yn ei erbyn yn dweud 'Brenin yr Iddewon' er mwyn amlygu'r cyhuddiad yn ei erbyn. Yn ôl Efengyl Ioan, roedd y prif offeiriaid hefyd yn cwyno am yr ensyniad eu bod, fel Iddewon, wedi meddwl am Iesu fel brenin. Ond gwrthododd Pilat newid y teitl. Ond i Marc, fel Ioan, dyma orseddu Iesu'n frenin mewn gwirionedd, sef y brenin tlawd, diymadferth, yn marw i ddangos i ddynion deyrnas gwbl wahanol i deyrnasoedd y byd hwn. Y syniad amdano'n frenin oedd yn ennyn sarhad triphlyg y rhai oedd yn ei wylio. Yr oedd y rhai oedd yn mynd heibio yn ei herio i fanteisio ar ei allu goruwchnaturiol i'w achub ei hun. Wedyn, cafwyd yr awdurdodau crefyddol yn ei wawdio ac yn datgan y byddent yn credu ynddo pe disgynnai oddi ar y groes. Ond y sarhad mwyaf creulon oedd fod ei gyd-ddioddefwyr yn ei ddifenwi. Mae Iesu, felly, yn gyfan gwbl ar ei ben ei hun. Yr hyn sy'n cael ei gyfleu gan watwar y dyrfa yw eu methiant i ddeall nad trwy ddigwyddiadau gwyrthiol, dramatig, yr oedd canfod teyrnas Dduw, ond trwy aberth, hunanymwadiad a gwasanaeth i eraill. Trwy aberth yr oedd achub y byd, trwy ddioddef yr oedd ennill gwir fuddugoliaeth, a thrwy farw yr oedd canfod bywyd tragwyddol.

Yn ail, *rhannu dillad Iesu.* Wrth sôn am y milwyr yn bwrw coelbren am ddillad Iesu, y mae Ioan yn dyfynnu Salm 22: 18: 'Rhanasant fy nillad yn eu mysg, a bwrw coelbren ar fy ngwisg' (In. 19: 24). Yr oedd gan y pedwar milwr oedd yn gyfrifol am y croeshoeliad hawl i'r dillad, ac y maent yn eu rhannu yn eu plith, ac eithrio'r crys oedd 'wedi ei weu o'r pen yn un darn' (19: 23). I Ioan, roedd i hyn arwyddocâd diwinyddol dwfn. Yn ôl Lef. 21: 10 nid oedd yr *effod,* sef gwisg ddiwnïad yr archoffeiriad, i'w rhwygo mewn unrhyw fodd; felly hefyd wisg Iesu, yr archoffeiriad mawr. I rai o'r Tadau Eglwysig cynnar, roedd y fantell yn ddarlun o undod amrhanedig yr Eglwys. Ond fe ddefnyddiodd Paul hefyd y darlun o wisgo amdanom yr Arglwydd Iesu Grist a pheidio â 'rhoi eich bryd ar foddhau chwantau'r cnawd' (Rhuf. 13: 14). Symbol yw'r fantell, felly, o'r bywyd newydd sy'n eiddo i bawb sy'n credu yn Iesu ac yn ei ddilyn.

> 'Fy ngwisgo â'i gyfiawnder
> yn hardd gerbron y Tad,
> a derbyn o'i gyflawnder
> wrth deithio'r anial wlad'

yw gweddi Roger Edwards, Yr Wyddgrug, yn seiliedig ar y darlun hwn o fantell ddiwnïad Iesu, yr archoffeiriad mawr.

Yn drydydd, *rhwygo llen y deml.* Yn union wedi i Iesu farw, rhwygwyd llen y deml o'r pen i'r gwaelod. Yr oedd dwy len yn y deml, un rhwng y cyntedd a'r cysegr, a'r llall rhwng y cysegr a'r cysegr sancteiddiolaf. Y mae'n amlwg o eiriau'r Llythyr at yr Hebreaid (9: 3), mai at yr ail len y cyfeiria'r hanes. Y mae rhwygo'r llen yn symbol fod pob rhwystr fu'n sefyll rhwng Duw a dyn wedi ei ddiddymu. Bellach, mae'r ffordd yn agored i bresenoldeb y Duw sanctaidd. Golygai hyn nad oedd angen archoffeiriad mwyach yn gyfrwng rhwng Duw a dyn, a bod y gwahaniaeth seremonïol rhwng y glân a'r aflan hefyd wedi ei sgubo ymaith. Uwchlaw pob dim, golygai rhwygo'r llen fod angau'r groes wedi cymodi dyn â Duw ac wedi agor ffordd i bob un ddod at y Tad.

Cwestiynau i'w trafod:

1. Pa agweddau ar ystyr y groes a gawn wrth ystyried saith ymadrodd Iesu?

2. Beth yw ystyr symbolaidd rhwygo llen y deml?

3. Gair olaf Iesu oddi ar y groes oedd 'Gorffennwyd'. Beth a 'orffennwyd' ganddo yn ei ddioddefaint a'i farwolaeth?

ATGYFODIAD CRIST

Ioan 20: 1–29; Luc: 13–35

Yn ystod ei daith genhadol, daeth Paul i Athen, dinas yr ysgolheigion, yr athronwyr a phrif arweinwyr diwylliant Groeg. Wedi edrych o amgylch y ddinas ac edmygu ei hadeiladau ysblennydd, mentrodd godi ar ei draed yng nghanol dysgedigion yr Areopagus er mwyn eu cyflwyno i Efengyl Crist. Er bod cefndir a chynnwys Iddewig ei araith yn wahanol i ogwydd athronyddol arferol yr Atheniaid, llwyddodd i ennill eu diddordeb. Cafodd wrandawiad gwerthfawrogol nes iddo ddod at berorasiwn ei bregeth, sef yr atgyfodiad. Ar unwaith rhannwyd ei wrandawyr i dri dosbarth. 'Dechreuodd rhai wawdio, ond dywedodd eraill, "Cawn dy wrando ar y pwnc hwn rywdro eto"' (Act. 17: 32). Ond dywed yr hanes i rai pobl ymlynu wrtho a chredu.

Yr un yw ymateb pobl i'r sôn am atgyfodiad hyd heddiw. Mae rhai yn ystyried yr holl syniad yn wrthun. Nid yw cyrff meirw yn codi'n fyw o'r bedd, a ffolineb noeth yw rhoi coel ar unrhyw stori o'r fath. Nid yw eraill, y mwyafrif efallai, yn gwybod beth i'w gredu nac yn ymddiddori ryw lawer yn y pwnc. Ond mae eraill ym mhob oes sy'n cael eu hargyhoeddi fod hanes a neges yr atgyfodiad yn wir. Ac mae i atgyfodiad Iesu Grist ddwy wedd, sef *hanes* a *neges*. Y mae'n ddigwyddiad hanesyddol, ac y mae hefyd yn wirionedd oesol. Hyd yn oed pe gellid profi y tu hwnt i bob amheuaeth fod yr atgyfodiad wedi digwydd yn llythrennol, ni fyddai hynny ynddo'i hun yn egluro ystyr ac arwyddocâd diwinyddol yr atgyfodiad, a'i ystyr i fywyd a chenhadaeth yr Eglwys heddiw.

Yr Atgyfodiad ddoe, heddiw ac yfory

Yn y Testament Newydd, ac o fewn y gred Gristnogol mewn atgyfodiad, y mae tri phwyslais canolog, sef yr atgyfodiad fel digwyddiad hanesyddol, fel gwirionedd cyfoes ac fel addewid i'r dyfodol. Mae'r 'Arglwydd yn wir wedi ei gyfodi' (Lc. 24: 34) oedd cyhoeddiad gorfoleddus y ddau ddisgybl wedi iddynt ddychwelyd i Jerwsalem o Emaus. Er i rai, gan gynnwys y disgyblion eu hunain ar y dechrau, amau'r stori fod Iesu wedi ei gyfodi, gwawriodd realiti wrthrychol, hanesyddol atgyfodiad Iesu arnynt yn fuan. Er na fedrwn ni ddechrau esbonio sut y bu i gorff Iesu atgyfodi, ni ellir osgoi'r ffaith bod rhywbeth aruthrol fawr wedi digwydd ar y Pasg cyntaf a drawsnewidiodd fywydau'r disgyblion. Dim ond yr atgyfodiad a fedr esbonio'r newid hwn o amheuaeth i ffydd, o alar i lawenydd, o fod yn ofnus a llwfr i fod yn eofn. Ni ellir osgoi datganiad clir yr efengylau i'r atgyfodiad ddigwydd.

Ond y mae'r atgyfodiad hefyd yn *wirionedd cyfoes.* A derbyn bod Crist wedi atgyfodi oddi wrth y meirw, roedd hynny bron i ddwy fil o flynyddoedd yn ôl. Sut y gall rhywbeth a ddigwyddodd mor bell yn ôl fod yn arwyddocaol i ni heddiw? Buan y daeth y Cristnogion cynnar i ganfod bod Crist yn fyw yn eu mysg, a'u bod hwythau'n cael rhannu yn ei fywyd atgyfodedig, sef profi grym a nerth Duw yn eu codi o afael pechod, anobaith ac angau.

Y mae concwest yr Arglwydd Iesu dros farwolaeth yn arwyddo hefyd *fod atgyfodiad yn addewid i'r dyfodol.* Un o ddywediadau mwyaf Iesu yw, 'Myfi yw'r atgyfodiad a'r bywyd. Pwy bynnag sy'n credu ynof fi, er iddo farw, fe fydd byw; a phob un sy'n byw ac yn credu ynof fi, ni bydd marw byth' (In. 11: 25–26). Mae Crist yn fywyd i'r rhai sy'n fyw, ac yn atgyfodiad i'r rhai sy'n marw. Mae'r atgyfodiad yn trawsffurfio bywyd a marwolaeth, ac yn addewid i'r rhai sy'n credu yng Nghrist.

Ymddangosiad Crist i Mair

Ceir hanes chwech o ymddangosiadau'r Iesu atgyfodedig yn yr efengylau. Mae'r amrywiaeth yn yr hanesion yn cadarnhau eu gwirionedd ac yn rhoi iddynt yr hyn a alwodd J. B. Phillips, 'the ring of truth'. Y cyntaf oedd *ymddangosiad Crist i Mair.* Mae'n rhyfeddol mai i wraig y datguddiwyd yr Arglwydd atgyfodedig iddi gyntaf, o gofio bod gwragedd yn y cyfnod hwn yn cael eu hystyried yn israddol ac yn dystion annibynadwy. Y wraig arbennig hon oedd Mair Magdalen. Yr oedd hi'n un o'r rhai a arhosodd wrth y groes hyd y diwedd, gan ddilyn yr orymdaith i'r ardd i gladdu Iesu. Deuddydd yn ddiweddarach, aeth hi a rhai o'r gwragedd eraill at y bedd i eneinio corff Iesu, ond cafwyd y bedd yn wag a'r corff wedi diflannu. Rhedodd yn ôl i ddweud wrth Pedr ac Ioan. Rhedodd y rheini yn eu tro at y bedd, gyda Mair yn dilyn yn arafach. Erbyn iddi gyrraedd roedd y ddau wedi mynd a'i gadael ar ei phen ei hun. Dechreuodd wylo.

Gan ei bod yn dal yn dywyllwch, tybiodd mai'r garddwr oedd y ffigur a ddeuai tuag ati trwy'r gwyll. Pan ofynnodd Mair i'r gŵr dieithr a wyddai beth oedd wedi digwydd i gorff Iesu, clywodd ei henw ei hun, 'Mair', a'i glywed mewn llais cyfarwydd nad oedd wedi disgwyl ei glywed byth eto. Wrth syllu'n fwy gofalus, gwelodd ffigur cyfarwydd, annwyl, ei harglwydd. 'Troes hithau, ac meddai wrtho yn iaith yr Iddewon, *"Rabbwni"* (hynny yw, Athro)' (In. 20: 16). Yn naturiol, roedd am lynu wrtho. Ond meddai Iesu, 'Paid â glynu wrthyf, oherwydd nid wyf eto wedi esgyn at y Tad' (20: 17). Gwahoddwyd Thomas i gyffwrdd ag ef er mwyn ei sicrhau bod ei gorff wedi atgyfodi mewn gwirionedd ac nad ysbryd mohono. Peth arall oedd glynu wrtho. Roedd yn rhaid i Mair dderbyn nad oedd yn bosibl iddi adfer yr hen berthynas a fu rhyngddynt, a bod Iesu bellach wedi ei ryddhau o gyfyngiadau lle ac amser. Wylodd oherwydd iddi gredu ei bod hi wedi colli Iesu'n llwyr. Ceisiodd lynu wrtho gan gredu y'i câi yn ôl yn yr un ffordd ag o'r blaen, ond nid oedd hynny'n bosibl. Neges sy'n codi o'r stori hon sy'n berthnasol i ni yw y gallwn ninnau, fel Mair, fod ym mhresenoldeb ein Harglwydd byw, ond heb ei adnabod. Roedd dagrau yn ei llygaid; nid oedd yn edrych i'r cyfeiriad iawn, ac nid oedd yn disgwyl gweld Iesu. Dyed y cyn-archesgob George Carey y gellid ychwanegu hyn at y gwynfydau, 'Gwyn eu byd y rhai nad ydynt yn disgwyl dim; ni chânt hwy byth eu siomi!'

Ar ffordd Emaus

Roedd ail ymddangosiad y Crist byw i *ddau ddisgybl ar eu ffordd i Emaus*. Os methodd Mair ag adnabod Iesu yn yr ardd am fod dagrau yn ei llygaid, dywedir am y ddau ddisgybl yma y 'rhwystrwyd eu llygaid rhag ei adnabod ef' (Lc. 24: 16). Cleopas oedd enw un ohonynt. Nid oes sicrwydd, ond y mae'n berffaith bosibl mai ei wraig oedd y llall. Yn Ioan 19: 25 dywedir bod 'Mair, gwraig Cleopas' yn un o'r merched a fu'n sefyll wrth droed y groes. Byddai'n naturiol felly inni dybio mai Cleopas a'i wraig Mair oedd y ddau deithiwr. Roeddent ar eu ffordd adref i Emaus, yn teimlo'n ddigalon ac yn siarad am y pethau oedd wedi digwydd yn Jerwsalem. Roeddent hefyd wedi clywed rhyw sôn am ferched yn ymweld â'r bedd a'i gael yn wag, ond mai wedi drysu oeddent. Pan ymunodd y Crist atgyfodedig â hwy, ataliwyd eu llygaid rhag ei adnabod, ond erbyn diwedd yr hanes 'agorwyd eu llygaid hwy, ac adnabuasant ef'(Lc. 24: 31). Yn eu tyb hwy, dyn dieithr hollol oedd hwn, ac eto gallent agor eu calonnau iddo a dweud wrtho eu bod wedi eu siomi gan mai dilynwyr i Iesu oeddent. Eglurodd ef nad damwain nac arwydd o fethiant oedd y groes, ond rhan o fwriad Duw ar gyfer y Meseia. Ar ôl cyrraedd Emaus gwahoddwyd y dyn dieithr i aros. Wrth iddo dorri'r bara y sylweddolodd y ddau pwy oedd y 'dyn dieithr' mewn gwirionedd. Dyma'r foment yr agorwyd eu llygaid.

Y cwestiwn yw, beth sy'n peri iddynt weld ac adnabod Iesu? Beth sydd gan Luc i'w ddweud wrthym ni yn yr hanes hwn? Sut y gall ein llygaid ninnau gael eu hagor? Yn gyntaf, gallwn adnabod Crist trwy'r Ysgrythurau. Wrth i Iesu esbonio i'r ddau yr hyn a ddysgai'r Ysgrythurau am ddioddefaint a buddugoliaeth y Meseia yr aethant i deimlo bod eu calonnau ar dân: 'A chan ddechrau gyda Moses a'r holl broffwydi, dehonglodd iddynt y pethau a ysgrifennwyd amdano ef ei hun yn yr holl Ysgrythurau' (Lc. 24: 27). Yn yr un modd, mae angen i ninnau edrych am Grist yn yr Ysgrythurau i gyd. Yn ail, gallwn adnabod Crist trwy doriad y bara. Y mae'r pedair berf a ddefnyddir gan Luc yn canu cloch ym meddyliau'r ddau: 'cymerodd y bara a bendithio, a'i dorri a'i roi iddynt' (24: 30). Dyna pryd yr agorwyd eu llygaid; a'u tystiolaeth yn ddiweddarach oedd iddynt ei 'adnabod yn nhoriad y bara' (24: 35). Y mae llawer o Gristnogion wedi tystio iddynt ganfod Iesu yn y Cymun Bendigaid. Un oedd Howel Harris, Trefeca, a brofodd ei 'dro mawr' wrth fwrdd y cymun yn Eglwys Talgarth ar y Sulgwyn 1735.

Er i'r Crist ddod atom trwy'r Ysgrythurau a Sacrament Swper yr Arglwydd, daw atom hefyd yng nghanol ein gwahanol brofiadau ac yng nghanol pob tristwch, anobaith a digalondid, i gynnig gwasanaeth a chysur. Er ei bod wedi nosi, dychwelodd y ddau ar unwaith i

Jerwsalem i ddweud wrth y disgyblion eraill iddynt weld Iesu. Wedi iddynt gyrraedd, cawsant ar ddeall fod yr Arglwydd wedi ymddangos hefyd i Simon. 'Adroddasant hwythau yr hanes am eu taith, ac fel yr oeddent wedi ei adnabod ef ar doriad y bara' (24: 35). Y daith bwysig oedd y daith *o* Emaus, nid y daith *i* Emaus. Taith drist oedd y daith i Emaus, a'r teithwyr yn credu'n siŵr bod eu Harglwydd wedi marw a bod antur fawr y deyrnas wedi methu. Taith yn llawn o lawenydd a gorfoledd oedd y daith o Emaus, gyda'r ddau wedi eu syfrdanu gan y profiad o weld Iesu'n fyw ac ar dân i rannu eu profiad â'r disgyblion eraill. Fel yn achos y disgyblion hyn, rhaid i ninnau sicrhau ein bod yn teithio'r ffordd *o* Emaus, gan rannu ag eraill y newyddion da am fuddugoliaeth y Crist byw, nid teithio'r ffordd drist *i* Emaus, gan rannu yn nhristwch Iesu, a meddwl ei fod wedi methu, a bod ei achos ar ben.

Ymddangos yn yr oruwchystafell

Digwyddodd trydydd ymddangosiad Iesu i'r disgyblion *yn yr oruwchystafell*. Roedd yn fin nos y Dydd Pasg cyntaf, a'r disgyblion wedi dod at ei gilydd y tu ôl i ddrysau cloëdig, yn llawn ofn. Daeth Iesu a sefyll yn eu canol, gan lefaru heddwch i'w meddyliau cythryblus: 'A dyma Iesu'n dod ac yn sefyll yn eu canol, ac yn dweud wrthynt, "Tangnefedd i chwi!"' (In. 20: 20). Wrth gwrs, *shalôm* oedd y cyfarchiad Iddewig arferol, ond y mae geiriau Iesu'n fwy na chyfarchiad cyffredin. Y mae'n estyn i'w ddisgyblion y tangnefedd hwnnw oedd yn nodwedd o'i fywyd buddugoliaethus atgyfodedig ei hun. Arwydd o hynny oedd iddo ddangos ei ddwylo a'i ystlys, a hynny'n rhoi llawenydd mawr iddynt. Dyma ffordd Ioan o ddangos nad rhith na drychiolaeth oedd y Crist atgyfodedig, ond bod ei gorff, trwy ei atgyfodiad, wedi ei drawsnewid a'i ogoneddu.

Ond nid ei ddangos ei hun yn fyw oedd unig ddiben Iesu. Roedd ganddo dasg ar gyfer ei ddisgyblion. Rhoddwyd iddynt yr un comisiwn yn union ag a roddodd y Tad i'r Mab: 'Fel y mae'r Tad wedi fy anfon i, yr wyf fi hefyd yn eich anfon chwi' (In. 20: 21). Yr oedd gwaith Iesu wedi tarddu o fwriad a gweithgarwch Duw ei hun. Bellach, roedd y gwaith hwnnw i'w barhau gan ddilynwyr Iesu, a byddai'r Eglwys hithau'n cael ei hanfon allan i'r byd i fod yn gyfrwng cenhadaeth fawr Duw. Dyna ystyr y gair 'apostolaidd'. 'Apostol' yw un wedi ei ddanfon ar gomisiwn. Fel yr oedd Duw wedi anfon ei broffwydi yn yr Hen Destament, fe anfonodd ei Fab, ac fe anfonodd y Mab ei ddilynwyr a'i Eglwys, ac anfon arnynt hwy ei Ysbryd Glân. Ni adawyd y disgyblion i gyflawni eu cenhadaeth ar eu liwt eu hunain, yn ddigymorth a digefnogaeth. 'Anadlodd arnynt a dweud, "Derbyniwch yr Ysbryd Glân"' (20: 22). Y mae cenhadaeth heb yr Ysbryd yn amhosibl. Yr Ysbryd sy'n ein harfogi a'n nerthu i barhau'r gwaith.

Yr oedd a wnelo atgyfodiad Iesu, felly, â chychwyn cyfnod newydd, sef cyfnod yr Eglwys a'i chenhadaeth yn y byd. Mae'r Crist byw yn galw ei bobl i waith, ac yn addo bod gyda hwy a'u gwisgo â nerth ei Ysbryd. Nid mater o gorff marw yn codi'n fyw o fedd yn unig yw'r atgyfodiad, tebyg i atgyfodi mab y weddw o Nain, neu ferch Jairus neu Lasarus. Meddai'r cyn-Bab Bened XVI, yn ei ail gyfrol '*Jesus of Nazareth*': 'If in Jesus' Resurrection we were dealing simply with the miracle of a resusciatated corpse, it would ultimately be of no concern to us. For it would be no more important than the resurrection of a clinically dead person through the art of doctors. For the world as such and for our human existence, nothing would have changed' (t. 243). Digwyddiad yw'r atgyfodiad sydd o arwyddocâd tragwyddol, yn agor oes newydd a phosibiliadau newydd i'r byd cyfan.

Problem Thomas, a oedd yn absennol o'r oruwchystafell nos Sul y Pasg, oedd ei fod yntau'n meddwl am yr atgyfodiad yn unig fel corff marw yn codi'n fyw drachefn. 'Os na welaf ôl yr hoelion yn ei ddwylo, a rhoi fy mys yn ôl yr hoelion, a'm llaw yn ei ystlys, ni chredaf fi byth' (In. 20: 25). Roedd y disgyblion wedi ei sicrhau eu bod wedi gweld yr Arglwydd. Yr oeddent hwy eisoes wedi dechrau ar y gwaith o fod yn dystion i'r Crist byw. Ond nid oedd Thomas yn barod i dderbyn eu tystiolaeth. Mae miliynau dros y canrifoedd wedi dod i gredu ar sail tystiolaeth dilynwyr Iesu. Mae'r ffydd yn dibynnu ar hygrededd ei thystion.

Y Sul canlynol roedd Thomas yn ôl yn ei le, ac fe dderbyniodd y bendithion a gollodd y Sul cyntaf. Safodd Iesu yn eu plith fel y gwnaethai'r tro cyntaf, a chynnig i Thomas y prawf a fynnai. Daeth Thomas i gredu, a phlygodd mewn addoliad gan ddweud, 'Fy Arglwydd a'm Duw' (20: 28). Yn ôl traddodiad, aeth Thomas yn ddiweddarach i Parthia, Persia ac India fel cenhadwr. Ymdaflodd yntau fel y gweddill o'r Deuddeg i genhadaeth fawr y Crist byw.

Cwestiynau i'w trafod:

1. Pam nad oedd Mair wedi adnabod Iesu yn yr ardd, a pham nad oedd Iesu'n barod iddi ei gyffwrdd?

2. Beth yw neges ganolog hanes y daith i Emaus i ni heddiw?

3. Ym mha ystyr y gellir dweud bod yr atgyfodiad yn agor oes newydd?

COMISIWN Y CRIST BYW

Ioan 21: 1–19; Mathew 26: 16–20

Ffilm enwog a phoblogaidd yn ei dydd oedd portread o fywyd a gweinidogaeth Iesu Grist a gynhyrchwyd gan George Stevens yn 1965, o dan y teitl '*The Greatest Story Ever Told*'. Yn y bennod hon, deuwn i ddiwedd stori fawr bywyd Iesu, neu o leiaf i ddiwedd stori ei fywyd ar y ddaear. Nid yw'r stori gyfan eto wedi ei chwblhau, ac ni ddaw i'w diwedd tan y Dydd Olaf. Tyfu ac ehangu y mae teyrnas Crist o oes i oes. Dal ar waith y mae ei Ysbryd, yn newid y byd ac yn newid unigolion. Ond wrth ddod at ddiwedd hanes gweinidogaeth Iesu yn nyddiau ei gnawd, sylwn fod tri digwyddiad ynghlwm wrth y diwedd hwnnw, sef Iesu'n ymddangos i saith disgybl ar lan Môr Galilea, y gorchymyn i Pedr barhau i borthi ei ddefaid, a'i gomisiwn olaf i'r Deuddeg.

Ar lan Môr Tiberias

Roedd cwmni o saith disgybl wedi ymgynnull ar lan y llyn, sef Simon Pedr, Thomas a Nathanael (a enwir yn Efengyl Ioan yn ddisgybl), dau fab Sebedeus, sef Ioan ac Iago, a dau ddisgybl arall dienw. Yn sydyn, cyhoeddodd Simon Pedr ei fod yn mynd i bysgota. Mae'n anodd gwybod beth oedd ym meddwl Pedr. A oedd ei eiriau yn fynegiant o'i ffydd y deuai Iesu atynt wrth lan y môr fel yr addawodd, ac y dylent felly ymroi i'w gwaith a disgwyl amdano? Neu a oedd Pedr mewn dryswch? Roedd ei Arglwydd wedi ei groeshoelio, ei genhadaeth i bob golwg wedi methu, ac felly nid oedd dim amdani ond ailgydio yn eu hen grefft. Y mae'n bosibl, wrth gwrs, nad oedd wedi rhoi'r gorau'n llwyr i'w waith fel pysgotwr, hyd yn oed wedi iddo ddod yn ddisgybl. Gan fod Iesu eisoes wedi ymddangos iddynt yn yr oruwchystafell (In. 20: 19–29), mae'n anodd deall pam y dylai Pedr, na'r un arall o'r disgyblion, fod mewn dryswch a meddwl bod yr antur fawr wedi dod i ben. Y mae rhai esbonwyr wedi tynnu sylw at y ffaith fod yr hanes a gofnodir yma yn debyg iawn i'r stori a geir yn Luc. 5: 1–11 am yr helfa fawr o bysgod, a chredant fod yr awdur wedi cynnwys y stori yma, ar ddiwedd gweinidogaeth Iesu yn hytrach nag ar ei chychwyn, i'w bwrpas addysgol ei hun. Yr hyn sy'n amlwg yw bod yr hanes yma (yn In. 21) yn darlunio cenhadaeth apostolaidd yr Eglwys, ac yn dangos fod Iesu'n fyw ac yn bresennol gyda'i ddisgyblion yng nghanol her a phroblemau'r genhadaeth honno.

Roedd y chwe disgybl arall wedi cydsynio ag awgrym Pedr ac wedi mynd gydag ef i bysgota, ond er eu gwaith caled a'u holl brofiad fel pysgotwyr, aflwyddiannus fu eu hymdrech y noson honno. Ar doriad gwawr, a heb yn wybod iddynt, ymddangosodd Iesu ar y traeth. Wedi deall nad oeddent wedi llwyddo i ddal yr un pysgodyn, gorchmynnodd Iesu iddynt fwrw eu rhwydau i'r ochr dde i'r cwch. O ganlyniad i'w hufudd-dod i'w orchymyn, cawsant helfa enfawr o bysgod: 'ac ni allent dynnu'r rhwyd i mewn gan gymaint y pysgod oedd ynddi' (In. 21: 6).

Y disgybl a ddisgrifir fel yr un 'yr oedd Iesu'n ei garu' (Ioan, mae'n bur debyg, er na ellir bod yn gwbl sicr o hynny) oedd y cyntaf i adnabod Iesu. Ymateb Pedr oedd clymu ei wisg uchaf amdano a neidio i'r dŵr. Dilynodd y lleill gan lusgo'r rhwyd yn llawn o bysgod. Roedd Iesu'n disgwyl amdanynt ar y lan gyda thân golosg yn llosgi a physgod wedi eu coginio'n barod i frecwast.

O gofio bod Efengyl Ioan yn gweld ystyr cudd ym manylion pob stori, rhaid gofyn beth yw arwyddocâd yr hanes hwn. Y mae tri pheth yn symbolau o genhadaeth yr Eglwys Fore. Yn gyntaf, *realrwydd yr atgyfodiad.* Nid sôn am weledigaethau o rith neu ysbryd neu o hud a lledrith y mae'r hanesion o'r Crist atgyfodedig. Disgrifiadau ydynt o berson real mewn corff real. Pwysleisir bod y bedd yn wag a bod corff atgyfodedig Iesu yn dwyn olion yr hoelion a'r clwyf yn ei ystlys. Ni fyddai ysbryd yn cynnau tân nac yn coginio pysgod i frecwast! Nid ffrwyth dychymyg oedd yr atgyfodiad ond ffaith, a chorff real Iesu yn dangos hynny'n glir. Dyna pam y rhoddwyd pwyslais ar yr atgyfodiad ym mhregethu'r Eglwys Fore. Er ei bod yn amhosibl i ni esbonio beth yn union a ddigwyddodd fore'r Pasg, mae awduron yr efengylau am argraffu arnom i gorff Iesu gael ei drawsnewid, fel mai corff real yn hytrach nag ysbryd disylwedd a welwyd gan y disgyblion.

Yn ail, *llwyddiant y genhadaeth.* Y mae'r helfa bysgod yn arwydd o lwyddiant cenhadaeth yr Eglwys. Canlyniad ufuddhau i orchymyn Iesu i fwrw'r rhwyd i ochr dde'r cwch yw fod y rhwyd yn llenwi â physgod. Mewn cyferbyniad ag ymdrech y disgyblion eu hunain – 'ni ddaliasant ddim' (In. 21: 3) – cawsant lwyddiant eithriadol o ddilyn cyfarwyddiadau Iesu. Mae llwyddiant cenhadaeth yr Eglwys ym mhob oes yn dibynnu, nid ar ein cynlluniau a'n hymdrechion ni, ond ar ein perthynas â'r Crist byw. Dros y degawdau diwethaf, clywsom am sawl strategaeth newydd ac am ddulliau modern o gyflwyno'r Efengyl, a chawsom argymhellion pwyllgorau a chynadleddau ar ffyrdd effeithiol o genhadu. Ond ofer yw'r cyfan os nad ydym yn agored i feddwl ac ewyllys yr Arglwydd Iesu, ac os nad aiff ein hymdrechion law yn llaw â gweddi ddisgwylgar, ddwys.

Yn drydydd, *eglwys gynhwysol.* Y mae i'r pryd o fara a physgod gysylltiadau ewcharistig, ac atgof o'r hanes am borthi'r pum mil â phum torth a dau bysgodyn. Yn y darluniau ar furiau'r catacwmau yn Rhufain, ceir nifer o enghreifftiau o fara a physgod yn cael eu cydosod yn elfennau yn Swper yr Arglwydd. Mae'r darlun yn awgrym o'r bwrdd sy'n agored i bawb, a'r cyfeiriad at 153 o wahanol fathau o bysgod yn y rhwyd yn awgrymu bod lle i bobl o bob llwyth a chenedl yn y deyrnas. Ni wyddom beth yn union yw arwyddocâd y rhif 153, ond esboniad Jerôm oedd mai dyna gyfanswm y gwahanol rywogaethau o bysgod yn y môr, ac felly fod lle i holl amrywiaeth y teulu dynol yn nheulu'r Eglwys. Ac er gwaethaf maint a phwysau'r pysgod 'ni thorrodd y rhwyd' (21: 11), sy'n arwydd fod yr Eglwys i ymestyn at bob cenedl, a bod lle i bawb o bobl y byd o'i mewn.

Portha fy nefaid

Un o broblemau'r Eglwys Fore oedd penderfynu a ddylid adfer i aelodaeth o'r Eglwys y rhai a wrthgiliodd yn ystod erlid cyson y drydedd a'r bedwaredd ganrif. Roedd ffordd Iesu o ddelio â Pedr yn wers wrth iddynt ystyried sut i'w hadfer. Yn ystod y brecwast ar y traeth, daeth Pedr wyneb yn wyneb ag Iesu, ac er iddo'i weld yn Jerwsalem wedi'r atgyfodiad, hwn oedd y cyfle cyntaf a gawsent i sgwrsio â'i gilydd wedi i Pedr wadu Iesu yn llys Pilat. Roedd wedi ei wadu deirgwaith. Ac yma, deirgwaith y gofynnodd Iesu iddo'r un cwestiwn, 'Wyt ti'n fy ngharu i?' (21: 15–17). A theirgwaith y mae Iesu'n gorchymyn iddo ofalu am ei braidd: 'Portha fy nefaid'. Ac yntau deirgwaith wedi gwadu unrhyw adnabyddiaeth o Iesu, rhoddir iddo gyfle yn awr, deirgwaith, i ddatgan ei gariad at Iesu. Ar sail ei gyffes o gariad, penodir Pedr yn fugail yn yr Eglwys. Iesu ei hun yw 'Bugail mawr y praidd' (In. 10: 11–16), ond yn awr y mae'n penodi Pedr i fod yn brif fugail ei Eglwys ar y ddaear. Ac nid Pedr yn unig, ond y disgyblion eraill hefyd.

Gwelwn gamau penodol yn adferiad Pedr. Yn gyntaf, *mae Iesu'n gofyn iddo a yw'n ei garu.* Nid yw'n gofyn i Pedr am eglurhad am ei ymddygiad yn llys Pilat. Nid yw'n gofyn iddo a yw'n edifeiriol? Nid yw'n gofyn dim am y gorffennol, ond am y presennol. Yr hyn sy'n hollbwysig, ac yn amod ei adferiad yw agwedd ei galon. Y flaenoriaeth bob amser yw cariad at Iesu Grist. Dyna ystyr y geiriau 'yn fwy na'r rhain' (In. 21: 15). Gallai hynny olygu yn fwy na'r cychod a'r rhwydi a'r offer pysgota, sef pethau materol a geriach bywyd seciwlar. Neu, a oedd Pedr yn caru Iesu yn fwy na'r disgyblion eraill? Y cyntaf yw'r mwyaf tebygol, ond y mae'r ddau gyda'i gilydd yn bosibl. Ond cariad at Iesu yw'r amod cyntaf a'r pwysicaf.

Yn ail, *y mae Iesu'n gofyn i Pedr barhau ei ofal bugeiliol o'r praidd.* Yn dilyn pob cadarnhad o gariad mae Iesu'n llefaru gair o gomisiynu. Nid oedd gweithred Pedr yn gwadu Iesu, er mor ddifrifol oedd hynny, yn ei rwystro rhag bod â rhan yng ngwaith Iesu. Gellid adfer i waith yr Eglwys y rhai a oedd wedi llithro ac wedi cefnu, ond iddynt ddangos eu cariad at Iesu a bod ganddynt ddoniau yr oedd eu hangen i hybu'r gwaith. Nid ar sail ein cymwysterau na'n gallu y gosodir ni i gyflawni gwaith Crist yn y byd, ond yn hytrach ar sail ei alwad a'i orchymyn ef. Gofynnir i Pedr, a thrwy Pedr i bob disgybl arall a phob arweinydd eglwysig ym mhob oes, i wneud y canlynol: parhau gwaith Iesu o fugeilio praidd Duw, gofalu am eraill a chynnal ac adeiladu pobl yn y Ffydd. Ac mae Iesu'n dibynnu ar rai o'n bath ni i fod yn gyfryngau ei dosturi a'i gariad o fewn ei Eglwys ac yn ei fyd.

Yn drydydd, *y mae Iesu'n gofyn i Pedr a yw'n barod i'w ddilyn hyd y diwedd.* Gellir dychmygu i eiriau Iesu galonogi Pedr a chodi awydd ynddo i fwrw ati o'r newydd i waith ei Arglwydd. Ond y mae Iesu am wybod a fyddai'n barod i'w ddilyn hyd y diwedd, i ba le bynnag y byddai'r ffordd yn ei arwain. Wrth ei adfer a'i alw i'w waith fel bugail ei braidd, rhagwelai Iesu ei dynged fel merthyr Cristnogol: 'pan fyddi'n hen, byddi'n estyn dy ddwylo i rywun arall dy wregysu, a mynd â thi lle nad wyt yn mynnu' (21: 18). Mae'n bur debyg fod yr ymadrodd 'estyn dy ddwylo' yn cyfeirio at ddull ei farwolaeth, sef croeshoeliad. Y mae awdur yr efengyl hon yn gosod y broffwydoliaeth am ferthyrdod Pedr ar wefusau Iesu, ac o gofio i Efengyl Ioan gael ei hysgrifennu ymhell wedi i hyn ddigwydd mae'n dilyn bod yma dystiolaeth weddol sicr am y modd y bu i Pedr farw.

Gwyddom iddo gael ei groeshoelio yn Rhufain yn ystod teyrnasiad yr Ymerawdwr Nero, yn OC 64. Er i Iesu rybuddio Pedr mai merthyrdod fyddai diwedd y daith, mae'n diweddu eu hymgom gyda'r gorchymyn, 'Canlyn fi' (21: 19).

Rhoddwyd lle amlwg i hanes adfer Pedr er mwyn dangos ei safle a'i awdurdod yn yr Eglwys Fore. Gellid dychmygu y byddai rhai yn ystyried Ioan yn fwy dawnus ac yn fwy addas i arwain. Byddai eraill yn dweud mai Paul oedd y pwysicaf, yn rhinwedd ei deithiau a'i lythyru cyson â'r eglwysi. Ond dengys y bennod hon fod i Pedr hefyd ei le, nid fel awdur fel Ioan, nac fel cenhadwr a theithiwr fel Paul, ond fel prif fugail praidd Duw. Yn hynny o beth, gall pob un ohonom ei efelychu a gwneud ein rhan i garu a gofalu am bobl yn eu gwahanol anghenion a'u hargyfyngau.

I'r holl genhedloedd

Trown at ddiwedd Efengyl Mathew ac at ddisgrifiad yr awdur o orchmynion olaf yr Arglwydd Iesu i'w ddilynwyr (Mth. 26: 16–20) i ganfod seiliau cenhadaeth yr Eglwys Fore wrth iddi barhau gwaith a gweinidogaeth Iesu yn y byd. Dywedwyd am y diweddglo hwn nad oes efallai yn holl lenyddiaeth y byd lyfr ac iddo ddiweddglo mor ardderchog â'r efengyl hon. Dywedir i'r un disgybl ar ddeg fynd 'i Galilea i'r mynydd lle y trefnodd Iesu iddynt fod' (26: 16). Yn ôl traddodiad, mynydd y Gwynfydau oedd hwn, ond nid oes sicrwydd o hynny. Wedi i Iesu ymddangos, ymateb rhai oedd ei addoli, ond ychwanegir i rai 'amau'. Wedi i Iesu ddod yn nes, ni chlywyd mwy o sôn am amheuaeth wrth i'r rhai nas argyhoeddwyd bod Iesu wedi atgyfodi ei weld yn awr yn fyw yn eu mysg. Mae'n bwysig sylwi bod y comisiwn sy'n dilyn i wneud disgyblion o'r holl genhedloedd yn deillio o'r atgyfodiad.

Yna ceir y Comisiwn Mawr sy'n dwyn stori Iesu ar y ddaear i ben, ond sydd hefyd yn sail i waith a chenhadaeth yr Eglwys sy'n barhad o'r stori fawr honno. Yn y Comisiwn, cawn siarter yr Eglwys, crynodeb o bregethu apostolaidd, a datganiad o'r Ffydd Gristnogol. Gellir rhannu'r Comisiwn i dair rhan.

Yn gyntaf, *awdurdod Iesu*. 'Rhoddwyd i mi,' meddai, 'bob awdurdod yn y nef ac ar y ddaear' (26: 18). Yn ystod ei weinidogaeth, cydnabuwyd yn rhannol awdurdod ei eiriau, ei weithredoedd nerthol a'i allu i faddau pechodau. Yn awr, o ganlyniad i'w atgyfodiad, rhoddir iddo awdurdod llwyr dros y nef a'r ddaear a thros holl bobloedd a chenhedloedd y byd. Yn y Testament Newydd, ar ôl yr atgyfodiad y cyffesir Iesu yn Arglwydd.

Yn ail, *gorchymyn Iesu.* Yng ngeiriau ei Gomisiwn Mawr anfonir yr Eglwys allan i gyhoeddi Efengyl y deyrnas i'r holl genhedloedd, a'u dwyn i adnabod a chyffesu arglwyddiaeth Crist. Wrth wneud hynny, bydd yr Israel newydd yn cyflawni tynged yr hen Israel. Er i rai o'r Cristnogion cynnar betruso ar y dechrau rhag croesi terfynau Iddewiaeth, yr Apostol Paul a'i gyfeillion a ddehonglodd yn gywir eiriau a bwriad Iesu a mynd â'r Efengyl allan i'r byd. Mae'r cyfeiriad at fedyddio dychweledigion 'yn enw'r Tad a'r Mab a'r Ysbryd Glân' (26: 19) yn adlewyrchu arfer yr Eglwys ar y pryd, ynghyd â'r gorchymyn i'w dysgu i gadw holl orchmynion Iesu. Y mae ffydd yn golygu ufudd-dod, ac ufudd-dod yn golygu dysgu, deall a thyfu yn nysgeidiaeth yr Arglwydd.

Yn drydydd, *addewid Iesu.* Er ei ddyrchafu i ogoniant y nefoedd, nid arglwydd absennol mohono. Y mae'n addo bod gyda'i bobl dros byth, gan eu sicrhau o'i bresenoldeb, ei allu a'i awdurdod 'hyd ddiwedd amser'

(26: 19). Dechreuodd Mathew ei efengyl trwy alw Iesu'n 'Immanuel', sef 'y mae Duw gyda ni' (Mth. 1: 23). Daw ei hanes am y newyddion da i ben gan ddod yn ôl i'r man y cychwynnodd, gyda'r addewid o bresenoldeb y Crist byw gyda'i bobl bob amser ac ym mhob man.

Cwestiynau i'w trafod:

1. Sut y dylai'r Eglwys heddiw gyflawni gorchymyn Iesu i Pedr i borthi ei ddefaid?

2. Beth sydd gan hanes yr helfa bysgod a Chomisiwn Mawr Iesu i'w ddweud wrthym am genhadaeth yr Eglwys heddiw?

3. Ym mha ystyr y mae Iesu Grist yn fyw heddiw?

Llyfryddiaeth

Borg, Marcus J. **Jesus,** SPCK, 2011

Wright, T. R. a Borg, Marcus, **The Meaning of Jesus,** SPCK, 1999

Bornkamm, Gunter, **Jesus of Nazareth,** Hodder and Stoughton, 1974

Crossan, John Dominic, **The Historical Jesus,** T. & T .Clark

Ratzinger, Joseph, **Jesus of Nazareth** (3 gyfrol), Bloomsbury, 2012

Wright, T. R., **Jesus and the Victory of God,** SPCK, 1996

*Wright, T. R.,***Simply Jesus,** SPCK, 2011

Vermes, Geza, **Jesus in the Jewish World,** SCM, 2010

Keener, Craig S., **The Historical Jesus of the Gospels,** Eerdmans, 2009